U0060761

天下文化
BELIEVE IN READING

訪問奧地利、匈牙利、捷克。↓見上冊頁四四一至四四二

●一九九六年一月十二日：積極推動眷村改建工作，制定國軍老舊眷村改建條例。↓見上冊頁四一一至四一六

●一九九六年三月二十三日：首屆總統、副總統直接民選，由李登輝、連戰當選。↓見上冊頁四五三

●一九九七年八月：率領內閣閣員提出總辭，專任副總統。↓見上冊頁四五四至四六二

●一九九九年九月二十一日：九二一地震，銜命主持災後重建工作，為政府今後面對巨型天然災害的救災行動，豎立標準作業程序。↓見上冊頁四七九至四八八

●二〇〇〇年三月：代理中國國民黨主席。

●二〇〇〇年六月十八日：繼蔣經國、李登輝後，任中國國民黨第三任主席，並為首位由國民黨黨員直選產生之黨主席。↓見上冊頁五一三

●二〇〇四年三月十九日：三一九槍擊事件。↓見上冊第十章〈民主蒙塵〉

●二〇〇四年三月二十七日：三一九抗議群眾激增至五十萬人，訴求「拚公道，要真相，救民主」。↓見上冊頁六二四

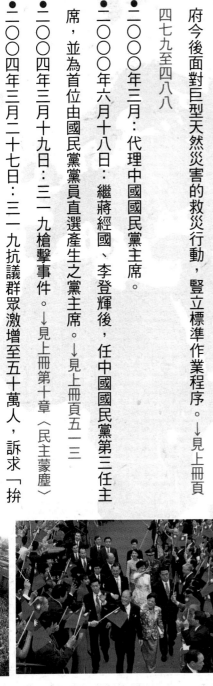

1975

從政之道

- 一九七五年，出任駐薩爾瓦多全權大使。↓見上冊頁二〇一
- 一九七七年，出任國民黨中央委員會青年工作會主任；三月兼任世界青年反共聯盟中國分會首任主席；一九七八年七月，擢升為國民黨中央委員會副祕書長；十月，出任行政院青年輔導委員會主任委員。↓見上冊頁二〇一
- 一九七九年，擔任蔣經國總統特使，兩個月密集走訪拉丁美洲六國。↓見上冊頁二三九
- 一九八一年十月二十五日，任交通部長。任內拓展國輪船隊，協助開闢航線，開拓貨櫃航運及港口貨櫃裝卸量，使台灣貨櫃裝卸量名列全球之首。↓見上冊第四章〈全力以赴拚交通〉
- 一九八四年一月二日，行政院院會通過台北市鐵路地下化的工程預算案。↓見上冊頁二〇八
- 一九八六年一月二十六日，經建會決議投資興建四條台北捷運系統路線。↓見上冊頁二二五

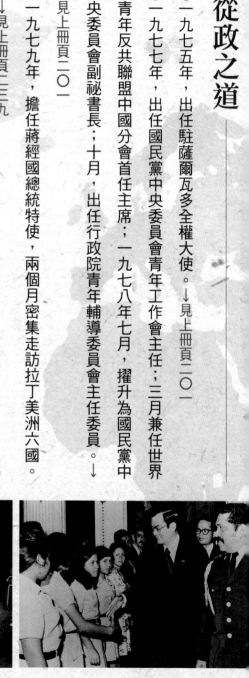

●一九八六年五月三日，王錫爵劫機事件。時任行政院長俞國華要求連戰主持專案小組，後順利取回飛機，事件落幕。↓見上冊頁二三二至二三四

●一九八六年十二月一日，連戰父親連震東辭世，享壽八十二歲。

●一九八七年，任行政院副院長，推動行政院組織法修法。↓見上冊頁二三五

●一九八八年，任外交部長。任內全力推動以「台澎金馬關稅領域」名義，申請加入關稅暨貿易總協定。↓見上冊第五章〈為國發聲的外交生涯〉

●一九九〇年六月，任台灣省政府主席，在省議會首開先例，為省議員行使同意權後始出任。↓見上冊第六章〈省政工作展抱負〉

●一九九二年九月，GATT理事會成立審查我入會案。↓見上冊頁二五四

●一九九三年二月二十七日，任行政院長，最後一位經民選立法院行使同意權任命的行政院長。↓見上冊第七章〈執掌閣揆不負眾望〉

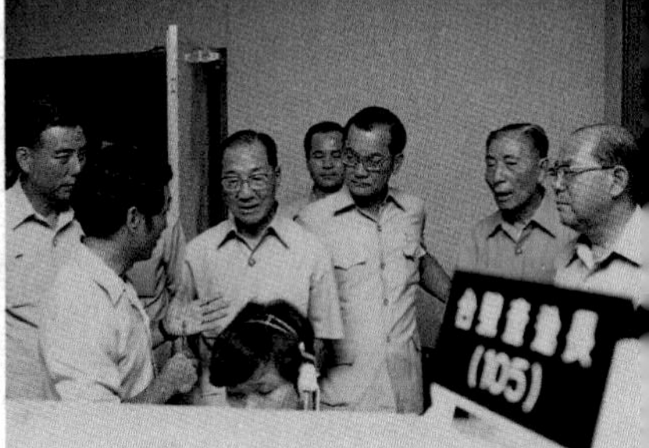

●一九九三年四月二十七日至四月二十九日：行政院長任內辜汪會談在新加坡召開。↓見上冊頁四三二

●一九九三年八月：在國民黨十四全大會通過任副主席。

●一九九三年十二月：訪問新馬，提出「排斥零和、走向雙贏」的大陸政策。↓見上冊頁二五五

●一九九四年七月十四日，行政院會議通過「十二項建設個別計畫內容摘要」，推動十二項重點建設計畫。。↓見上冊頁三九三至三九五

●一九九四年八月：成立國家資訊通信基本建設（NII）專案推動小組，發展網際網路的建設與應用。↓見上冊頁四一七至四二二

●一九九五年三月一日，全民健康保險正式開辦。↓見上冊頁四〇一至四一一

●一九九五年一月五日：行政院會議通過「發展台灣成為亞太營運中心計畫」。↓見上冊頁四二三至四三一

●一九九五年六月：推動李登輝總統重返美國康乃爾大學母校訪問；同月

●二〇〇四年八月二十四日：國親版本的「三一九槍擊案真相調查委員會條例」在立院表決通過。↓見上冊頁六三〇

●二〇〇五年一月十七日：真調會提出結論，認為陳水扁腹部的創傷非由扣案之鉛彈頭所造成。↓見上冊頁六三六

2005

破冰之旅

●二〇〇五年四月二十六日：由台北啟程，展開為期八天的「和平之旅」。↓見下冊第十一章〈二〇〇五年和平之旅〉

●二〇〇五年四月二十九日：繼美、俄、印等二十多國元首後，受邀至北京大學演講，講題為「堅持和平．走向雙贏」。↓見下冊頁一一〇

●二〇〇五年四月二十九日：下午出席第一次連胡會，此為國共兩黨最高領導人自一九四五年後的首度會晤。↓見下冊頁一一二

後就讀美國芝加哥大學。↓見上冊頁一三六至一三九

●一九六一年，取得芝加哥大學國際公法與外交碩士。↓見上冊頁一五四

●一九六五年，取得芝加哥大學政治學博士學位。↓見上冊頁一五四至一六九

●一九六五年九月五日，與中國小姐方瑀（後冠夫姓為連方瑀）在美成婚。↓見上冊頁一六九

●一九六五年—一九六八年，於威斯康辛大學及康乃狄克大學任教。↓見上冊頁一七一至一七八

●一九六八年，受邀返國任台大政治系客座教授，一年後獲聘任台大政治系教授兼系主任、台大政治研究所所長至一九七四年。↓見上冊頁一八四

●一九六九年，奉派擔任中華民國出席聯合國第二十四屆大會中華民國代表團顧問。↓見上冊頁一八六

●一九六九年，入國防研究院十一期受訓。↓見上冊頁一八九

大事記

1936

根繫兩岸

● 一九三六年八月二十七日，出生於中國西安。↓見上冊頁二十三

● 一九四四年，隨父親遷往重慶，就讀重慶南山小學四年級。↓見上冊頁九十五至九十七

● 一九四五年十一月，連震東先到台灣，擔任台北州接收管理委員會首任主任委員。↓見上冊頁六十九

● 一九四六年二月，十歲的連戰隨母親及表兄弟姐妹等親戚搭船到台灣。↓見上冊頁一〇二至一〇六

● 一九四七年七月，自台北市日新國小畢業，進入台北市成功中學初中部，高中就讀於師大附中。↓見上冊第二章〈在不斷的變化中學習〉

● 一九五三年，就讀國立台灣大學政治系一年級。↓見上冊頁一二八至一三九

● 一九五七年，取得台灣大學政治系學士學位，於政工幹校服預官役，

●二〇〇六年四月十三日：以中國國民黨榮譽主席的身分前往參與國共經貿論壇。↓見下冊頁二〇九

●二〇〇六年四月十六日：第二次連胡會。↓見下冊頁二八三

●二〇〇八年至二〇一二年：以中華台北領袖代表身分參加亞太經濟合作會議（APEC），五次會議期間與中共中央總書記胡錦濤均安排單獨會晤。↓見下冊頁三六三

●二〇一一年四月十七日：連戰母親趙蘭坤辭世，享壽一〇三歲。

●二〇一三年二月二十五日：「走春訪舊」，第一次連習會。↓見下冊頁二六七

●二〇一四年二月十八日：率團參訪北京，第二次連習會。↓見下冊頁二九三

●二〇一五年九月一日：第三次連習會。↓見下冊頁三〇九

●二〇一五年九月三日：率代表團出席「紀念中國人民抗日戰爭暨世界反法西斯戰爭勝利七十周年大會」。↓見下冊頁三〇九

●二〇一八年七月十三日：第四次連習會。↓見下冊頁三二四

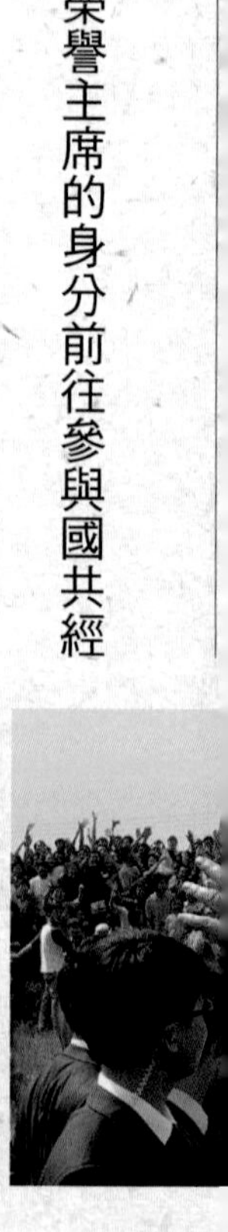

連戰回憶錄 上

我的永平之路

連戰◎著

目錄

目錄

目錄

出版者的話

為歷史留下紀錄，為未來接受檢驗

高希均　遠見・天下文化事業群創辦人

（一）

一個時代的歷史，是由一些革命家、思想家、政治人物及追隨者與反對者，以血、淚、汗所共同塑造的。其中有國家命運的顛簸起伏，有社會結構的解體與重建，有經濟的停滯與飛騰，更有人間的悲歡與離合。

百年來我們中國人的歷史，正就徘徊在絕望與希望之中，毀滅與重生之中，失敗與成功之中。沒有歷史，哪有家國？只有失敗的歷史，何來家國？

歷史是一本舊帳。但讀史的積極動機，不是在算舊帳；而是在擷取教訓，避免悲劇的重演。

歷史更可以是一本希望之帳，記錄這一代中國人半世紀來在台灣的奮鬥與成就，鼓舞下一代，以民族自尊與驕傲，在二十一世紀開拓一個中國人的天下！

以傳播進步觀念為己任的「天下文化」，自一九八二年以來，先後出版了實際參與改變中國命運與台灣發展重要人士的相關著作。這些人士都是廣義的英雄，他們或有英雄的志業、或有英雄的功績、或有英雄的失落。在發表的文集、傳記、回憶錄中，這些黨國元老、軍事將領、政治人物、企業家、專家學者，以歷史的見證，細述他們的經歷軌跡與成敗得失。

就他們所撰述的，我們尊重；如果因此引起的爭論，我們同樣尊重。我們的態度是：以專業水準出版他們的著述，不以自己的價值判斷來評論對錯。

在翻騰的歷史長河中，蓋棺也已無法論定，誰也難以掌握最後的真理。我們所希望的是，每一位人物寫下他們的經歷、觀察，甚至後見之明。他們的貢獻，是為歷史留下紀錄；他們的挑戰，是為未來接受檢驗。

（二）

做為關心兩岸和平的知識份子，我認為書中二〇〇五年連先生的「兩岸破冰之旅」的論述，提供了國共兩黨六十年來首次正式對話的背景、現場及未來交流的可能。我記得當時自己從台北趕赴上海，參加了連主席在北大演講後另一次對台商的重要演講。在熱情洋溢的上海香格里拉的大廳中，連先生條理清晰地提出了「共同市場」的理念，來追求兩岸雙贏；今日看來，仍是兩岸最佳解方。

在新冠疫情依然存在之際，再加上全球受地緣政治的影響，國際局勢變得更加複雜，但「兩岸雙贏，共同興利」一直是我們那一代嚮往的價值主張，也是此刻值得全球華人讀者要共同深思的關鍵課題。

◆ ◆ ◆

編者附言

（一）本套書寫作歷時十五年，內文約四十二萬字，收錄約一百二十張照片，分為上、下兩冊，完整記錄連戰先生從學者到公職人員的一生事蹟，見證中華民國的政治、經濟、社會等多元發展的四十年時程。為方便讀者閱讀與查閱，謹說明如下：

1. 編輯體例為上、下冊合為一套，不單獨行之。
2. 上、下冊以二〇〇五年「兩岸破冰之旅」為界。
3. 以回憶錄的編寫為考量，全套書的部次排序：
上冊：「大事記」、「出版者的話」、「代序」及第一部和第二部。
下冊：第三部、第四部及「跋」、「附錄」。
4. 頁碼排序，上、下兩冊皆從第1頁開始編排，以利單書查詢。

（二）本書是作者連戰先生負責任地為其一生留下珍貴紀錄，足供後進者參閱與學習。他與最親近的家人連方瑀女士、連惠心女士、連詠心女士等親自參與校對。另外，資深媒體人李建榮先生多年來協助本書整理、蒐集資料與核對，於此一併致謝。

代序

連方瑀

戰哥準備出傳記已久，我曾經問他為何要花那麼多時間與心血準備、蒐集資料呢？戰哥說：雁過留痕，人過留聲。這本傳記是他對記憶的整理，是飽含深刻情感的回憶，有歡笑、有淚水、有成功、有失敗，有輝煌、有坎坷。尤其他服務公職四分之一個世紀，深受長官的栽培提拔，難得的際遇，在不同崗位上服務，制定政策，影響深遠。因此深盼「閱讀連戰，海納百川」，他以此態度完成寫作，並呈現在所有讀者眼前。

他也希望百年之後，我們的子孫們看到他的自傳，會從文字中瞭解他，了解他一生為國為民的服務和貢獻，像個永不凋零的夢，讓這些孩子們活出更多的意義，成為更好的一代。

為了整理這本回憶錄，戰哥整整奉獻了十五載春秋，近來，由於疾病的干擾，疫情的環繞，更耽誤了不少時間。

如今這本傳記出版了，身為與他相識、相知、相惜、相守逾一甲子的我，為這本記錄戰哥悠悠八十六載的人生故事受邀寫序，在翻閱這本傳記的文稿時，回憶往昔，內心五味雜陳，當然最多的是甜蜜。

曾經有一家媒體撰文敘述戰哥與我的相識，下了這個標題「一九六二年，台灣選出的『中國小姐』，一生只活兩個字連戰」，這個標題讓我印象十分深刻，但認真想想，我必須承認這是個不爭的事實。與戰哥共結連理是緣分，也是上帝賜給我們最好的禮物，一切都是命中注定的。

一九六二年我是台大植物病蟲害系大一新生，在同學的鼓勵下參加了「中國小姐」選拔，僥倖獲得冠軍，並被派到美國參加國際賽事，芝加哥是訪美行程之一，我深刻記得當我甫抵芝加哥，在一陣獻花、拍照，兵荒馬亂之後，背後有一人提著我的皮箱，用沉穩、好聽具有磁性的嗓音說「領事館要我送你去旅館，我的車就在外面。」我心頭一震，回首望去，是個戴黑框眼鏡、長相斯文、一對整齊的濃眉，笑容滿面的男士，似曾相識的感覺立刻拉近了兩位陌生者的距離。我坐上了戰哥的車，戰哥專注、穩健、精湛、輕鬆、瀟灑的開車技術讓我印象深刻；交談時得知當時戰哥就學於美國芝加哥大學攻讀國際公法及外交學，雖然我們是初次見面，但溫文儒雅的態度，完全讓我忘記了陌生感與忐忑不安。因為這個緣分，讓我們開啟了相距太平洋的異地戀。但由於當時父母親明確表達不願意我嫁入政治家庭，於是我寫給戰哥的書信漸漸減少，戰哥毅然決然的回到台灣，每天來我家報到，父母被戰哥的真情打動，最終同意了我們的訂婚，戰哥也回到美國繼續學業。

大學畢業後，我隻身前往美國深造，選擇了一所離戰哥較近的伊利諾理工大學（Illinois Institute of Technology）就讀。一九六五年九月三日戰哥獲得芝加哥大學政治學博士學位，五日我們在美國芝加哥大學龐德教堂結婚了。一九六六年戰哥任教於美國威斯康辛大學。一九六七年轉至康乃狄克大學任教，我們迎來第一個孩子惠心。由於當時我尚在攻讀碩士學業，因此照顧女兒的工作，如餵飯、換尿布等等，完全由戰哥負責。同年我也順利的拿到了美國康乃狄克大學生化碩士學位。

一九六八年，戰哥應台灣大學校長錢思亮先生之邀返台，擔任台灣大學政治系客座教授，一年後接任系主任和研究所所長，任職期間，戰哥積極邀請許多學有專長的年輕學者返國擔任教職。當時我們一家三口擠在一個簡陋的宿舍裡，生活條件雖然艱苦，但十分快樂。

一九七五年，三十九歲的戰哥帶著我、惠心、勝文出任駐薩爾瓦多大使。薩國位處中美洲北部，為中美洲面積最小的國家，氣候宜人、民風純樸，大家都說西班牙語，這對我們來說是極大的挑戰，於是我們聘請老師惡補西文，每天上午八點上課兩小時，戰哥十分認真，沒有多久即可朗朗上口和閱讀報章雜誌；我則因為懷孕、水土不服，學習成效較差，但如今我們偶爾在家裡也會以西語溝通。次子勝武於薩爾瓦多出生，出生當晚發生七級半強烈大地震，人都無法站立，我剛好在浴室，只有抱住馬桶，等地震稍稍減弱，才懷著坎坷不安的心情爬到育嬰室，看到剛出生的嬰兒寶貝安然無恙，心中的大石頭才放下，這是一次難忘的經驗。一九七七年舉家奉調回國，出任國民黨青工會主任，自此展開二十幾年國內公僕生涯。

一九八一年，戰哥四十五歲入閣出任交通部長的五年半期間，策畫台北市區鐵路地下化工程以及核定台北市捷運系統、完成北二高之規劃與設計、推動電信現代化工作、擴展貨櫃航運及港口貨櫃裝卸量，使台灣貨櫃裝卸量名列全球之首、規劃促成航空及海運環球國際線、推動航空系統十年發展計畫、開辦快遞郵件，鼓勵郵政儲蓄、全面開放國民出國觀光旅遊等各項政績在在都可見戰哥的用心。

一九八八年擔任外交部長展開「彈性外交」，讓郭婉容率團到北京參加亞洲銀行會議，同年甚至在立法院答詢時提出「一個中國，二個對等政府」的看法……等等，這些都在在證明戰哥大膽銳進的格局及高瞻遠矚。

亞太營運中心計劃是一九九〇年當時擔任行政院長的戰哥團隊提出，戰哥是一個表裡如一，實在而誠懇的人，計劃以發展台灣成為亞太地區的經濟樞紐。在他入閣前，心中朝思暮想的就是將台灣建設成為現代化的亞洲營運中心。而所謂的「營運中心」是指包括製造中心、海運轉運中心、航空轉運中心、金融中心、電信中心和媒體中心等六大中心。當時李總統對行政院呈報的案子均批示「可」，於是一個一個中心都蓬蓬勃勃的建設起來。幾年前戰哥的老部下們一起聚餐，曾任經建會副主委薛琦感慨的回憶，那時好熱鬧啊！每天的報紙頭條都是行政院的消息，氣勢如虹，可惜同一個人後來又改變心意（戒急用忍），讓「亞太營運中心」全部下架，所有的建設煙消雲散，成為戰哥心中永遠的痛。

至今讓許多人受惠的全民健保政策，是一九九五年擔任行政院閣揆期間，戰哥將軍公教勞等醫療保險整合擴大後產生的制度。當初推出時，遭到在野黨與醫藥界的反對與辱罵，但由於戰哥與國民黨的堅持與努力，終於整合推行成功。全民健保政策的制定與推行，守護國人健康，平價的保費減輕人民的負擔，極高的就醫便利性挽救了許多的生命，更大大提升醫療品質，不僅是台灣的驕傲，更博得了國際盛名。

二〇〇五年四月二十六日，戰哥以中國國民黨黨主席的身份率領訪問團到中國大陸進行訪問，此行亦被稱為「破冰之旅」，並與時任中國共產黨中央委員會總書記胡錦濤在北京人民大會堂進行會談，且達成五點共識，同意在九二共識上推動兩岸良性互動。這是自第二次國共內戰以來，國共兩黨之間首次最高層次的會晤。戰哥成為一九四九年後第一位踏上中國大陸的國民黨最高領導人以及前中華民國副總統。達成的五項共識包括：一、促進盡速恢復兩岸兩會復談，共謀兩岸人民福祉。二、促進終止敵對狀態，達成和平協定。促成正式結束兩岸敵對狀態，達成和平協定，建構兩岸關係和平穩定發展的架構，包括建立軍事互信機制，避免兩岸軍事衝突。三、促進兩岸經濟全面交流，建立兩岸經濟合作機制。促進兩岸開展全面的經濟合作，建立密切的經貿關係，包括全面、直接、雙向「三通」，開放海空直航，加強投資與貿易的往來與保障，進行農漁業合作，解決台灣農產品在大陸銷售的問題，促進恢復兩岸協商後優先討論兩岸共同市場的問題。四、促進協商台灣民眾關心的參與國際活動的問題。五、建立黨對黨定期溝通平台。

四月二十九日戰哥應邀到北大演講。在近四十分鐘的演講過程中，戰哥提出了「堅持和平，走向雙贏」的設想，精彩的演講贏得了十餘次掌聲，有的聽眾鼓掌時甚至站了起來，我不禁潸然淚下。

此次八天七夜的訪問，不僅開啟了二〇〇五年之後兩岸關係有效溝通、坦誠交流的新局面，更為日後的台海交流和發展奠定了堅實的基礎。

對於家庭，戰哥是最孝順的兒子，子女的好父親，更是我親密的伴侶與最知心的朋友。戰哥永遠記得家人的生日、我們的結婚紀念日、情人節更不忘記送上一束美麗的花朵。我永遠記得戰哥有一次至哥倫比亞出差時省吃儉用，特別給我買一個祖母綠的戒指，戰哥的浪漫與柔情讓我每天沉浸在愛與關懷之中。

自戰哥卸下國民黨黨主席之後，仍致力於兩岸和平工作的推廣，每日持續以往閱讀大量國內外報章雜誌圖書、觀看國際電視新聞媒體報導的習慣，完全掌握時代的脈動。我們也有更多的時間和兒女們或我們老倆口安排了許多旅行活動。這三年由於新冠疫情的影響，再加上戰哥的身體微恙，不克出國旅行，但也讓我們更享受與珍惜朝夕相處的時刻。中國有句古話「百年修得同船渡，千年修得共枕眠」。戰哥，我珍惜這個千年修得的緣分，如果有來生，我仍希望成為你的終身伴侶。

第一部

根繫兩岸

第一章——追憶連氏先祖

民國二十五年八月二十七日我誕生於中國陝西省西安市，身為一個台灣子弟，為何會在離台灣數千公里之遙的大西北出世，而我父母又為何幫我取單名戰？待我稍長及懂事後方知，這一切都與日本發動侵華戰爭有關。我的小學歲月就轉了四次學，分別在西安、重慶及台北就讀，在烽火連天、顛沛流離的歲月中成長，這絕非於承平歲月中茁壯的孩子們所能體會。

我的祖父是台南馬兵營連氏的第七世，諱橫，字雅堂，號慕陶。其為台灣耆儒，既是史學家、文學家，也是一位革命家，他的巨著《臺灣通史》*、《臺灣詩乘》、《臺灣語典》，和許多的詩文作品，流傳後世，具一定的歷史地位，這是大家有目共睹的，尤其他反清抗日、愛國保種等言行，更是眾所周知。

很遺憾的是，祖父在我出生前兩個月於上海病逝，我未能謀其面，親炙祖父庭訓，但他生前卻已為我取了名字。當時我的母親趙蘭坤女士已經身懷六甲，臨盆在即，祖父在彌留前留下遺言：「中、日必將一戰，若生男就取名連戰，寓有自強不息、克敵制勝的意義，更有復興國土、重整家園的盼望。」但是家母則對於「戰」一名，認為過於霸氣且有戰鬥性，因而給我取了別號永平。祖父一生強烈的民族意識與道德文章，對我影響深遠，我一生的奮鬥歷程，也不辜負馬兵營連家的傳承。

我們連家傳自對岸福建漳州府龍溪縣馬崎村，而龍溪馬崎連氏則傳自福建寧化連氏。明朝覆亡後，台南馬兵營連氏的渡台始祖為興位公，他大約在弱冠前後（約一七〇〇年），毅然飄移過海，從唐山過黑水溝，前來台灣台南定居。興位公冒險渡台拓荒，選擇以明鄭進師故址的馬兵營做為移居落地生根之處，顯然是對滿清異族統治之不滿，同時也受當時閩南沿海地區掀起的移民風潮所感染。日據時期我的祖父移居杭州西湖畔的瑪瑙寺時，曾於民國十五年所作的《寧南詩草自序二》中寫道：「寧南者，鄭氏東都之一隅也。自吾始祖卜居於是，迨余已七世矣。」在《過故居記》

中更說：「寧南門之內有馬兵營者，鄭氏駐節之地也。附城而居，境絕幽靜。自我始祖即處於是，及余已七世矣。」

永昌公：見證台南糖業發展史

我的曾祖父為連氏遷台六世祖永昌公，名得政。他生於道光十四年（一八三四）正月，卒於光緒二十一年（一八九五）六月，享壽六十二。這一年也是甲午戰敗、台灣割讓予日本，全台抗日軍興之際。他過世前兩年，蒙福建台灣巡撫邵公友濂題請旌表孝友，奉旨建坊，入祀孝悌祠。永昌公身教言行，影響祖父雅堂先生至深且巨，父親和我以下的兒孫也都間接受惠於永昌公嘉言懿行的恩澤庇蔭。

永昌公對於祖父及伯祖兄弟的影響，除了言教、身教的庭訓示範外，亦提供十分良好的讀書環境。他更慧眼識出祖父為良史之才，特地買了一部余文儀的《續修臺灣府志》給祖父，並語重心長告訴他：「汝為台灣人，不可不知台灣事。」（你是台灣人，不可以不知道台灣事。）祖父受此栽培期許，奮力完成其不朽之作《臺灣通史》。它就像一盞指引後代認識台灣的過去、進而開創台灣的未來長明燈。

很少人知道我的曾祖父是台南當年知名的糖商，他為中興家業，稍長就在府城為人管事，以增長見識，並汲取經驗。約在咸豐十年（一八六〇），他恢復連芳蘭的營運。連芳蘭是馬兵營連氏經營的鋪號，主要的營業項目是產製蔗糖的糖廍，清末日據前連芳蘭最後的店址設於台南市民權路吳園藝文中心（即日據時期台南公會堂、光復後之省立台南社教館舊址）之前庭。

最早這是我馬兵營連氏一世祖妣翁氏所開的一間店，販售日常生活所需的米、油、鹽等；至三世祖卿公時，兼營南北貨；四世祖正信公時為大批發商，用心經營得法，大發利市「嗣為匪人所構，家中落」；五世祖維楨公則「清貧自守」，不再經營買賣，但博覽群書，手不釋卷；到了六世祖永昌公，營運得法，加上童叟無欺，商譽卓著，逐漸累積相當的家財，也在業界享有一定的知名度。永昌公樂善好施，他的公益捐獻有時就用連芳蘭鋪號之名，光緒年間參加府城紳商捐建赤崁樓鎮殿佛祖，便是一例。祖父更在他的經典巨著述及永昌公的孝友事蹟。例如《臺灣通史》卷三十五〈列傳七〉開篇寫道：

粵人凌定邦為城守營，卸事後死，有巨款未能償，先君素與善，念其孥，慨然出二千金與之，喪始得歸。同治六年，大歉，穀價踴貴，先君採洋米千石平糶，窮者日以兩升恤之，耗財數千金。越年凶，又如之。城東舊社陂，溉田多，奸人王國香謀據其利，諸佃譟而逐之。國香方交通官場，訟之縣，逮諸佃下獄。諸佃恐。先君聞其事，縻千金為營救，訟始息。芊仔埔為濱海之區，地瘠民窮，婦孺輩相率赴東門外拾遺穗，必過吾鋪門。往反二、三十里，所得僅藷碎菜甲，聊以果腹。先君見而歎曰：「是無告之人也！」日以千錢頒之。受者或疑，曰：「持此以買粽可飽。」莫不歡呼而去。[1]

這些助人義舉，可以佐證曾祖父事業定有相當規模，累積相當財富，因而樂善好施，以助人為樂。

光緒十五年（一八八九），永昌公擴建馬兵營宅第，擴建後可住二十餘人。永昌公後來索性將馬兵營近旁的吳園買下。吳園是地方士紳吳尚新的別墅，占地約五畝，連同馬兵營宅第共約十五畝。

曾祖父於晚年遭逢乙未割台重大事件。光緒二十一年（一八九五）五月，甫於月初成立的台灣民主國，因總統唐景崧內渡、台北失守，抗日重心南移，全台抗日代表雲集台南，改推幫辦台灣防務閩粵南澳鎮總兵劉永福（一八三七～一九一七）為總統。劉永福雖未接受此一虛名，然仍稱幫辦防務之前清所受職銜，以黑旗軍為號召移駐台南部署軍備；設議院於府學，辦團練、保甲、聯義軍及義民，以保衛台南。閏五月初一，劉永福率同將士、紳民歃血立盟，以不要錢、不要命、不要官、甘苦相共、戮力同心為誓，布告各地，宣示決心。永昌公以府城知名殷實商戶之一，且不久前才奉旨准予建坊並入祀孝悌祠接受旌表的孝友，身經這一場空前的割台國恥與抗日鄉難，他真是痛徹心扉。基於愛鄉保鄉天性，他決心奉獻一切於這場禦寇保國衛鄉的神聖戰役中。

相傳永昌公在乙未之役，奉劉永福欽差委任，從事籌措抗日所需餉項的工作。無論這項傳說是否屬實，但可以確定的是，他認購不少當時民主國政府在台南發行的各種面額「官銀票」（紙幣）、「士擔紙」（郵票）及「安全公司股份票」（公債券），部分至今仍保存完好。永昌公眼見當時台南一隅糧餉兩缺、內地原先承諾的援助無望，憂思成疾，不料竟於六月二十四日長眠不起，連芳蘭受此衝擊也宣告正式歇業。永昌公稍後安葬於台南府城大東門外永康里賴宅之地。當時劉永福借助馬兵營，我們的故居即成為軍隊駐紮的營區。當然，為時不久。九月初二，劉永福以事不可為，乘英船爹利士號（Thales）赴廈門。隔天，日軍就攻入台南。

隔年（一八九六），日本人公布《臺灣總督府法院條例》，施行地方、覆審、高等三級審判制度，於縣、廳、支廳所在地分設地方法院。我們的馬兵營故居宅第遭日本當局徵用，改建為台南地方法院，至光復後，沿用至今。

至此，我們台南馬兵營連氏累世所處的故居，片瓦不存，灰飛煙滅。不僅如此，永昌公生前一手恢復並發揚光大的連芳蘭所在地的吳園故址，其後亦因興建公會堂及拓寬道路（今台南市民權路）遭逢拆除的悲慘下場。此外，車路墘水田則被劃入車路墘糖廠範圍。在曾祖父的晚年階段，祖父更因無法接受異族統治而遷返內地。受此巨變，連家可謂嘗盡國破家亡、漂泊四方的苦楚！

連雅堂：三百年來無此作的《臺灣通史》

我的祖父雖係文人，卻不是那種埋首書齋、不與外務、不問蒼生、自掃門前雪的文人；相反的，他十分關心所處社會、周圍的同胞，所以他積極投身各種有意義的社會活動，其最終目的是要從日本殖民統治者的桎梏下獲得解放。祖父不但是一位優秀的記者、作家、學者與編輯，能寫能編，下筆又快又好，而且還是一位成功的業餘教師及演說家。祖父先後在台南辦夜校長達一年多，不但在抗日團體臺灣文化協會台北支部舉辦的第一回短期講習會「臺灣通史講習會」擔任講師、在臺灣文化協會第一回夏季學校擔任台灣通史講師、在台北大稻埕如水社夜間夏季大學擔任台灣歷史講師、在雅堂書局附設的漢學研究會授課、在「台灣文化三百年紀念會」上講「鄭氏時代之文化」，還在台南三六九小報社主辦「台灣三百年史講習會」。此外，祖父亦多次於臺灣文化協會台北支部的通俗學術講座演講；也曾在台北台灣語研究會上以台灣語演講三民主義，聽講會員加以筆記，贊其「語既融合，辭又達意」。這是他參與最主要的社會活動。當台北大稻埕區裁廢時，祖父建議區長以尚存公款設立圖書館，但未獲採納。後來他發表〈稻江圖書館議〉，再度請命，這都顯示他對圖書館功能的重視。

祖父同時是一位熱愛中華文化的工作者，除了耗費二十年努力，投注大量心血完成第一部詳盡的紀傳體台灣史書《臺灣通史》，在研究及弘揚台灣漢語方面，另有開山之作《臺灣語典》。不僅如此，祖父還認為「詩則史也，史則詩也」，因此其後他又完成《臺灣詩乘》一書。祖父在台南創立浪吟詩社，後改組為南社，並應邀加入櫟社，遷居台北後又廣與瀛社社員相結交，可謂日據時期台灣活躍的詩人，在各地詩社的角落都有他的足跡與作品。祖父還曾創刊《臺灣詩薈》，經營雅堂書局，擔任報社記者與編輯，是多才的文化人。

我的祖父對於國家民族的認同意識十分強烈，日軍進入台南後，他

「走番仔反」，內渡福建，但隔年仍回台灣。此後，他親眼目睹日本殖民統治者的橫暴殘忍、專制侵凌，促使他在強烈的民族意識和濃厚的民族思想基礎上，終生堅守正確的國家認同。民國三年，他趁遠遊大陸之機，在北京向內務部申辦恢復原籍，並領有中華民國國籍。祖父在其經典巨著《臺灣通史．風俗志》中寫道：「臺灣之人，中國之人也，而又閩粵之族也。」[2]同書〈宗教志〉也寫道：「夫臺灣之人，閩粵之人也，而又有漳、泉之分也。」[3]這固然只是道出歷史事實的真相，而在當年的台灣，卻更是痛擊日本殖民統治所謂「內地延長主義」、「同化主義」的絕佳武器。

改變我父親青年時期命運的兩位長者，其一是我的祖父，其二就是國民黨的革命元老張溥泉先生（張繼，一八八二～一九四七）。

民國元年祖父經由日本轉進上海，曾在上海主編華僑聯合會發行的《華僑雜誌》，該會當時是同盟會員的聯絡地，而且是孫總理親自核定的，祖父就是在那個時候和革命黨員張繼、章炳麟等結識。張繼原名溥，字溥泉，河北滄縣人，是國民黨西山會議派的要角之一。民國二年春，祖父在上海隨華僑聯合會推選的國會議員，一同前往北平。早在戊申（清光緒三十四年，西元一九〇八）之秋，他曾東遊日本神戶月餘，適逢福建省議會將召開，在十二席僑商議員席次中，東洋占有一席，於是橫濱、大阪、長崎人士於橫濱福建會館召開會議，祖父蒞會演說，述及中國改革大勢，及經營福建之策，聽眾大受感動，當時有七十人投票，開票結果祖父獲得五十八票中選。但他以返回大陸之行程已定，辭不就職[4]。不過祖父後仍與華僑國會議員齊聚北平，也就是在民國二年這一年，張繼獲選為中華民國參議院首任院長，祖父因而與之熟稔，遂展開一段誠摯深切的友誼交往。

民國十八年父親震東先生畢業於日本慶應大學經濟學部，即行返台，那段時間難得在祖父左右，祖父認為父親雖接受日文教育，但也絕不能忘本，因此親為家父講授國文。兩年後，祖父曾諭父親道：「欲求台灣之解放，須先建設祖國，余為保存台灣文獻，故不得不忍居此地。汝今已畢業，且諳國文，應回祖國效命。余與汝母將繼汝而往。」祖父不欲父親再停留台灣接受日本統治，反而令家父內渡，投奔張繼門下，請其照拂，以貢獻於祖國。家父攜帶祖父的親筆信到南京面見張先生，信中寫道：

溥泉先生執事：

申江一晤，悵惘而歸，隔海迢遙，久缺牋候。今者南北統一，偃武修文，黨國前途，發揚蹈厲。屬在下風，能不欣慰！兒子震東畢業東京慶應大學經濟科，現在台灣從事報務。弟以宗邦建設，新政施行，命赴首都，奔投門下。如蒙大義，矜此子遺，俾得憑依，以供使令，幬載之德，感且不朽！且弟僅此子，雅不欲其永居異域，長為化外之人，是以託諸左右。昔子胥在吳，寄子齊國；魯連蹈海，義不帝秦；況以軒黃之華胄，而為他族之賤奴，泣血椎心，其何能恝？所幸國光遠被，惠及海隅，棄地遺民，亦沾雨露，則此有生之年，亦有復旦之日也。鍾山在望，淮水長流，敢布寸衷，伏維亮鑒！

順頌任祺　不備

愚弟連横頓首

四月十日

祖父這篇書信，民族意識和愛國情操躍然紙上，讀者無不深受感動，而張繼先生顯然也受感動，因此命留國內工作，對家父照顧有加，從此開啟父親內渡獻身抗日救國事業的歷程。民國二十二年，祖父也實現他回歸祖國繼續著作的願望，定居上海，家父特地從西安到滬省親，久違侍養，一旦相聚，骨肉之情，倍覺親切。家父也把他從南京到北平，最後前往西安工作的情況，向祖父稟報，祖父與祖母都極為喜慰。

民國二十四年春，祖父與祖母還曾至陝西關中、終南、渭水等地旅遊，這年夏天才回到上海。隔年孟春，祖父罹患肝臟病，藥石罔效，於六月二十八日上午八時，壽終上海，享壽五十有九。上述這段父親對祖父的回憶，收錄在民國三十四年六月四日父親寫於重慶李子壩的〈連雅堂先生家傳〉中[5]。

祖父自民國二十二年歸國後，就未曾再離開過大陸。簡單說，祖父可說就是一位名副其實、不折不扣的中國民族主義者。

祖父一生並未正式加入黨派，也未說過自己是同盟會會員。但是國民黨的元老黃季陸、張其昀等，都曾向家父和我提及，稱祖父生前辦報、支持同盟會。而祖父與國民黨元老張繼往來書信很多，其中多處提及他是中山先生的信徒，亦公開宣揚不少三民主義理念。孫總理的祕書馮自由先生來台後曾整理〈民國前海內外革命報刊調查〉，並刊登於民國四十五年的《中央日報》元旦特刊。這篇由馮自由口述、曾干城筆錄的報導中寫道：

在「日報類」中，壬寅年間於台灣出版的《臺南新報》（編輯及發行人載名為連雅堂），以及癸卯年間於廈門發行的《鷺江日報》，都明確係屬革命書報。

馮自由在刊頭表示：「中華民國之創造，歸功於辛亥前革命黨之實行及宣傳之二大工作。而文字宣傳工作，尤較軍事實行之工做為有力而普遍。蔣觀雲詩云：『文字收功日，全球革命潮！』誠至言也。」

西元一九〇五年祖父到廈門辦報，主持《鷺江日報》及《福建日日新聞》，編輯政策主張驅逐韃虜，振興中華。那時孫總理已經被清廷趕至南洋，清光緒三十二年（一九〇六）三月間，孫先生抵達新加坡成立中國同盟會分會，他曾指派林竹痴前往廈門與我祖父商量，如何將之收編為同盟會機關報。但是同盟會尚未收編前，日本人就一狀告到清廷，指連橫一天到晚在報紙上罵日本，有礙兩國之間友誼，報館因此被清政府關門。

我認為在了解這段歷史後，應可確認祖父當年是為了不暴露身分，才小心翼翼地以無黨無派的自由身，來支持孫總理的革命事業，這是合情合理的推斷。

祖父一生至少西渡內地八次，其中曾數度壯遊神州大陸，停留在大陸的時間共十年之久。這些壯遊的經歷，更增益他熱愛祖國及中華文化的熾烈之心。祖父在大陸，遊蹤所至，至少到過下列的院轄市和省份：上海、南京、天津、北平、漢口、瀋陽等市，以及福建、江蘇、浙江、察哈爾、河北、河南、湖北、江西、遼寧、吉林、安徽、陝西等省。其間，他曾於清末在廈門辦《福建日日新聞》，民初在吉林服務過《邊聲報》。民國元年至三年那次大陸行，祖父在征途逆旅所作之詩，返台後編為《大陸詩草》，這是他生前唯一出版的詩集；並在報上發表《大陸遊記》二卷。民國元年，祖父遍覽杭州西湖山水之勝，致祖母書信中，曾表達其盼能「偕隱於是，悠然物外，共樂天機」的心願，並繫以七言絕句云：「一春舊夢散如煙，三月桃花撲酒船。他日移家湖上住，青山青史各千年。」後來果然相偕客居一年光景。也因為有此因緣，更經各方努力，才有今日西湖瑪瑙寺連橫紀念館的創辦，聯繫起兩岸切割不斷的血緣、文緣。此一機構在紀念家父的連震東基金會穿梭及支持下，已然成為兩岸文化交流的重要平台，也是了解台灣歷史與中華文化的課堂場館，我相信這同時是對祖父最佳的感懷方式。

民國一〇九年九月十日，《中國時報》（文化新聞）A10版，有一篇題為〈清代文契展 驚見連雅堂訴訟紀錄〉的報導，文中敘述當時台南市政府文化局所舉辦之「清代府城馬兵營、小西門古文書契展」中的一件展品，是清末、日據初明治三十二年（一八九九）祖父為原告的一份台南地方法院「欠席判決正本」。由於原件字跡潦草，判讀不易，經請教專家，判決書內容大致為：祖父向被告吳雹之父吳綿記購買所有之家屋一棟及附屬花園一座，付給價款三百圓。因吳綿記死亡，被告不交付房屋及花園，庭訊亦不出席，負責審理之「判官」（即法官）茂見直次郎（新聞報導中所列田中勝三郎為本案之書記官）乃為以下判決：因買賣成立，家屋及花園應屬原告所有，被告並應負擔訴訟費用。如被告不服，得於收到判決書後十四日內為不服之申訴。由於這一份「欠席判決正本」的出土，使我們知道一件向所不知的祖父的「興訟往事」。

一八九九年距祖父新婚甫經兩年。當祖母來歸時，適值鼠疫在全台各地流行，馬兵營族人有確診不治者，外曾祖父愛女心切，急讓其掌珠與東床偕寓外家。祖父因日本殖民當局徵收馬兵營連家土地並無補償，乃以分得之曾祖父遺資與外曾祖父致贈之現款湊成三百圓，交付與吳霑父吳綿記，因而有此購置屋宇及花園之舉，惜因賣方的變故，使當時還很年輕的祖父不得不循法律途徑以求解決。因為整起訴訟的檔案，保存迄今的僅此判決書，後續如何，不得而知。然由此可見：文獻、檔案保存整理的重要與必要。不過，這是題外話了。若用台灣當前如火如荼推動的「轉型正義」手段，不知祖父當年的興訟，是否該有下文，就不得而知了。

我的祖母沈氏，諱璈，一名筱雲，亦作少雲；係當時台灣商界鉅子德墨公（諱鴻傑，一八三七～一九〇五）之長女。生於同治十三年（一八七四），卒於民國二十八年三月一日，享壽六十六。祖父曾作〈外舅沈德墨先生暨德配王太孺人墓誌銘〉，收入《雅堂文集》卷二，而《臺灣通史》卷三十五貨殖列傳篇末亦載德墨公事，[6]均恭錄於文末，可以參閱。後文徵引二者，不另注釋。當祖母為其雙親請祖父誌墓時，祖父回應有云：「夫余夙受恩大，兢兢業業，愧不足以報萬一，顧以余力之所逮，為文以詔其後，甚非所以報德也。」[7]祖父於婚後不久即移居岳家，與祖母之大弟少鶴（伯齡，一八七六～一九〇〇）先生，十分友愛，情同手足。惜未幾而少鶴先生驟逝。祖父所作《沈少鶴傳》，為一篇至性至情、感人甚深的好文章，摘錄幾段如下：

余年過弱冠，交遊遍南北，而與沈少鶴最篤。衣食也相解推，疾病也相扶持，道義也相切磋，患難也相匡濟。余與少鶴若兄弟矣。顧少鶴方少壯，抱大有為之才，而竟齎志以沒，上負老親，下遺妻子，余能不悲哉！方少鶴病時，余日夜侍左右，醫藥看護，禱其不死；越數日少鶴竟死，余又安已於情耶！

……卒哭之夕，余呼少鶴而告曰：烏乎！君其可以無懟矣。父母也余事之，弟也余教之，寡妻孤子也余嫂之姪之，有如此盟，明神鑑之！嗟乎！余及今日，其可以對少鶴也哉？

……連子曰：古人有言：一死一生，乃見交情。少鶴既死，而余所為少鶴身後事者頗多。少鶴沒四年，而其幼弟殤，次弟授室，余為之悲而喜也。又一年，德墨公逝。又五年，王太孺人亦逝。余為之治喪營葬，處家事。顧此十年間，無時不以少鶴為念。今遺孫稍長，皆肄業於學校，必有振興之一日，亦可以慰我少鶴於地下也夫。[8]

關於祖母的事蹟，表姊林文月教授在她所著的《青山青史：連雅堂傳》中，已有相當載述。書中曾引陳蘅士（其采，一八八〇～一九五四）先生為《臺灣詩乘》題詞七絕四首之一云：「難得知書有細君，十年相伴助文情。從來修史無茲福，半臂虛誇宋子京。」表姊接著說：

可謂慧眼獨識，觀察最細，能見到他人所未見。一切榮耀屬於連雅堂，但是誰注意到在一位偉大的史學家旁邊站著的竟是一位嬌小端莊而堅毅無比的婦人呢？二十年來，她與雅堂共甘苦；或風塵僕僕於臺中、臺南兩地；或獨留家鄉，上侍老母、下育兒女，始終沒有一句怨言。如果沒有這位賢妻靜默的贊助與不斷的慰勉，也許連雅堂著述的工作就不會進行得如此順利和迅速。成功的男人身邊常常有一位偉大的女性，沈筱雲便是連雅堂身邊的這樣一位女性。[9]

父親在〈連雅堂先生家傳〉也說祖母「明詩習禮，恭淑愛人，上奉姑嫜，旁協妯娌，一家稱賢，於先生（祖父）之著作，尤多贊助。」[10]這些話，應該都無「溢美」之辭。父親還特別提到：《臺灣詩乘》之成，祖母有力焉。

民國九年之夜，祖母為《臺灣通史》作〈後序〉，有云：

嗟乎！夫子之心苦矣，夫子之志亦大矣！臺自開闢以來，三百餘載，無人能為此書；而今日三百餘萬人，又無人肯為此書。而夫子乃毅然為之，抱其艱貞，不辭勞瘁，一若冥冥在上有神鑒臨之者。而今亦可以自慰矣。然而夫子之念未已也，經綸道術，煥發文章，璈當日侍其旁，以讀他時之新著。[11]

而祖父在〈台灣稗乘序〉亦寫道：

詩曰：維桑與梓，必恭敬止。況若人者，亦狂亦俠，可歌可泣，每卒一篇，投筆起舞。荊妻淪名，潤我剛腸，稚子進烟，助余幽思。……[12]

民國八年，祖父應華南銀行發起人林薇閣（熊徵，一八八八～一九四八）先生之聘，為處理與南洋華僑股東之往返文牘，移家台北。祖父曾攜祖母等遊圓山，祖母喜愛圓山的山水嶔崎。表示擬築一所別墅，與祖父同棲，欲名曰「棠雲閣」。閣名便是取自祖父「雅棠」和祖母「少雲」之下字而成。是年，他們就將大稻埕的居所命名為「棠雲閣」。而祖父喜愛杭州西湖湖光山色的景致，與厚實濃郁的歷史文化的氣息，一向有「他日移家湖上住，青山青史各千年」的宿願，民國十五年至十六年，果然相偕在此客居約一年之久。這些，在在顯示祖父母伉儷情深，以及祖母對於祖父研究和著述事業的襄贊。透過《雅堂先生家書》中數十件私函，更可看出當年祖母對隻身遠赴大陸的父親之時刻縈懷、朝暮牽掛。直到民國二十二年春，祖父、祖母與三姑返國，始定居於上海江灣路。

民國二十五年祖父逝世後，父親迎請祖母到西安奉養。不久，我即在西安出生。因此，直到二十八年三月祖母壽終，我出生後的兩年半時光，主要是由祖母看顧照料的。後文還會敘述。

在這記述祖父與祖母事蹟的篇章中，不能不說到祖母的父親沈德墨公及母親王氏（一八四九～一九一〇），他們不但與祖父及祖母有著至親的關係，也各有可傳的事蹟。

祖母曾說德墨公和王氏之所以對祖父「屬意殷殷」者，是因為祖父「少有氣節，而又能文章也」，可見他們對這位半子慧眼獨具；而祖父則感懷德墨公夫婦，當祖母請他為自己的雙親誌墓時，祖父的回應已見前引（見頁四十二），其中曾說：「夫余夙受恩大，兢兢業業，不足以報萬一。」

《臺灣通史》貨殖列傳之論贊，無異一篇德墨公列傳，首云：「外舅沈德墨先生為臺灣商界巨子，慘澹經營，以興腦業，其勞多矣。」[13]德墨公為福建安溪人，習航海，貿易東洋及南洋各地，也曾數度來台，販運糖、茶於天津、上海。清同治五年（一八六六），寄籍台灣府城（台南），並定居下來，在此經營進出口貿易及保險事業。上述論贊形容德墨公：「素諳英語，與英人合資建商行，既又與德人經營，採辦洋貨，分售南北，而以臺貨赴西洋。嗣為紐西蘭海上保險代理店，臺南之有保險自此始。」[14]是則德墨公還代理外國公司的海上保險業務，而台南地方的保險事業即肇始於此。根據日據初期台灣總督府「臨時台灣舊慣調查會」的調查，當時台灣商人擔任產物保險公司的代理店，每年約可以筆資名義獲得一百二十圓的報酬，另可取得百分之九點五至百分之十的手續費，以及郵便、文具和驗貨等必要開銷。而更大的誘因，則為資金運用方便的取得。因代理需代為支付保險理賠金予客戶，故其收取的保險費不必馬上匯寄給外國保險公司，僅按月回報，年終始結算。此為經理保險代理的另一好處。[15]

若論及德墨公經營的主業，則是糖業和腦業。在糖業經營方面，祖父在所撰墓誌銘中寫道：「年售數萬擔於天津、上海、寧波、香港各口岸。又以製術未精，謀改良之，自德國購入新機，擇地新營莊，將興製造，以事而止。」由於同是台灣（台南）府城經營糖業卓然有成的殷實商家，和同業領袖人物，彼此熟識之外，對於對方的子女也有一定的認識，所以儘管永昌公已逝世兩年，德墨公仍促成並主持了祖父與祖母的終生良緣。

德墨公聽聞今南投集集內山，產樟盛多，而腦業久廢，知其事大有可為，「入山相度，建寮募工，教以熬腦。既成，配歐洲，歲出數萬擔，大啟其利。至者愈多，而集集遂成市鎮。」德墨公亦「以腦業起家」，其「所經營糖、腦之業，前後獲利數十萬金」，惜「暮年稍替」。

光緒十年（一八八四），德墨公於台南府城外南河街開設瑞興號。翌年（一八八五），德商瑞興洋行創立，行東為博勞茲（Lauts）和赫斯勒（Haeslop，亦讀晦實祿、晦時祿），由德墨公擔任瑞興洋行的買辦，曾提出價值一千五百銀元的府城外北勢街房屋契約，做為一項保證金。資料顯示：博勞茲和赫斯勒至少曾三度向德墨公借款，分別是在光緒十年六月初十日（一八八四年七月三十一日）借款兩千銀元，光緒十一年四月初二日（一八八五年五月十五日）借款四千銀元，及光緒十五年六、七月間（一八八九年七月）借款八百銀元，第三次借款且言明利率為年息百分之十。這似乎可以證明當時德墨公本身經營已相當成功，故能不止一次周轉資金給雇用他的洋行外商。光緒十三年（一八八七）台灣樟腦改歸官營不久，瑞興洋行便將腦業交與英商怡記洋行承辦了。

光緒二十年（一八九四），德墨公與集集其他腦業大戶林天龍、林蔭動、高拱辰等募款重修遭颱風損壞之當地媽祖廟廣盛宮，並獻立「荷德如山」匾額一方。惜該匾於民國八十八年九二一地震時被毀壞。

在祖父所撰之德墨公暨王太孺人墓誌銘寫道：「及割隸之後，公老矣，所業復多敗。」據日據初光緒二十六年六月十六日（一九〇〇年七月十二日）《台灣日日新報》報導：德墨公與台南的名流許廷光、蔡國琳（前清舉人）、蔡夢熊、黃修甫、姚星輝、林璣璋等人，於台南發起創立台灣殖產會社（公司）。資本額為二十萬元，每股一百元。經營項目包括：開墾原野、築造魚池、開礦、伐木、改良漁業、新建埤圳等，幾乎網羅殖產上的各種事業。所提申請據稱已獲同意，為日據後「本島人首創之會社」。惜有關該公司之資料僅此一條，無法進一步探索。

德墨公配王氏，前述墓誌銘有云：「王太孺人亦郡人朝水公長女也。年二十來歸。性勤儉，待下慈，事母尤孝，戚屬有窮困者必竭力濟之。公為商，輒外出，太孺人內治家政，壽貿易，善觀市價起落，以匡助不逮，故公無內顧憂，得以成其大業焉。」

茲恭錄祖父之〈外舅沈德墨先生暨德配王太孺人墓誌銘〉與《臺灣通

史》貨殖列傳論贊如下：

〈外舅沈德墨先生暨德配王太孺人墓誌銘〉

丙午夏六月，外舅沈德墨先生終於家。越五年庚戌夏五月，外姑王太孺人復卒。既葬，其長女筱雲泣請曰：於戲！妾之獲侍君子者十四年矣，顧我父母之屬意殷殷者，以夫子少有氣節，而又能文章也。然吾父死，子未誌；吾母死，子復未誌；則妾何以對我父母耶？連横曰：吁！是余之志也。夫余夙受恩大，兢兢業業，愧不足以報萬一，顧以余力之所逮，為文以詔其後，甚非所以報德也。雖然，請誌之。

謹按外舅諱鴻傑，字德墨，安溪淵兜鄉人。祖華園，父翰取，世為商。兄弟三人，公其伯也。公少有大志。年十三，隨父赴廈門學賈。稍長，習航海，貿易於東南洋。至則習其語。凡日本、安南、暹羅、爪哇、印度、菲律賓、新嘉坡之地，靡不游焉。山川之瑰麗，波濤之澌湃，民風之奇異，土產之良賤，皆目接而心識之。當是時，國力未衰，華人之往外洋者，足與碧浪相對抗。而公又少年氣壯，凌厲無前，雖數遭危險，曾不稍顧。以能擴大中國之商權。蓋亦有過人之才也夫。

公數往來臺灣。同治丙寅，始寄籍郡城。又二年，娶王太孺人，家焉。臺灣固海上富庶之邦，物產之盛供東南。公既熟察其利，出而經營糖業，年售數萬擔於天津、上海、寧波、香港各口岸。又以製術未精，謀改良之，自德國購入新機，擇地新營莊，將與製造，以事而止。集集處雲林之東，高山大壑，產樟夥多，至不可數。大者拱十數圍。數十年前，曾取熬腦。既遭封禁，無有再創之者。公熱聞其利，率匠入山，考求伐樟熬腦之法。腦成，運歐洲，獲利大。而附近豪右謀分其利，出而爭。西人亦紛紜其間。於是歸官辦。然公所經營糖、腦之業，前後獲利數十萬金。及割隸之後，公老矣，所業復多敗。子伯齡謀繼起，未成而卒。公哭之慟。乙巳春，公歸安溪展墓，途次廈門，病篤。六月，余侍王太孺人渡海省視。

越月，病稍愈，回臺，為次子納室。其明年卒。公生於道光丁酉四月二十有八日，卒於明治乙巳六月十有二日，享壽六十有九齡。是時余在廈門治報事，聞訃，趣內子歸，余亦歸治其喪。以是年九月十有八日葬於郡南門外鄭氏宅。

王太孺人亦郡人朝水公長女也。年二十來歸。性勤儉，待下慈，事母尤孝，戚屬有窮困者必竭力濟之。公為商，輒外出，太孺人內治家政，籌貿易，善觀市價起落，以匡助不逮，故公無內顧憂，得以成其大業焉。太孺人生三子：長伯齡，娶吳氏，早卒，遺二孫；次伯藏，娶林氏；次伯昌，亦殤。女二：長筱雲，適連橫；次靜玉，未適。太孺人生於道光巳酉八月十有六日，卒於明治庚戌五月初九日，享壽六十有二齡。越八月十有二日，葬於郡南門外竹溪寺之旁。

銘曰：魁斗之山蒼蒼，竹溪之水洋洋，是宅是藏，以奠幽壤於無疆。

16

《臺灣通史》貨殖列傳論贊

連橫曰：外舅沈德墨先生為臺灣商界巨子，慘澹經營，以興腦業，其勞多矣。先生名鴻傑，泉之安溪人。年十三，隨父赴廈門學賈。稍長，習航海，貿易東南洋，至則習其語。凡日本、越南、暹羅、爪哇、呂宋、新嘉坡，遠至海參崴，靡不游焉。漳泉人多習水，狎波濤，冒瘴癘，以拓殖南嶠，故輒瀕危險，而志不少挫。數來臺灣，販運糖、茶，賈於天津、上海，而獲其利。同治五年，寄籍郡城，遂家焉。素諳英語，與英人合資建商行。既又與德人經營，採辦洋貨，分售南北，而以臺貨赴西洋。嗣為紐西蘭海上保險代理店，臺南之有保險自此始。初，臺灣產糖多，製法未善，乃自德國購機器，擇地新營莊而試辦焉。集集為彰化內山，自匪亂後，腦業久廢。先生知其可為，入山相度，建寮募工，教以熬腦。既成，配歐洲，歲出數萬擔，大啟其利。至者愈多，而集集遂成市鎮。當是時，歐洲銷腦巨，市價日昂，臺邑林朝棟，方以撫番握兵權，亦起腦業，謀合辦，不成，遂雍遏之。然各國以腦歸官辦，有阻通商，群向總署詰責。奉旨改制，許民經營，而先生遂以腦業起家。暮年稍替。[17]

連震東：為戰時遷都投筆從戎

我的父親震東先生，字定一，是祖父的獨子，他在五歲的時候，就跟著先祖父學習國文，十歲才進入台南第二公學校（即今立人國小），十六歲畢業即東渡日本，入東京慶應大學普通部（中學部），二十歲直升大學經濟部預科，二十三歲晉本科。二十六歲畢業，那時是民國十八年，學成返國不久，曾在《臺灣民報》

父親連震東就讀日本慶應大學時與祖父母的合照。

擔任記者，但當時祖父有感於台灣已淪為殖民地，不願臣服日本，希望家父能親炙中華文化，做個堂堂正正的炎黃子孫，因而安排家父赴大陸追隨黨國元老張繼先生。

父親初到上海，原本希望學以致用，但張繼則以正處國難，日本侵略企圖日亟，因而安排家父追隨在旁，投入抗日的革命事業浪潮。

父親後來因工作到了北平，經台籍朋友洪炎秋夫婦（國語日報社長）介紹，與畢業於燕京大學的家母趙蘭坤女士結識，進而完成終身大事。

在北平時，家父也繼祖父腳步，於民國二十六年七七事變後，放棄日本國籍，向內政部申請恢復國籍，當時是由張繼先生和焦易堂先生擔任保證人。十月間，父親收到內政部許可證書後，寫信向張繼先生報告，張先生還特地回了一封信寫道：

定一世兄：

昨接十一月四日來書及十月二十七日西京日報一張，欣悉足下回復國籍事已辦完全，此為鄙人近年來一掛心事，遲至今日，方克如願亦算了一大事。足下嗣後必能秉先人之遺志，為祖國增光，尊大人有靈，亦當含笑於地下矣。專覆　並頌儷祺

張繼　拜啟

二六・十一・九

他也是日據台灣時期，繼黃朝琴先生之後，極少數在當時就恢復做為一個堂堂正正中國人的代表。

父親的工作後來又隨著張繼先生到了陝西西安、重慶等地，我的童年時期目睹父親在戰火紛飛的年代，歷經無數艱苦。尤其出生在亞熱帶的台灣，到了北方還要適應冬寒、麵食及學習北平話，他可說是都煎熬過來

了。

家父在抗戰期間曾經任職西京籌備委員會與中央戰時工作幹部訓練團等職，我雖曾經聽聞父母一些記往，但是當時畢竟年幼，算是懵懂之年。但民國一〇六年（二〇一七）訪問西安時，我卻得到一批珍貴史料，詳細刊載了父親當時任職的聘書、薪水及督導天祿閣、昭陵、茂陵等三所小學的公文等，這批史料完整呈現當時張繼委員長出任西京籌備委員會委員長的歷史，可以說是抗戰時期國民政府西京籌委會的重要歷史檔案。

陝西省的台辦接待我時，特別陪我到西安市未央區文物局西安籌委會所立的天祿閣小學舊址陳列室參觀，蒐集展示的史料說明抗戰時期政府何以要成立西京籌備委員會。

民國二十年（一九三一）日本在瀋陽發動九一八事變後，隔年又在一月二十八日晚間侵略上海，史稱淞滬戰爭（一二八事變）。事變後，迫於日軍的威脅，南京國民政府於民國二十一年（一九三二）一月三十日移駐洛陽辦公。三月五日鑑於時局及國防需要，中國國民黨第四屆中央執行委員會第二次全體會議通過決議案：一、以長安為陪都，定名西京；二、以洛陽為行都；三、關於陪都之籌備事宜，應組織籌備委員會，交政治會議決定。三月七日，中國國民黨中央政治會議三〇二次會議通過決議，推國民政府委員張繼為委員長，居正、覃振、劉守中、楊虎城、李儀祉、褚民誼、陳璧君、陳果夫、焦易堂等十九人為委員，組織西京籌備委員會，籌建西京陪都。四月十七日西京籌委會在西安所設機關開始辦公，辦公地點初設陝西省民政廳訓政樓，民國二十一年（一九三二）六月遷至東木頭市二號，民國二十八年（一九三九）七月為躲避日機轟炸，曾一度疏散至城南清涼寺辦公。西京籌備委員會下設祕書處負責日常工作（祕書處設祕書主任一人、祕書二人、技正一人、技師二~四人，下設事務、文書、技術等組），並聘用專家擔任專門委員和顧問。家父民國十八年（一九二九）畢業於日本慶應大學經濟學部，民國二十年（一九三一），時值南北統一，宗邦建設，新政施行，家父奉祖父雅堂先生之命，返回祖國投入抗日建國行列。當時家父奉祖父命到北平追隨張繼先生，後就追隨張委員長到西安工作，在西京籌備委員會任職十一年，先後任專門委員、總務科長和顧問等職。

到了民國三十一年，戰爭日趨激烈，家父深感男兒不能執干戈以衛社稷，亦當從事有助抗戰之業，在張繼先生的推薦下，而為西安中央戰時工作幹部訓練團少將政治教官，可以說是投筆從戎。

從民國二十一年（一九三二）三月到民國三十四年（一九四五）四月，「西京籌委會主持對西京陪都進行了長達十三年規劃及建設工作，對西安的經濟、社會、文化，尤其是城市建設產生了深刻影響，為重慶陪都的體制提供了重要參考。」[18]

西安市檔案局特別用心，得知家父在抗戰期間於西安工作多時，特別出版了《西京籌備委員會、西京市政建設委員會與連震東》一書，派人專程送到台北供我留存紀念。其中一頁記載著家父於民國二十八年四月三十日奉西安市政建設委員會調任為該會以西京籌委會祕書兼任總務科長。

這份檔案顯示：連震東（字定一），於民國二十一年（一九三二）六月參加西京籌備委員會工作，擔任專門委員兼會計，時年二十七歲；民國二十七年（一九三八）十月，擔任西京籌委會祕書；民國二十八年（一九三九）八月，經國民政府批准試署，即代理；民國二十九年（一九四〇）十二月經國民政府批准任命，仍兼任會計；民國二十八年（一九三九）五月，兼任西京市政建設委員會總務科長。民國二十九年（一九四〇）春，家父曾因病請辭本兼各職，未獲批准，十一月再次請求辭職，西京籌備委員會委員長張繼先生十二月七日復電照准，家父遂於民國三十年（一九四一）三月將執掌的西京籌備委員會祕書（掌管事務組）、會計等事務移交，同時交卸西京市政建設委員會總務科職務，僅保留西京籌委會專門委員一職；同年六月，國民政府准免家父西京籌委會祕書職務。民國三十一年（一九四二）年十月，家父以服務於中央戰時工作幹部訓練團為由，再請辭去專門委員職務並獲准。由於家父在西京籌委會任職多年，資歷較深，張繼委員長特別親筆批示：「連君在本會服務多年，頗能盡職，應予以名譽職之待遇，以勉勵前途。」據此，十一月七日，西京籌備委員會敦聘家父為顧問。

家父於西京籌委會工作期間，主管學校事務，因此現存西京籌委會檔案文件中，多處可看到家父對當時天祿閣小學的工作批示，當年他還參加了該小學高秋二八級學生畢業典禮，這是家父在西京很珍貴的一張照片。

當時西京籌委會為灌輸發揚我先烈雄武創造精神，保護各處遺跡，兼為普及地方教育，救濟地方失學兒童及民眾，特別在茂陵、昭陵、未央宮天祿閣三處遺址各建一所小學。

家父於西安專職中央戰時工作幹部訓練團時期，團長是葛武棨。那時對日抗戰已屆最後階段，勝利在望，各方面都在從事研究抗戰勝利後準備如何接收與重建的問題。當時台籍人士參加抗戰陣營者，亦積極籌商光復台灣一切準備事宜。家父在西安時，屢屢接到旅渝（重慶）台灣人士來函，催促赴渝，共商事宜。因此在民國三十三年（一九四四）夏季，家父安排就緒後就攜同家母與我前往重慶。同年家父於曾家岩，結識日本問題權威王芃生（一八九三～一九四六）主任。當時王芃生主任奉軍事委員會蔣委員長之命，主持軍事委員會國際問題研究所，負責對日情報作戰工作。

家父生前提及，他早在各報章雜誌拜讀過王芃生先生的文章，對於他的立論與見解，早就欽佩。因此初度拜識，更加興奮。待雙方暢論日本及台灣問題，各抒所見，非常愉快，有相見恨晚之感。家父早年負笈東瀛，對彼邦之歷史文化社會及民族特性等，頗多留意，且自信亦不無心得。但王先生之所見所論，竟是他前所未見未聞或見聞未周者，因此更加欽佩王先生非泛泛所謂「日本通」者流可比。當時王主任誠邀家父至軍事委員會國際問題研究所協助研究日本及台灣問題，這正與家父此行到重慶的目的相符，家父因此欣然應命。家父曾經在追憶王芃生主任逝世二十週年的一篇紀念文中憶及：

某次，與談台灣淪於日本統治五十年，我國文化摧毀殆盡，應如何恢復等問題，因提及先君《臺灣通史》、《臺灣詩乘》等遺著。其時《臺灣通史》在台灣已有初版，《臺灣詩乘》則尚未付梓，有意併同刊行。先生閱稿後，深以兩者對台灣之恢復我中華民族傳統文化精神，關係至巨，盼早發行，並甚熱心為《臺灣詩乘》轉懇陳其采先生作序。陳先生因之題七絕四首於《臺灣詩乘》之扉頁以代序。其後，先君遺著陸續問世，得先生之鼓勵不少。

家父與王芃生主任相談甚歡，後就被延攬進入國際問題研究所，擔任第一組少將主任，協助原籍台灣二林的謝南光（原名謝春木）少將主任祕書。父親的工作地點在重慶復興關，他也主編台灣革命同盟會發行的《臺灣民聲報》及《臺灣問題言論集》等，這時他也在中央訓練團台灣幹部訓練班受訓。

家父在重慶軍事委員會國際問題研究所任職期間，主要任務是研究已處窮途末路、尚在困獸猶鬥的日本國內經濟、政治等問題。陳爾靖先生曾在一篇紀念專文中，記載了父親當時從事日本政經情報工作的點滴。

「上任之始，連震東先生深諳執簡馭繁、提綱挈領之道，乃以庖丁解牛之勢，即將國際問題研究所最近所收到所有報告東京方面日本股票行情電報，飭該組同仁加以整理，並繪製圖表，再加上利用報紙、雜誌，以及書刊材料來進行分析敵情，使得日本國力原形畢露，無所遁形。據該所一位已故少將研究員潘世憲生前透露：記得股票行情的電報是上海站顧高地所拍發來的，內容大約是十二、三家在日本有代表性的大公司股票，有東紡、日棉、鐘紡等輕工業的，也有日鐵、八幡、三井、三菱等重工業方面的，都是代表日本大財閥集團的產業；換言之，這些產業也即是日本國力與經濟的集體象徵和代表。」

「天亮之前，特別黑暗。日本軍閥由於受武士道影響，愈接近失敗，愈色厲內荏，愈做出垂死掙扎，一時之間，使得同盟國的領袖們包括蔣公介石在內，不禁對日本何時才會結束困獸猶鬥，對同盟國宣布投降，產生了猜測和疑惑。現在好了，連震東先生不斷地透過王芃生主任，將日本最具象徵性與代表性的股票行情呈報給最高當局，讓同盟國領袖與蔣公介石知道，日本的股市早已崩盤，成為一堆一文不值的廢紙，只能稱之為垃圾與糞土股市，日本的國力和經濟敗壞到如此無法收拾的地步，日本的投降，應該指日可待了。」

陳爾靖先生這篇題為〈連震東股票抗日立大功〉的專文，發表於民國九十四年五月十一日《中央日報》，他於文末說「當年連震東先生以專家學者的身分，投身反抗日本侵略聖戰之中，以過人的智慧，高瞻遠矚的見解，從事研究日本的股票市場，以致一眼看出日本的侵略戰爭已經進入山窮水盡的窘境，最後宣布投降一定是必然的結果！此一彌足珍貴的發現，對鼓舞反侵略、反壓迫、反黷武的愛好和平的中國人，甚至全人類的信仰來說，毫無疑問的確是曠世大功與不朽勳績，值得我們大書特書以及景仰敬佩。」[19]這可說是為先父在重慶從事抗日情報蒐集及分析工作的一個寫實紀錄。

當時在重慶從事抗戰的台籍人士除了家父，還有前副總統謝東閔先生（當時多伴翁俊明主委在福建永安主持中國國民黨台灣省黨部工作）、已故台灣省議會議長黃朝琴先生、前立法院長黃國書中將（遷台第一位台籍也是客籍的院長）、前台北市長游彌堅先生、故國策顧問蔡培火先生、前高雄縣長謝掙強先生、前高雄縣長陳新安先生、前省議會副議長暨首任新生報社長李萬居先生、前立委郭天乙先生、前空軍先驅陳金水（擔任過台北航空站站長）、陸軍中將王民寧（中國化學製藥創辦人）以及謝南光先生、蘇紹文先生、李月友女士、林嘯鯤先生、蘇鐵化先生、許顯耀先生等，他們雖然都已先後作古，但都是台灣籍愛國志士，彼等獻身可歌可泣的抗日行列，均已載入史冊，永垂不朽。

歷經艱苦的八年抗戰，中華民國終於在民國三十四年戰勝日本，台灣也重回祖國懷抱。當時家父與台籍同志奉命回台，準備接收，他亦親自出席十月二十五日在台北市中山堂舉行的受降光復大典。從民國二十年春季離開台灣，直到三十四年的冬天，家父經歷了十五年的光陰，才回到久別的故鄉——台灣。江山依舊，但戰後的殘敗，景物已全非。

返台之初，父親奉命接管台北州，行政管轄區域包括台北縣、宜蘭、基隆等地，幅員遼闊。民國三十五年因改縣奉派出任台北縣長，並當選制憲首屆國民大會代表，出席了在南京舉行的制憲會議。後來，他又擔任台灣行政長官公署參事工作，策劃各級民意機關之成立，尤其是負責為而後台灣省議會的成立做準備，父親被指派為首任的省議會祕書長，負責議長、副議長、議員的提名。在非常時期，這是「先有夥計、後有老闆」的做法。

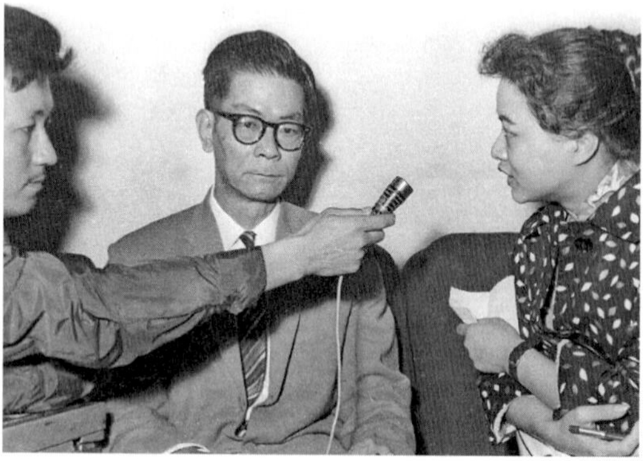

父親連震東於民國四十九年六月一日就任內政部長，接受記者訪問。（中央社提供）

民國三十五年冬，他由台北市選出為制憲國民大會代表；三十六年台灣省黨部改組，奉派為執行委員兼總務處長。這年冬天，由台南市選出為第一屆國民大會代表，後並奉蔣總統遴派為憲政研討會常務委員。其後又在有小內閣之稱的台灣省政府，先後出任建設廳長、民政廳長、祕書長，而後入閣出任內政部長、行政院政務

中國國民黨十全大會代表中，我與父親同堂。他是中常委，我則美國地區遴選出來的海外代表。（中央社提供）

委員，最後獲聘總統府國策顧問、總統府資政。

父親任職省府民政廳長時，於民國四十五年兼任台灣省戶口普查處副處長，舉辦過中華民國第一次台灣省的戶口普查，父親曾向我陳述這項工作對國家建設規劃的重要性。

而在黨職的部分，父親返台後，獲蔣中正總裁聘為中央改造委員、後歷任台灣省黨部委員、中央黨部五組主任、中華日報董事長、中央常務委員、中央評議委員會主席團主席。

父親生於一九〇四年四月二十三日，於一九八六年十二月一日辭世，享壽八十三歲。他這一生相當精采，為國家民族長遠的發展，鞠躬盡瘁。

趙蘭坤：跨越世紀和海峽的堅毅女性

我的母親趙蘭坤女士是瀋陽人，家父在《震東八十自述》中，曾親筆寫下母親略歷：

蘭坤為瀋陽人，生於民國前二年七月十八日。祖父德璽公，榆關（山海關）人也。十六歲時即往關外瀋陽（奉天）經商（店號「遵古店」），後遂定居焉。父諱顯陽，蘭坤十四歲時見背，母董夫人，於蘭坤二十歲時棄養。[20]兄國藩。

蘭坤畢業於瀋陽坤光幼稚園、小學、初中及高中（師範科）。畢業後留校教書二年，後進北平燕京大學社會專修科，畢業後任瀋陽女青年會學生部幹事，後任撫順縣立師範學校訓導主任，其後任河北省昌黎美以美會東三教區民眾教育幹事。二十二年與台灣台南市連震東訂婚於北平，二十三年於北平完婚，後偕震東至西安任所。

二十三年至二十五年任西安關東長老教會純德女子中學教員。二十五年先父棄世於滬，震東即奉先母至西安奉養。至二十八年棄養。二十五年秋八月生子戰。三十三年震東攜蘭坤及子戰至重慶，蘭坤即任重慶南山中學教員，三十四年台灣省光復，震東即回台，三十五年春蘭坤方率子戰歸台灣。

蘭坤有北方女子剛毅之氣質，不畏危難，處事果斷。少喪父母，雖受祖父與乃兄之愛護，但絕無依賴祖、兄之心意，每事皆能自立。

父母親年輕時候的合照。

二十三年與震東結婚後，二十六年即發生對日抗戰，戰時後方物資極為缺乏，生活至為清苦，蘭坤已負先母之責，又需照顧震東與小兒之生活，且兼任教員，其辛苦可以想見。蘭坤自幼即受宗教教育，篤信基督，自奉甚薄，待人極寬，能犧牲自己，慈愛他人。故在艱難困苦之中猶極樂觀，與震東夫妻之感情更為敦厚。[21]

我的母親於民國一〇〇年四月十七日辭世，享壽一〇三歲，她老人家出生於東北，而後跟隨父親到北平、西安、重慶，最後移居台北。她這一生跨越兩個世紀，在兩岸都住過，在台灣居住的時間比大陸還長，台灣他鄉也成她的故鄉。

她到台灣之後，曾跟隨父親到南京開國民大會，前往大陸訪問。二〇〇五年我赴北京大學演講，我在開場白中特別提到：「台灣的媒體說我今天回母校——母親的學校，這是一個非常正確的報導。」這段話也立即拉近我與北大師生的距離。更讓我感到突來驚喜是北大校方在演講後贈送我母親的畢業成績單，後又帶我參觀母親就學時的宿舍遺址，這是很珍貴的代母尋舊之旅。我回到台北，一五一十將所見所聞向母親稟告，她老人家頻頻點頭，微笑著表示知道了。

二〇〇五年十月我首度返瀋陽省親，承大陸方面的協助，很戲劇性地找到母親趙氏家族的墓地靈園故址。當時大陸遼寧省委書記李克強接受我的建議，將這塊地闢為公園，公園的建設則由我捐贈。此舉一方面有紀念意義，另一方面也希望成為當地人民遊憩的休閒場所。這座公園還立了一個小地標，我以外祖父之名命為「顯陽園」。當時我們找了瀋水[22]上的一塊紅色大石頭，題曰：

乙酉二〇〇五年十月十四日余第一次赴瀋陽省視　家慈趙太夫人蘭坤女士故里瀋陽大西關暨坤光女校等地並訪瀋陽郊外趙氏墓園舊址見其所在一片平野雖然荒煙蔓草而以小松圍之形式殊勝回憶一九三一年　家慈於東北淪陷後遠離故里於昌黎縣創立女校後就讀燕京大學迄今七十五年未曾回

訪瀋陽余雖代表　家慈來此深感不有紀念設施何以慰先祖在天之靈及母氏之劬勞於是設計鳩工於此一片林園建紀念性公園並以外祖名號曰顯陽園採太極圖及螺旋而上設計構想表揚趙連二氏高曾祖考立德創業澤及後昆之豐功懿行以慰　家慈思鄉之情懷主導家政之辛勞並感懷慈母之教育培植及與先嚴震東先生共同努力含辛茹苦與家創業之歷程爰建此園連　戰謹奉　慈諭偕妻方　瑀　率子勝文勝武女惠心詠心恭立時在丙戌二〇〇六年九月廿五日之吉。

方聲恒伉儷：一生獻身教育

長輩中除了家父家母，來往最密切的就是岳父、岳母兩位老人家。岳父方聲恒先生，根據吳大猷先生所著《早期中國物理發展的回憶》一書中所記：

方聲恒（一九一一年一月十七日～一九七八）祖籍浙江海寧，生於上海，自幼勤勉好學，因家貧，中學未卒業，於一九二七年報考上海無線電訓練所，同年結業，服務於國民革命第五軍南昌短波無線電台。一九二九年辭職返上海，入上海電報局任服務員。同時，入上海大同大學為選課生，因成績優異，獲其時曹惠群校長和胡剛復教授之賞識，推薦其入交通大學物理系為研究生，但未卒業。約一九三三年任職北平研究院物理研究所，隨嚴濟慈所長從事光譜實驗研究，與嚴濟慈合作發表實驗論文多篇。一九三七年考取清華大學公費留學，入美國麻省理工學院（MIT），一九三八年獲碩士學位，旋即入羅徹斯特

我和妻子與父母（左一、二）、岳父母（右一、二）合影。

（Rochester）大學攻讀光學博士學位。

時值抗戰烽煙，方聲恒愛國心切，於一九三九年毅然棄學歸國。一九四〇年輾轉至昆明就任二十二兵工廠代理總工程師兼光學設計室主任，後轉經濟部中央工業試驗所電工儀器廠任職，一九四三年升任廠長，一九四五年日本戰敗投降，原奉派由上海前往東北接收鞍山鋼鐵廠，後因故未克成行，而改派到台灣接收，並將日本遺留之鋼鐵工廠改組為台灣工礦公司第一及第二鋼鐵廠。一九五〇年任職台灣造船公司，並曾規劃成立大規模的鋼鐵廠，是為日後組織台灣中國鋼鐵公司之藍本。

一九五三至一九七八年任台灣大學物理系教授講授普通物理學、電磁學、近代物理及古典力學等科目。授課極為認真。其間曾數度赴美講學研究。在核子科學、光學及固態物理方面發表論文十餘篇，並受國立編譯館（台灣）委託主持《物理學名詞》的修訂工作，又著有《固態物理學》及《普通物理學》等書。[23]

民國四十七年，中華民國物理界先驅、前台大代理校長戴運軌先生於台灣創立中華民國物理學會，連任十七年的理事長。當他於民國六十四年卸任交棒時，先岳因待人親切，提攜後進，被公推接任理事長，長年為物理學術人才的培育及發展奉獻心力！

岳母汪積賢女士為南京市人，金陵女子大學畢業，任職強恕中學，父親汪捷三先生曾任首都電廠的總經理。她和岳父共生了方瑀、方環、方瑋二女一男。岳父母兩人志同道合，注重教育，強調人品。他們許多的學生多年以來談到他們都還會用「德高望重」、「集儒家禮教與現代科學於一身」、「愛護提攜」、「訓勉有嘉」、「思念之情無時或釋」等文字來形容和他們的情誼，身為後人，實無盡的感謝。

★本書中若遇書名及引文，皆遵循出處使用「臺」字；其他內文則依一般閱讀習慣，使用「台」字。

注釋

1 連橫（2003）。《臺灣通史》第三冊（頁1094）。台北：國民黨文傳會黨史館。
2 連橫（2003）。《臺灣通史》第二冊（頁667）。台北：國民黨文傳會黨史館。
3 連橫（2003）。《臺灣通史》第二冊（頁651）。台北：國民黨文傳會黨史館。
4 林文月（2010）。《青山青史：連雅堂傳》（頁85）。台北：有鹿文化。
5 連震東先生紀念集編輯小組（1989）。《連震東先生紀念集》（頁358-366）。台北：連戰、方瑀。
6 連橫（2003）。《臺灣通史》第三冊（頁1116-1117）。台北：國民黨文傳會黨史館。
7 詳見本書第五十二頁。
8 連橫（1964）。《雅堂文集》第一冊，臺灣文獻叢刊第208種，頁62-63。台北：台灣銀行。
9 林文月（2010）。《青山青史：連雅堂傳》（頁176-177）。台北：有鹿文化。
10 連震東（2003）。《臺灣通史》第三冊（頁1158）。台北：國民黨文傳會黨史館。
11 連橫（2003）。《臺灣通史》第三冊（頁1155）。台北：國民黨文傳會黨史館。

12 連橫（1964）。《雅堂文集》第一冊，臺灣文獻叢刊第208種，頁38-39。台北：台灣銀行。
13 連橫（2003）。《臺灣通史》第三冊（頁1116）。台北：國民黨文傳會黨史館。
14 連橫（2003）。《臺灣通史》第三冊（頁1117）。台北：國民黨文傳會黨史館。
15 連克（民國106年1月）。〈臺灣第一家保險公司：台灣家畜保險株式會社成立始末（1900-1905）〉。《臺灣學研究》第21期。新北市：國立臺灣圖書館。
16 連橫（1964）。《雅堂文集》第一冊，臺灣文獻叢刊第208種，頁77-79。台北：台灣銀行。
17 連橫（2003）。《臺灣通史》第三冊（頁1116-1117）。台北：國民黨文傳會黨史館。
18 出自西安市檔案局編輯出版之《西京籌備委員會、西京市政建設委員會與連震東》。
19 陳靖爾 編（2005）。《王芃生與臺灣抗日志士》（頁477-478）。台北：海峽學術出版。
20 編注：此指父母逝世，同「見背」。
21 連震東（1983）。《震東八十自述》。台北：連震東。
22 編注：即渾河。
23 吳大猷（2001）。《早期中國物理發展的回憶》（頁211-212）。台北：聯經。

第二章——在不斷的變化中學習

我時常想：也許我的童年，可以名之曰「不斷在適應的童年」。因為，我的「童年之歌」是以「適應」為主旋律的。對我而言，童年乃是一連串適應的過程。

猶記過去從政時，曾有好事者編說我是「含著金湯匙出生」的；相信真正了解我的朋友，聽了這話都會搖頭笑笑，因為事實並不然。由於生逢戰亂時期，我跟大家一樣，年幼的物質生活僅能聊以度日罷了，但是，我的確是幸運地生長在一個幸福美滿的家庭，父母親都是受過高等教育的知識份子，都是來自淪陷區的熱血青年，都有很強烈的國家民族思想，都從事極有時代意義的工作，他們相知相惜，伉儷情深，對我這個獨子付出了他們全部的關懷、鍾愛和期勉。在我出生的第二年，便碰上抗戰軍興，在立體戰爭的年代裡，後方與前方同受影響，整個社會大環境動盪不安，兇狠可恨的敵人喪心病狂，得寸進尺。在時時面臨鋒鏑硝煙慘禍威脅之下，籠罩在心頭的，是揮之不去、厚重的恐懼感。

民國二十五年八月，我出生於陝西省西安市，祖父卻已在兩個月前逝世於上海，所以他老人家不曾看到過我，不過他已經知道有一個孫兒將出生。那時台灣已經淪陷了四十一個年頭，而我中華民族的全面對日抗戰，亦已箭在弦上、一觸即發了，因此祖父曾告訴父親：中、日必將一戰，而台灣亦將可光復了。又說：如果產下男孩子，就為他取名「連戰」，寓義自強不息，及克敵致勝、光復故國、重整家園之希望。果然，翌年抗戰即開始了，全國軍民歷經八年艱辛奮勇抵抗，終於迎來了光榮勝利，一舉收復包括台澎在內的全部失土。而我一生行用祖父為我所取的名字，不但成了我個人對祖父最好的紀念，也彷彿在我與未曾見過一面的祖父之間串上了超越時空、堅若金石的連結，時時提醒、警惕、督促自己：身為祖父的孫男，所思、所言、所行，一定要俯仰無愧，而且進而要有益國家、社會、人群。

因為祖父為我取的是單名，所以後來雙親給我取了個「永平」的號，以便與朋友來往之間容易稱呼，而且在字面上也可以中和一下名字裡的干戈之氣。

當父親和母親在上海辦好祖父的喪禮後，便將祖母接到西安同住奉養，也好讓祖母換換環境，以免她續留上海，觸目皆是關於祖父生前的種種記憶，見景傷情，難以為懷。祖母初抵西安時，由於父親要上班，母親則任教職，她一個人在家，無人陪伴；又因為不會說國語，到外面與人交談也不方便，應當是會很孤單的。所幸，祖母能作詩文，可以閱讀書報打發時間。她又是很虔誠的佛教徒，時常至西安城外清涼寺上香禮佛，並在寺前幫忙打掃，做為她精神上的寄託。到我出生以後，白天就偏勞祖母照顧我。至此，她總算有自己的孫男了，獨子生孫，她當了「阿嬤」，而不再只是「外嬤」，內心感到踏實多了。當然，她認知「男孩女孩一樣好」、「男女平等」這些道理，可是這個孫男的降臨還是讓祖母特別高興。她希望我快快長大，並且跟祖父、父親一樣，用功讀書，替國家、替社會好好做一番事業，來為連家先人增添光彩。

我非常感激祖母，在她生命最後的兩、三年間，全心全力給剛出生的我以最好的照顧，也使我在牙牙學語的階段，就有一個國語和閩南語並學兼用的「雙語」環境。所以儘管我生長於大陸，媽媽是東北的大陸人，我卻能講一口道道地地的閩南語。至今我仍依稀記得當年祖母用閩南語叫我「吃飯」、「洗手」、「飲水」等情景，而一晃已經八十多年過去了。當然，我之所以能講道地的閩南語，應該是拜祖母之啟蒙所賜。有一次，在一個競選活動的場合，我上台講完話之後，聽見台下有人用閩南語輕聲地說：「啊，伊是『咱們的人』，伊講『咱們的話』吔！」這一位先生居然對我能講道地的閩南語彷彿「發現新大陸」般驚奇，而且立刻毫不保留地認同我是「他們」的人；我第一次有這樣的經驗，不禁讓我反省這項事實究竟代表什麼意義？

我們在西安時，起先住在城內，後來因日機空襲幾乎到沒日沒夜的程度，才搬到郊區的杜城去。前些年，我到西安，據報紙報導：杜城那裡還有人記得我小時候的樣子。

民國二十八年三月，祖母因罹患腎臟病，藥石罔效，逝世於西安。那時，大陸內陸省區尚無火葬設施，民間亦未像現在普遍有火化塔葬的觀念，所以祖母是以土葬方式安葬於清涼寺右側依山地區附近。因為祖母生前常至該寺上香禮佛，與該寺有殊勝緣分之故。民國三十五年冬，父親前往南京，參加制憲國民大會所舉行的首次會議，曾準備將祖母的墳墓遷回台灣；惟當時西北地區國共情勢嚴峻，遷葬之事，不能草率從事，所以最終未能實現。民國七十六年政府開放大陸探親後，我托父執王保民先生（陝西人，曾任台灣省政府新聞處副處長）代為前往祭掃，聊表身為祖母唯一內孫的一份心意，並致上無盡的思念之意。據說：在大陸文化大革命期間，清涼寺受到一定程度的衝擊，而祖母墓因當地的紅衛兵尚無所悉，得安然無恙，真是萬幸！

大陸改革開放以後，清涼寺已經逐步修復完成。民國八十年春，我也修建祖母墓，重新立墓碑，並捐置一座停車場。如今祖母墓區已成為當地一處景點，祖母墓亦多承附近佛門朋友及居民熱心照顧，令我十分感激。直到民國九十四年（二〇〇五）我的大陸行——「破冰之旅」，我才在民國三十二年離開大陸整整六十二年後，第一次回到祖母墓前，偕內人率同子女（次女詠心在美國留學未克參加）及半子以古禮虔敬祭拜，我還用閩南語把內心的追思與感動說與祖母聽，我希望祖母可以真的聽到，這才總算了了父母親和我長久以來的一樁心願。

我家在西安的時候，本來一個親戚也沒有，來往的只是父母親的同事以及少數鄰居。後來，在母親的努力安排之下，舅舅國潘先生舉家從瀋陽故里遷來西安，而且跟我家還是住在同一個院落裡。這樣，我們家與舅舅家既侄親，又是近鄰，不但兩家大人往來十分方便，我和趙家表姊從此也找到最好的玩伴。趙連玉（後改名茹梅）表姊是舅舅的長女，她大我一歲，是我在西安時最常玩在一起的玩伴，也許因為是表姊弟的關係，她待我很好。在那天真無邪的年紀，我們也常在住家附近的空地上追逐嬉鬧。有一次不知怎的，就在我們跑著去抓蚱蜢玩的時候，連玉表姊一個不小心竟掉入一口半竭枯的井裡，好在井底不深，但是她爬不上來，我趕快呼喊大人前來搭救，表姊才得以脫困。舅舅和舅母十分感謝我，還誇獎我遇事沉著、不慌不亂，年紀雖小，表現可不輸給大人。母親則告誡我：凡事安全最重要，處處潛藏著危機，所以不可一味貪玩，以後不准在水井附近忘情追跑。舅舅他們後來沒有到台灣來。連玉表姊長大後成為教師，但已在二〇一一年八月四日逝世於大陸，她有一個女兒，擔任西安經貿局的局長。

我以「不斷在適應」形容我的童年，係因啟蒙教育的小學歷程，我便是在戰火連天更迭動盪中，從一年級入學到升上五年級，先後共讀了四所學校。而且，這是像我這樣年歲的中國人全體的「共相」，而非我個人的「殊相」。

我的小學歲月，老師南腔北調，教學內容也是五花八門，上課到一半常要躲警報，當今小學生有的課外補習及郊遊都沒有，這是一段苦澀無味的兒時。

民國三十年我入學就讀西安作秀小學一年級，念了一年便轉學。作秀小學也在敵機不斷臨空轟炸之下，終於中彈被毀。也許是父母親有鑑於學校已成敵人鎖定要吞噬的標靶，為著我的安全起見，在中彈校毀前已先把我轉學的緣故，學校被炸毀的

就讀台北日新小學六年級時，攝於自家前庭。

情形，我刻已無甚記憶。因為只在作秀小學讀了一年級，所以有些朋友曾打趣說：我就是這樣，因此無論為人或從政，一板一眼，不玩花招，不會「作秀」，有時不免吃虧，替我惋惜，為我抱屈；不過，我始終認為，一個人凡事必須存誠務實，才能真正無愧無怍、可長可久。虛假作秀的人，到底不會有好下場，那一時片刻的利害得失，何足道哉！

民國三十一年，我轉學就讀西安北新街小學（現已改名後宰門小學）二年級，這就開始了我童年時代一連串的適應過程。換了一所新的學校，剛開始時一切都是陌生的，陌生的老師，陌生的同學，陌生的校舍，一切重新來過。我還記得：在北新街小學的時候，我曾少有的跟班上同學相互動過手。對方是一位湖北籍的張姓同學，到底是因什麼事起了爭執的，我早已忘記。但是也真的所謂「不打不相識」，在那之後，我們也就和好了，而且至今他仍是北新街小學時期我唯一記得名字的同學呢。

自我有記憶開始，對日抗戰已如火如荼地展開，我童年的日子，是一連串的躲警報，加上經常看到令人痛心的滿目瘡痍，以及家破人亡的景象，平常的日子已經如此「鎮日活在恐懼之中」，如此難熬，更何況還有不斷要適應的問題，這幾乎貫穿我整個童年歲月的全程。

我在北新街小學只讀了兩年。在河南洛陽失守後（洛陽距三門峽不遠，只要渡過黃河，很快就到陝西省境），日軍戰機每從洛陽出發，飛往重慶轟炸，往返都從西安上空經過，為了安全起見，我們必須躲警報。因為重慶陪都是一座山城，位於揚子江（長江）與嘉陵江的會合處，氣溫一冷一熱，為有名的「霧城」，碰上起霧時能見度很低，如果足以影響來犯日機在上空的瞄準時，他們往往掉頭返航，卻把未使用於重慶的炸彈改於西安上空投擲，讓西安受禍甚慘。因此，當時心中對毫無人性的日機總是懷著無以復加的憤恨；相對的，心中最欽佩的莫過於翱翔天際、捍護領空、保家衛國的我國空軍健兒，特別是對於那些奮勇執行任務、視死如歸、壯烈殉國、捨生取義的空軍將士，如高志航（一九〇七～一九三七）烈士、閻海文（一九一六～一九三七）、劉粹剛（一九一三～一九三七）烈士等人的英勇愛國事蹟，至今仍留有深刻記憶，歷久彌新。

我們在西安的時候，住處附近曾經就是中共駐西安辦事處。抗戰時期，國共是合作的。當時躲警報，有時在防空洞一待待很久，等到解除警報響起，步出防空洞，赫然發現原來隔壁躲的是中共的高級幹部，其中有一、兩位留著白鬍鬚的，不知是否為董必武（一八八六～一九七五）和任弼時（一九〇四～一九五〇）？共軍與國軍很好分別，因為國軍官兵所穿的操作服是草綠色的，共軍的則是灰色的。

「侵略必敗」，這誠然是人類付出慘痛代價所得來的教訓，更是歷史上一項屢試不爽的鐵則。在這個時候，日本帝國主義者侵略迷夢之必招致可恥的失敗，和我中華民族之神聖抗戰定獲得光榮的勝利，都已昭然若揭、指日可待了。我國朝野各方對抗戰必勝信心十足，都已在從事研究戰後如何接收與重建淪陷區的相關問題，台灣同胞在大陸參加抗戰陣營的，也積極籌商光復台灣之各項準備事宜，旅居重慶的台灣同志函電迭至，催促父親前往重慶，共商方案。同時軍事委員會國際問題研究所主任王芃生先生，也一再邀約父親參加國際問題研究所對日工作之研究分析。父親乃決定接受邀約，舉家遷居至重慶。

民國三十三年夏，我們全家搬往重慶，對我而言，這結束了我的「九年西安煎熬」，也告別我所讀的第二所小學——北新街小學。兩年來，我已漸漸熟悉的這個環境，卻又得再次轉學了。

我還記得：我們離開西安後，先搭乘隴海鐵路西行火車前往寶雞。當時，火車的車廂上頭居然也有不少「乘客」。途中經過一些漢、唐時代帝王陵墓之類的古蹟。到了寶雞，換乘長途汽車南行，首先是航渡渭水，大巴士先過以後，人再過去，上岸後便開始攀爬秦嶺。所謂「蜀道難行」，這次真的體驗。我們過秦嶺花了將近一個禮拜時間。在途中曾碰到一些挑夫，他們挑著整塊的岩鹽趕路，累了，就地撐立打盹歇息。語云：「明修棧道，暗度陳倉。」果然有一段棧道是沿著與嘉陵江相同的走向開闢的。秦嶺以北的氣溫很低，到四川廣元時，氣溫就不一樣了。西安不產芭蕉，我是在廣元第一次看到芭蕉的。

我們一家三口遷到重慶以後，竟開始過著無「家」可歸的日子。父親隻身在長江北岸的李子壩工作，為著我們母子的安全設想，就讓我和母親住在母親任教的南山黃桷埡南山中學宿舍裡，而我也就近轉到南山小學就讀。這次轉學，我是轉到不同省份的學校，對新學校各方面陌生的程度及適應難度，都遠勝由作秀小學轉學至同在西安的北新街小學。但同樣的是，又得開始一切重新來過的適應過程。南山小學的同學一律住校，講四川話，但我跟著母親住在學校的教師宿舍裡。當時吃的是各種非米類穀物混雜的「八寶飯」，喝的是只放了一點鹽巴的「太平洋湯」，穿補綴不同顏色布料的「八卦衣」，真是滋味猶新。每週能從家裡提一小罐豬油到攪拌點鹽巴下飯，已經算非常奢侈的享受。懵懂歲月裡，伴著艱苦物質生活的課業卻不難打發。

遷到重慶的一個好處是，在我們搬去以後，日機的轟炸要比在西安時少很多，不必時時準備躲警報。前些年我到過南山，當年的宿舍已被拆除，而南山中學、小學也已經停辦，改為李時珍醫藥研究所，我曾在那裡佇足憑弔，追懷往事。想起當年四川同胞的忠勇愛國、信心滿滿、豪氣干雲，令人欽佩。他們堅信單靠四川一省便絕對能夠打敗日本全國，何況我們是舉國一致，軍民團結，必定可以獲得最後的勝利。抗戰末期，國家的確相當程度倚賴四川這「天府之國」豐沛的人力、物力、精神力的支撐。我在南山小學的時候，前後三次看到成千上萬名四川十七、八歲的少年郎，帶著步槍，背著背包，穿著草鞋，昂首闊步，邁向前線，而我們這些學生們在路旁舉旗高歌《慰戰士勞苦》歡送，以壯行色。當年這些少年勇士，如果健在，應該都已高齡九十以上了。

當時南山中小學的校長鄧建中先生，東北人，辦學相當成功。學校經常邀請名人前來演講，記得朱經熊先生、熊斌（一九〇一～一九七八）先生等都來過。名人講演時，學校師生列隊聆聽。這項活動很有意義，使師生們在表定的課程外，可以聽聞而接觸新鮮有趣且重要的話題。那時候，整個南山一帶地方，住著很多東北人，包括萬福麟（一八八〇～一九五一，曾任黑龍江省主席、東北行轅副主任）將軍、馬占山（一八八五～一九五〇，曾任黑龍江省主席）將軍等東北軍將領也都住南山。

抗戰時期，大陸華南地區有很多台灣同胞從事抗日活動，並且成立不同名稱的團體，如台灣民族革命總同盟、台灣革命黨、台灣青年革命黨、台灣獨立革命黨、台灣國民黨。經過中國國民黨中央組織部部長朱家驊（一八九三～一九六三）先生奔走協調之下，民國三十年二月，各團體在中央組織部的領導下合組成立台灣革命同盟會於重慶，以便集中力量，齊一行動，加速勝利的到來。父親在重慶，軍事委員會國際問題研究所（所主席王芃生先生）任命他為該所第一組少將銜主任。這是父親的本職工作，公餘之暇，則積極參與台灣革命同盟會的會務，同年父親且負責主編該會發行的半月刊《台灣民聲報》。當時，父親常跟一些台籍同志如：游彌堅（一八九七～一九七一）先生、黃朝琴（一八九七～一九七二）先生、李萬居（一九〇一～一九六六）先生等，聚會議事。記得我也曾隨侍父親到李府開會，在旁觀看他們討論議案的情形。

我們在重慶的時候，每個星期天，父親都是一大早就從李子壩過江，再翻山越嶺，走了幾個小時，才能到黃桷埡與母親和我在所住的宿舍相會，但是往往不及一盞茶的工夫，又得趕回程路了。每在黃昏暮色中，倚門癡望父親清癯消瘦的背影，漸行漸遠，生離死別之感，常不禁令我縱身母親懷抱，相擁泣下，孤寂無助的心情，幸賴父親這份深摯的愛心得以撫慰、平復。

因此，不久以前，有人問及我在抗戰勝利後離開大陸、返回台灣時，對大陸深刻的記憶是什麼？我的回答是：戰爭和躲警報兩件事。詳細地說，則是戰爭災禍的殘酷。一旦被敵人炸彈命中或殃及，所有人類或其他物種無價的生命、文化資產、珍稀異寶及各類財產，立即灰飛煙滅、蕩然無餘的無比損失，令人心碎不已；而躲警報時那種對自己所在處所的不安全感，和對不在身邊的親友乃至全國同胞大家生命、財產的牽掛，所形成的幾乎已到負荷臨界的恐懼感，的確最是令人記憶深刻、永難忘懷。所以，我以為：除非為了要結束已經發生的戰爭，任何情況之下，都應該以最深度的思考來了解戰爭所帶來的後果。

民國三十四年八月十四日，「侵略必敗」果然成真，日本帝國主義者自食惡果，終於禁不起人類世界頭兩顆（也是迄今為止經投擲的僅有兩顆）原子彈的毀滅性重創，正式宣告無條件投降。十五日，同盟國宣布接受日本之無條件投降。九月三日，國民政府蔣主席率領中樞文武官員遙祭國父之靈，繼即舉行慶祝勝利典禮，蔣主席並透過廣播向全國同胞發表勝利文告。從日寇投降，到勝利紀念日，薄海歡騰，重慶居民無不雀躍，父親曾帶我到重慶朝天門，記得蔣委員長帶領車隊遊行時，我們高興地揮舞著手中的旗子，熱烈地歡呼，頭一次見到坐在敞篷車上的蔣主席，聲望鼎盛，受到全民擁戴歡迎，當時小毛頭的我也站在路旁圍觀歡呼，大家都高興得不得了。彷彿就此揮別八年來如影隨形的痛苦、煎熬，苦日子終於走到盡頭，即將迎接國家民族光明的未來。

抗戰勝利，也是我們家庭命運轉變的新開始。父親準備帶我們回台灣，他帶著家母及我向照顧我們最多的張繼先生辭行說再見。

張先生抗戰期間負責北方黨務，家父一直追隨在他身旁。他的夫人崔震華女士是中央監察委員，曾因領銜彈劾宋子文、孔祥熙而名噪一時。記得政府遷台後，崔女士曾暫居我們南京西路的家中，我都親切喚她一聲奶奶。那時張繼先生已經過世，她是河北人，與我母親很合得來，成為很好的朋友。而她與孫連仲將軍夫人羅毓鳳院長亦時有往來，後來張繼先生的姪子也到台灣來，住在台中，崔女士便搬到台中去住了。

抗戰勝利了，接下來就是戰時疏散到大後方的政府機關之還都、民眾的還鄉、部隊的適切調防、過剩兵力的復員，及其相關的各種事宜。在日本正式投降之前，父親已經奉派參加收復台灣之工作，所以決定全家遷回台灣。父親因為任務在身，所以就先由重慶搭乘軍用機飛抵福建，而後和謝東閔（一九〇八～二〇〇一）先生等人乘美軍軍艦，於十月二十四日由福州回台，在基隆登岸，並隨即展開繁忙的台北州接管工作。

我和母親則在重慶滯留到十月間，才動身出發，前往十里洋場的上海。在重慶的時候，父母親偶爾也帶我到勵志社去吃西餐。所以儘管生活辛苦，但也有這樣例外的時刻。我和母親除了攜帶必要的行李外，還小心翼翼地帶著繞了大半個大陸、祖父尚未刊行的全部原稿，幾乎片刻不敢離手地搭乘盧作孚（一八九四～一九五二）民生公司的輪船由朝天門出發，經長江航向南京。

很多人乘坐江輪最怕遇到「灘」，我也不例外。在這段航程中，一共有三處「灘」。我們的輪船一路東下，沿途經過四川萬縣（今已併入重慶市萬州區）、湖北宜昌、武漢、安徽安慶、蕪湖，以達南京，共約航行了兩個星期。航行中，所見長江兩岸一般的小型都市，大都十室九空，令人不勝唏噓。另外在許多都市中，也都還有不少日本士兵，他們沒有工作，無事可做，大白天就在馬路兩旁曬太陽、捉虱子，等候遣返，樣子十分狼狽與可憐。在漢口，我看到一條通衢大道，兩旁滿滿的都是日本兵；在江漢關一旁的大路上，看到有很多坑洞。根據了解，那是國軍部隊於戰爭期間所挖掘，蓋準備與敵軍巷戰之用，若敵軍坦克車來犯，亦可有效遲滯之。

船抵南京，我和母親登岸，轉搭京滬鐵路前往上海，當火車到站時，大姑丈林伯奏（一八九七～一九九二）先生和大姑姑夏甸女士已經率同文月表姊、仲平表弟等人在車站迎候，我和大姑丈、大姑姑一家人這還是第一次見面。

雖然我原先只待過西安和重慶，可也都是古都或名城之類，但一到上海，所見景物，無不讓我咋舌連連，嘆為觀止。第一次看到國際飯店二十多層的高樓、南京路上的永安、先施等四大公司、大世界遊樂場一進去就看到的變形鏡、寬廣幽美的虹口公園、金碧輝煌的城隍廟，我真不敢相信：用鋼鐵做成的白渡橋，世上怎會有如此美妙的地方？幾十年後，依然讓我記憶如新，彷彿近日才到過似的。

我們到上海後，母親和我就暫時住在大姑丈的衖堂小洋房。那時，三姑姑秋漢女士也帶著黃曉鶯、黃曉雯兩位表姊妹住在衖堂的另一洋房。三家都準備要返台定居，因為等候船位，使三家表兄弟姊妹朝夕相處了約莫三個月之久。對這段難得的快樂相處，文月表姊曾憶述：

我們三個家庭都計劃要返回臺灣定居，由我的父親接洽安排船位等諸事宜。從冬天到翌年初春二月，約莫有一季漫長的時間，我們表兄弟姊妹有足夠的時間朝夕相處。我們三家的孩子年紀相若，雖然上海口音、南京腔調和略雜著東北與四川方言趣味的語言，在初時不頂能溝通，但畢竟血濃於水，那一段無憂無慮的童年時光，手足情深，令人永難忘懷[1]。

直到民國三十五年二月，我們三家人才搭上由大姑丈所安排、上海友人所駕駛的「大陸行」中小型船，由黃浦江出發駛向大海，沿著海岸線，經舟山群島最南的石浦上岸歇一宿。一上岸就碰上不少叫化子，在這偏僻海邊幾乎無人管。雖然中國是戰勝國，但這種民生凋敝、貧窮的戰後景況，令人鼻酸。而後爆發國共內戰，共產黨竄起，跟戰後經濟的復甦、就業應該都有絕對的關係。

其後我們搭乘的船就航渡台灣海峽，前後共行駛約十天抵達基隆港。這趟返台之行，我是晚輩中唯一的男生，也是連家唯一的直系孫子，祖父的骨灰罈由我一路抱著。祖父民國二十五年過世後，靈骨權寄於上海東本願寺，一直由姑姑在照料著，民國三十四年台灣光復，次年春天，我們終於等待到返鄉的良機。返台路上祖父的骨灰罈以潔白的布包裹著，由身為長孫、十歲的我，在胸前恭恭敬敬地捧著，祖父的靈骨在我及母親、姑姑夏甸女士及小姑姑秋漢一家伴隨下，再次翻越黑水溝，終於回到芬芳的故土。祖父的靈骨先暫存於台北五股觀音山淩雲寺，這也是他生前常去的寺廟。祖父晚年好學佛，他在台北城大稻埕居住時，不時遊觀音山，且留有詩句「我家在城陰，觀音日對眠。我來此山中，觀音寂無言」，因此家中長輩商量先把祖父靈骨暫存觀音山上，亦考慮到這是祖父熟悉的地方。等到民國四十五年，家人才在台北縣泰山鄉修妥墓園移靈，臺灣通史的作者暨一代耆儒在此長眠。

記得當年從基隆上岸後，我們隨即就到了台北。父親把這三家大人、小孩共十幾個人，全部迎接到他在台北的居所，在那座寬敞有庭園的日式舊屋裡，三家人暫時合住一些時日後，三姑姑和黃家兩位表姊妹首先由三姑丈接往台中居住；接著，大姑姑也搬往北投，然後又移回台北東門町，就是現在的寧波西路。為了我的就學問題，當時師範小學外省子弟就讀的較多，但父親思忖考量後認為我應該和本地小孩一起念書，因此這年秋天安排我插班進入大稻埕附近的日新國民學校就讀六年級。我的小學同學都是來自圓環、太平町、打鐵街一帶。由於在西安時，我的牙牙學語即來自祖母的循循善誘，當時就已會點閩南語，進入日新國民學校後耳濡目染，玩伴全是台灣人，我的閩南語就更溜了。

動盪不安的小學時期

如果不計幼稚園，則上小學是一般現代人每天在固定時間、離家在校園度過團體生活的開始，也就是一個人投入「社會化」過程的起點。

前面提到民國三十一年，父母親將我轉學到西安北新街小學。而作秀小學則被日機炸毀，片瓦不存。三十三年夏，我們全家從西安遷往重慶，所以我在北新街小學只讀了兩年，即二年級與三年級。在我念小學的這前三年中，小心靈裡只知道危機常在咫尺之間，而且經常在躲警報。轉學至北新街小學，更開始了我童年一連串的適應過程。所以，這三年（其實，也不止這三年）的小學時光，說是在讀書，可也讀不了什麼書。有一句閩南語說：「有若嘸」，就是雖然有卻似有若無的意思，差可說明我們當年小學「求學」的真實情形。

且說抗戰勝利後，直到民國三十五年春，我才隨母親從上海第一次回到家鄉——台灣。這年秋天，我插班進入台北市建成區日新國民學校六年級。讓我就讀日新國民學校，而非就讀絕大多數外省子弟就讀的台灣省國語推行委員會附設國語實驗小學（即後來的師大附小），說起來是父母親替我設想的明智決定。因為我出生於大陸，離開大陸回台灣時已十足歲，且念了五年小學，所以我的國語是毫無問題的，轉入國語實驗小學，對於提高我的國語聽、講能力，意義不大；倒不如轉入日新國民學校，跟一般本省籍同學一起生活、學習，可以增進我的閩南語能力，助益較大。

當時是台灣光復的第二年，是從日據時期的日語教學改為光復後國語教學的過渡時期，也是尷尬時期。不但一般的同學不會講國語，而講閩南語（客家地區也許講客家語，原住民族地區也許講各族母語）及日語，就是一般本省籍的老師，也大抵如此；而來自大陸的老師，所講的國語一般都有很重的口音，並不標準，亦不易聽懂。例如我們班教國語的女老師是汕頭籍，也是口音極重，常讓我們會錯意。

剛插班進入日新國民學校時，我的閩南語當然遠不及班上的一般同學，他們甚至覺得我「連一句台灣話都不會說」，而班上同學的國語很「破」，在「語言隔閡」下，同學還一度誤以為我這名「大官的小孩」很傲。經過一段時間，大家熟了以後，才知道我「一點也不孤僻，好相處得很。」當時，台語、日語好的同學，很熱心地教我台語和一些日本話，而我則負責「指正」同學們的國語。回憶小學時期的種種，腦海浮現的除了我們班是「升學班」之外，還記得父親曾撥冗出席學校的運動會，母親更常到學校關心我的上課情形，她對同學們也都很親切。民國八十六年十月，在我們畢業半個世紀後，同窗返校參加八十週年校慶大會，許多人仍津津樂道陳年的往事和鮮明記憶。

記得有一次，老師要同學作自我介紹。我便說明自己的名字「連戰」的由來，提到這是先祖父在我出生前所起，意思是要奮力抗戰，台灣才能回歸祖國懷抱。說明中身為小學生的我還引用了《易經》「天行健，君子以自強不息」的古語，令老師大為驚奇，竟表示此段文字深奧不易說明。

我在此提及這件事，並沒有絲毫對老師不敬之意，只是從此可以看出日據時期培育小學師資，卻使他們對國學有如此之隔閡，也可看出殖民當局教育之一般情形。

我們六年級第一班的級任老師李修和先生，是一位以嚴厲著稱、懲處學生時毫不手軟的導師，班上同學對他既敬愛又懼怕。當時李老師還不大會講國語，而多講閩南語及日語。他常穿著日本軍官穿的高統軍靴，講著標準的日語，像極了日本人。李老師帶我們班上的同學到東門游泳池游泳，有些不會游泳、不敢下水的同學，則被李老師硬生生推下泳池。我會游泳，小時候父親常帶我和張伯欣（一九三五年生，美國田納西大學經濟學碩士，前彰化商業銀行董事長）兄及家中朋友的小孩，前往淡水沙崙、基隆、金山、福隆一帶海水浴場游泳。後來游泳且成為我最喜歡的運動項目之一。

我從小凡事認真，上課時專心聽課，課餘活動及遊玩，同樣全力以赴。所以，應付功課，輕輕鬆鬆，游刃有餘，儘管從未有過「奪魁」的紀錄，卻總不失傲人的優異成績；運動方面，我也相當喜愛；跟同學相處，亦融洽愉快。大概因為這樣，很得李老師的疼愛。當時是光復隔年，日據時期小學體罰學童的積習猶存，同學心目中「殺手」般的李老師，不時仍有體罰同學之舉，班上幾乎唯獨我，一直到六年級下學期畢業為止，竟然保持從未挨過一下教鞭或抬椅子的紀錄，算是我的造化。

日新國民學校有一位教授體育的許森貴老師，乒乓球打得很好，也是學校的訓育主任，他管教同學同樣親切，對我鼓勵良多，永銘心版。後來許老師通過律師考試，成為執業律師，但他跟日新國校的同學一直保持聯繫。每次我們日新國校光復後第二屆畢業生（或可說就是我就讀的第一班畢業生同學）聚會時，許老師都會應邀參加。我在行政院服務時，曾承許老師把民國三十八年四月本校第一回同窗會、六十年十二月本班第一屆同學會等三張合影惠贈，至為感激。

我在台北日新國校雖是轉學生，而且只念一年就畢業，但是不只導師李修和先生很疼愛我，班上同學多半也都相處得很好。畢業以後，有的同學還長期保持聯繫，有事情大家互相商量，有困難互相幫忙。這份感情，都是日新國校培養出來的。這些同學（以姓氏筆畫為序）包括：曾任省立台北成功高級中學校長的江清水兄、曾任建成區里長的李振坤兄（當年班上的班長，與我「分享」同一書桌的同窗）、曾任台灣省合作金庫國外經理的許神祺兄，以及李登輝總統夫人曾文惠女士介弟曾文耀兄都是。此外還有企業界的林光輝兄、陳守信兄、陳守義兄等人。

民國三十六年，在知了此起彼落鳴叫不停的盛夏季節裡，我們台北日新國校應屆畢業同學於驪歌聲中揮別母校，成為母校光復後第二屆畢業生。

當我拿到此生第一張畢業證書，方才證實我在海峽兩岸歷經三個省份、四所學校、念了六年的「小學時代」已然學成而結束，彷彿頓時成長許多。但是，這一頭才唱完驪歌、畢業離校，那一頭初級中學的入學考試已經在等著我去面對了。

拾級而上的中學時期

在我的「小學時代」，整個國家社會的大環境動盪不安。前四年被籠罩在無情戰火隨時可能造成傷害、破壞的恐懼下，後兩年則經歷了勝利的降臨、大陸淪陷區和台灣故鄉的光復接收、復員播遷，以及內戰的再起。六年之間，我在大陸先由西安遷至重慶，抗戰勝利後，再由重慶經上海、回到台灣的台北，先後一共念了四所不同的學校。進入「中學時代」，從初中

就讀中學期間與母親的合照。

開始，雖然當時台灣的內外環境仍然可說處於風雨飄搖之中，但我的求學生活總算逐漸按部就班，上了軌道。

小學升入中學要經過一場入學考試，或稱升學考試。當時各級學校的入學考試尚未採取聯合招生的方式，都是各校個別單獨辦理。因為其時我家住南京西路，所以只報考離家較近的省立台北成功中學初中部，並且如願錄取。

就讀成功中學初中時與父母合影。

省立台北成功中學的前身，是日據時期的台北州立台北第二中學校，校址在濟南路一段。我是民國三十六年入學成功中學初中部一年級的，學校在光復後接收時，原有十六個班級，日本學生遣返後，縮編為十四個班級，之後快速擴張，至三十八年秋增至三十三個班級，增加了一倍以上。稍後甫行創辦的省立行政專科學校及南方資料館，又借用成功中學校舍，曾一度採二部制教學。

初中階段，我十分活潑好動，極熱中室外的活動，跑步、踢足球、雙槓、游泳，無一不是我所喜愛的運動項目，唯個性應屬友善和開朗。那時候，班上的同學偏好籃球，但我更愛足球。而因為我愛練雙槓，所以母親就在家裡為我裝設雙槓，方便我從事這項器械運動。我幼時就已跟隨父親接觸游泳，在日新國校時期泳技更加成熟，我一直十分喜愛這項最好的全身運動。大約在初三的時候，我也開始練習打高爾夫。啟川伯（陳啟川先生，一八九九～一九九三）送給我一套孩童用的球桿，是我最早的一套球具。辜濂松（一九三三～二〇一二）兄從那時開始就是我的「球伴」。我跟他便是在淡水球場上認識的，他長我三歲，那時他打高爾夫已有相當的基礎，球技比我好。有一年，濂松兄還入選代表我國前往蘇格蘭參加比賽。那時候，中英已經斷交，但因為濂松兄在比賽中得了名次，會場上還是依例升起我國的國旗。時隔多年，但那一幕相信仍深印在很多人的腦海中。

直到升上成功初中，我這勝利後返回故鄉的台南人，才開始領會到自己和其他同學是有一點兒不盡相同的特質。我所謂的「特質」，便是我的活潑、外向、開朗，而不是過於拘束、侷促、文靜，或者「死讀書」；另外，我的「大陸經驗」，也是很多同學——特別是本省籍同學所沒有的。

念初中時，全校同學約有五分之三到五分之四是本省籍同學，而大陸籍同學僅占五分之一至五分之二間。雖然當時二二八事件才發生不久，在我的記憶裡，同學之間相處融洽，並未發生後來所謂的省籍問題、地域觀念等情況。

因為住家距學校不遠，所以自初中開始，我都是騎單車上下學。我永遠不能忘記；每逢颱風天上學（當時學校不放「颱風假」的，只要是上課的日子，刮颱風還是照常上課），父親不放心，總是徒步陪著我，一起出門，走中山北路，通過鐵路平交道，經過中正路（後改名並分為忠孝東路、忠孝西路，即以中山北路及中山南路為界，區分東、西路），續走中山南路，折入濟南路而到學校。父親並曾順便查看學校的情況。放學時，再到學校接我，一起徒步走回家。天下父母心，當初颱風天，父親陪伴我上下學的步履聲，熱烈地震動著我的鼓膜，這份熱度是如此鮮明地流入我心，讓年輕的我留下了深刻的印象。隨著歲月的流轉更迭，心扉裡當年父子同行的步履聲愈來愈清晰、愈來愈響亮，熱度不減反增。啊，父親，我永遠永遠地感謝您！

我當年的活潑好動，看在母親的眼裡，似乎已經有點「過猶不及」了，於是她開始叫我學鋼琴，希望藉著悠揚優美的琴韻可以使我「動極思靜」，有效減少我從事室外活動的時間。因為除了每周一次、每次兩個小時，教鋼琴的老師來家裡上課之外，在家有空的時間也得撥出部分來練習。母親為我延請著名的鋼琴教育家張彩湘（一九一五～一九九一）老師來教我彈琴。張老師畢業自日本武藏野音樂大學，曾師事多位名教授習琴，而其父張福興（一八八八～一九五四）先生就是台灣早期音樂家，可謂家學淵源。張老師後來擔任台灣師範大學音樂學系教授，為國家培育不少鋼琴人才。或許，因為當時的我興趣廣泛，初接觸鋼琴覺得很有意思，興味盎然。不過，我並未做好準備、也無意於日後成為一名鋼琴家。學鋼琴對我而言，和踢足球、玩雙槓、打高爾夫一樣，只是純粹的興趣所在。然而，張彩湘老師卻想將我訓練成鋼琴家，要求愈來愈多。這樣的學琴課程，逐漸形成我心理上的負擔。本身也從事教育工作、凡事觀察入微的母親適時發現問題，在她了解狀況之後，就為我另外請到一位蕭老師（很抱歉，多年之後，我竟已忘記這位和藹可親的鋼琴老師的芳名），其尊人是一位牧師。蕭老師對於我的鋼琴學習，並沒有給予太多要求，讓我更自然而然地樂於接近鋼琴、練習鋼琴，我非常感激她。母親要求我學鋼琴，也不是要我成為鋼琴家。她只是希望透過練習鋼琴，讓我變得斯文一些，絕對不可成為放縱、不服管教的孩子。我學鋼琴，前後約七、八年之久，但中間曾中斷過。

附帶一提：游彌堅（一八九七～一九七一）先生的哲嗣宗熙兄，當年也曾跟張彩湘老師學鋼琴。他鋼琴學得很好，可以上台表演，相當不容易。

父母親對我這個獨生子，雖然十分鍾愛，但一點也不溺愛。由於單丁獨子，所以我享有父母親全部的關愛與期望，只能用「稀有難得」來形容其萬一。父母親極其關心我的教育、身體、成長、生活、思想，以及交友。升上初中以後，父母親最最關切我的交友，他們總是設法了解我交往的朋友，有些同意我繼續交往，有些則暗示我不可交往過密，乃至逐漸疏遠之。

我就讀初中階段的學生生活，是十足平凡的那一類，除了前文所提及者外，已多不復省記，我想即使還記得，大概亦不值一提。我無論是功課、運動、鋼琴，樣樣大致上都還算過得去，但也並不特別突出，更與「第一名」無緣。練鋼琴數年，卻也不曾上台表演過。

我在成功中學初中部的三年，經歷三任校長，他們分別是光復後第一任校長何敬燁先生、第二任校長左潞生（一九〇二～一九八六）先生、第三任校長張振宇（一九一〇～一九八六）先生。民國八十五年，我在日新國校的同班同學江清水兄接任成功高級中學（成功中學所改）第十任校長（任期至八十年），任內曾頒給我一個「成功中學傑出校友」的稱號。

民國八十八年五月十五日，我參加台北市成功高級中學七十七週年校慶，並致詞勉勵所有在校的學弟們。我在致詞時表示：我的啟蒙教育是在抗日戰爭的連天烽火中完成，在大陸讀了三所小學，回到台灣才在台北的初中部實現生命中第一個完整的教育階段。回憶五十二年前，我在成功高中校園內的安定環境中生活、學習了三年，不必再換學校，對學校留下不少珍貴的回憶。當年濟南路上成功中學的校門是沒有圍牆的，學校沿著路邊種了一排桃樹。彼時在母校擔任國文老師，也是著名的現代詩人紀弦先生的筆下，那桃樹被比喻成為「儀隊」，期待「有一天，回去檢閱。」在當天的演說中，我強調今天成功高中能夠享有極高的聲譽，除了跟畢業校友的成就與表現息息相關之外，創校以來所有師長們的辛勞教誨更絕對功不可沒。此外，我還強調：二十一世紀即將來臨，雖然中華民國目前已經享有前所未有的繁榮，但是我們若要維持競爭優勢，百尺竿頭更進一步，使中華民國成為真正現代化國家，仍必須更加一把勁，而年輕的一代未來必將擔負重責大任。我特別期勉母校學弟們，秉持「愛國家、求進步」的校訓，在學校時鍛鍊強健體魄、努力用功學習，為國家作更大的貢獻，「從成功出發，未來也成功地回來」。隨後，成功高中校長江清水兄代表全校師生，致贈我一顆象徵吉祥的「好彩頭」，祝我更上一層樓，馬到成功。

民國三十九年，我從成功中學初中部（第六屆）畢業，一口氣報考三所省立中學的高中部，都獲得錄取。這三所中學，包括省立台北建國中學、省立師範學院附屬中學，以及我初中就讀的省立台北成功中學，它們分別改自日據時期台北州立第四中學校（因將州立第一及第三兩中學校之本省籍學生合併編入，故一般亦認為建國中學的前身即是日據時期的州立台北一中）、台北州立第三中學校，及台北州立第二中學校，當時這三所省立中學在家長及社會大眾的心目中，不分軒輊，都是台北最好的中學，幾乎是「三強鼎立」。

我因為在成功中學念了三年初中，想利用升高中的機會更換學習的環境，恰好那年省立師範學院附屬中學高中部是第一個放榜，加上感覺上師院附中的「動感」較強，甚符合我的性向，於是我自己作主選擇了師院附中，在那裡度過對我其後發展影響深遠的高中三年黃金歲月。

省立師範學院附屬中學的前身，是日據時期的台北州立第三中學校，當時學生十之八九均為日本人。光復後，先改為省立台北市第三中學，繼改為省立台北和平中學。嗣為備省立師範學院將來學生之實習，以及中學教育的實驗研究與示範，自三十六學年度起將和平中學改為該院附屬中學。

師院附中的校址，位於信義路三段的盡頭，地近郊區，校園堪稱廣潤。重要校舍包括：辦公室、會議室、實驗室及特科教室、普通教室、圖書室、禮堂、教職員宿舍、木工廠；運動場所則足球場、籃球場、排球場、網球場，及棒球場等，應有盡有。學校的圖書、儀器及各種教具，亦頗充足。當我在校時，圖書室的藏書總

就讀師院附中時期與父母親的合照。

計已達一萬三千餘冊；而各種物理儀器、化學儀器、生物標本模型、解剖儀器、顯微鏡、各科掛圖、鋼琴、風琴、勞作用具、體育用具、童子軍用具、衛生用具，以及電影機、幻燈機、電唱機、錄音機等，可以完全滿足全校各學年教學的需求。

由於師院附中創校時所肩負的任務，有別於一般的普通中學，所以附中在教學方面，頗多嶄新的設施，舉其犖犖大者，如運用視聽教具，配合各科教學；依照學力學業成績，實行分組上課；加強生產訓練，培養技術能力；改進測驗方法，嚴密成績考查等，皆有足述者。當時附中並奉令從事四二制中學的實驗，每學年度設四二制實驗班兩班，前四年功課相同，後二年則分為文理兩組授課。此制係將初中及高中看成六年完整之教育單位，打破三三制分列為兩個自為起迄階段的向例，而且前四年升入後二年，亦無須經過入學考試。惟實驗後，似未見正式採行推廣。

我念師院附中時，校長是黃澂（一九一六～一九六九）先生，當時學校的老師陣容之堅強，真是一時之選，都是學問淵博、教學認真、和藹可親、諄諄教誨，循誘無倦的良師。後來台灣發展高等教育，政府和民間熱心人士斥資興學，許多有名的大專院校相繼成立，很多附中的老師被各院校延聘以去，也都是非常好的教授。像國文科的老師曲顯功（一九〇八～一九八七）先生，後來是國立台灣大學國文系教授，數學科的老師鄭文華先生，英文科的老師周複先生，還有歷史科的金藝成老師、劉昌洪老師，後來也都到大學擔任教授。不但正式的老師如此，就連師範學院的學生來附中實習的「實習老師」，也都非常認真，十分敬業，上起課來，有板有眼，令人衷心敬佩。

附中對學生學科功課的要求很高，但課外活動同樣也很注重。其教學及輔導十分靈活，而不是死板板的那種。在初中以前，我的功課雖然都還好，但我從小好動愛玩，活潑陽光；特別是初中的三年，我喜歡看電影，玩撞球。但進入附中，也就是升入高中以後，我才真正喜歡上了讀書，也開始用功起來。儘管如此，我也不是死讀書，而仍然活躍外向。

念高中時，師院附中的外省籍同學約占總數的五分之三至五分之四，而本省籍同學則僅占五分之一至五分之二，恰好翻轉了初中時成功中學同學間兩者的比率。以我所在的這一班來說，班上本省籍的同學，連我一共僅三人。當時師院附中的一大特色，就是採取男女合班的編班方式，我的這一班當然不例外，也有六、七位女同學。班上另外兩個本省籍同學，一男一女。男的是後來大名鼎鼎、搞「台灣獨立」運動的許世楷（一九三四年生），曾被我們取了一個「牛小弟」的綽號，他後來也畢業於國立台灣大學政治學系，與我二度成為同學；至於那位女同學，則是苗栗客家籍的劉姓同學。班上其他男女同學就都是外省籍了。附中真是臥龍藏虎，人才濟濟，不勝枚舉，姑就最先映入腦海者，列出若干同屆同學如後，以證吾言之不虛：同屆同學如項武忠（一九三五年生）、林毓生（一九三四年生）、張灝（一九三七年生），皆為國際知名學者；此外，李滑明（後來擔任嘉新水泥公司總經理）、黃敬譽（後來曾任中國青商會會長）、薛正綱（後來為世界銀行的專家）、陳興夏（一九三五～一九九三，後來曾任台大圖書館館長、教授）、林宏樫（後來曾任台灣增你智公司副總經理）、石永貴（一九三五年生，後來曾任台灣電視公司及中國電視公司總經理、中央日報社發行人兼社長、正中書局董事長），及蔣孝靜、何景賢（一九三五年生），以及女同學當中的汪瑗（後來是美國普渡大學教授）、陳幸（曾任國立中央大學校長的余傳韜〔一九二八年生〕先生的夫人），個個都是頭角崢嶸、名噪一時的人物。

歲月的腳步何其迅速，師院附中無憂無慮的三載時光很快成為過去。民國四十二年，我從師院附中畢業，也結束了我在該校三年的高中生涯，也

師院附中時期所攝。

結束了我的「中學時代」。接下來，就是向大學之路的「攻擊前進」了。

投考大學時我面臨此生首次的「前途抉擇」。一直以來，我皆能「兼顧並重，平均發展」，就德智體群四育而言如此，就學業與課外活動而言如此，就學業中各門功課而言亦復如此，無論念文科、理工科、法科，既沒有性向、興趣偏好的問題，也沒有基礎扎實與否、念不念得下去的問題。當時大學入學考試還沒有聯合招生的制度，我分別報考的院校和志願學系是：國立台灣大學政治學系、台灣省立台南工學院（今國立成功大學）土木工程學系、台灣省立師範學院史地學系，恰好包括法科、工科、文科。這三個志願都僥倖獲得錄取。省立台南工學院土木工程學系放榜最早，我原準備就讀工學院的，甚至前往台南報到的車票都買好了，後來因為「留在台北陪侍雙親是獨子應盡的義務」，而又覺得「政治學中的智慧」比「純學術的史地更適合我的個性」，恰巧台大及時放榜，因此便改走「科班的政治『不歸路』」，遂決定留在台北，改向國立台灣大學政治學系報到入學。

奠定堅固礎石的大學時期

大學應是一個人定型、定性的關鍵時刻，我開始逐漸成熟而懂得收斂起玩性，埋首鑽研真知。父親點滴灌輸的祖父雅堂先生家訓：公、忠、愛鄉愛國之思想，以及祖父手著《臺灣通史》這部具有保存臺灣家鄉史實的三冊珍貴書冊，帶給我連氏一脈兩代單傳的無比使命之感。父親終其一生，不曾對任何人有過聲色之厲或背後之私，他的道德涵養與學問修養融會在家人間的正是深切的關懷與溫暖的愛心，他從未對我的未來有任何特殊的要求，但只是相當鼓勵我的個人興趣發展與自由意願，以「做父親」的角度看，他是位十分民主開通的爸爸，總是樂意在颱風天親自陪著我上學，再親自接我返家；更常以「誠信做人，勤懇做事」反覆期勉我做一名忠實厚道的君子，他們的影響力，自小植苗，到我大學時已生根發芽，全心念書也是此時因父親教誨以「少學問無以治世」的明訓，自感非要成為夠分量的連家傳人，方得主動自發，努力衝刺。

在我就讀台灣大學政治學系時，系上所開的課程可分為三個類別：一類是政治思想、政治理論課程；一類是法律課程，包括：憲法、行政法、民刑法、國際公法、國際私法；一類是歷史課程，包括：思想史、近代史、通史、外交史。然而，上世紀五十年代的政治思想、政治理論仍是傳統的，當時尚無行為科學派，較少有人研究投票行為等政治行為，並用統計方法、數學方法來進行研究，將這些資料「科學化」；另外，也尚無「政治社會學」課程的名稱，研究人的政治化過程、一般民眾政治化傾向等一類的問題。

跟台灣大學各學系一樣，政治學系系上所有授課的老師，無一不是學貫中西的通人名家，如「政治學」課的薩孟武（一八九七～一九八四，立法委員、台灣大學法學院院長）老師、「國際關係」和「國際公法」課的雷崧生（一九〇七～一九八六）老師和彭明敏（一九二三～二〇二二，法國巴黎大學法學博士、亞洲太平洋自由民主聯盟祕書長、建國會會長）老師、「中國政治思想史」課的曾繁康（一九一一～一九九五，司法院大法官）老師、「西洋政治思想史」課的陳國新老師（系主任）、「西洋外交史」課的李祥林老師、「中國外交史」課的黃正銘（一九〇三～一九七三）老師、「行政法」課的林紀東（一九一五～一九九〇，司法院大法官）老師、「憲法」課的劉慶瑞老師、「國際私法」課的陳顧遠（一八九六～一九八一，制憲國民大會代表、立法院立法委員）老師、「法學緒論」課的梅仲協（一九〇〇～一九七一，台灣大學法律學系主任）老師、「刑法」課的趙琛（一八九九～一九六九，最高法院檢察署檢察長）老師、「民法」課的姚淇清（一九一九～一九八八，台灣大學教務長、教育部常務次長）老師、「語意學」課的徐道鄰（一九〇六～一九七三，行政院政務處處長）老師、「經濟學」課的趙蘭坪（一八九八～一九六七，國立政治大學經濟學系主任）老師、「各國政府」課的沈乃正老師、「哲學概論」、「理則學」課的曾天從（一九一〇～二〇〇七）老師、「中國近代史」課的黃大受（一九二〇～二〇〇一，國立政治大學教授）老師、「中國現代史」課的李定一老師、「中國通史」課的夏德儀（一九〇一～一九九八，台灣大學歷史學系教授），還有「國際政治」課的來自耶魯大學客座教授饒大衛老師（David N. Rowe），以及「法文」課的范秉彝老師（神父），師資陣容之堅強，鮮有匹敵。

在台灣大學政治學系的四年中，我對於修習的課程，除了課堂上認真聽講，課後也相當用功，廣為閱讀各種相關書刊及其他資料，有問題就向老師們請教。當時接觸比較多的老師，記得有薩孟武老師、雷崧生老師、林紀東老師、曾繁康老師、陳國新老師，以及彭明敏老師。彭老師是一位本省籍的年輕教授，那時他從法國巴黎大學回來，開設「國際公法」課程，非常叫座，所著《國際公法》一書，佳評如潮，洛陽紙貴，是一位很好的教授和學者。坊間有書籍提及彭老師對我謬予嘉許一事：

在台大時期，連戰的表現，根據彭明敏說：「天賦很高又肯用功，教過他課的教授，都認為將來他會在學術領域爭一地位。在為人方面，他老成持重，生活樸素，沒有一點浮誇的氣息，深得老師與同學好評[2]。」

彭老師曾否如是說，不得而知。但我到美國芝加哥大學念書，是彭老師與其他二位老師寫的推薦信；我訂婚時，彭老師曾以貴賓身分參加。對於彭老師，我認為他是一位很好的老師，不能夠因為個人的政治觀點與個人的際遇，把人與人之間真實的關係有所改變。由於常有人把彭老師與我「牽扯一起」，所以在此多寫幾句。

我在台灣大學求學時前後期的同學差不多都認識，尤其是法學院的政治學系、經濟學系、法律學系、社會學系、商學系幾個系的同學，幾乎大家都認識。以政治學系本系來說，其中為一般人所熟知的名字，學長即有：林洋港（一九二七～二〇一三，曾任司法院院長、總統府資政）先生、張豐緒（一九二八～二〇一四，曾任內政部部長）先生、楊寶發（一九三〇～二〇一二，曾任內政部政務次長）先生、錢復（一九三五年生，美國耶魯大學國際關係哲學博士，曾任外交部部長、國民大會議長、監察院院長）先生、法律學系的學長有翁岳生（一九三二年生，德國海德堡大學法學博士，曾任司法院大法官、司法院院長）先生、法律學系的學弟有：施啟揚（一九三五年生，德國海德堡大學法學博士，曾任法務部部長、行政院大陸委員會主任委員、國家安全會議祕書長）先生、丘宏達（一九三六～二〇一一，美國哈佛大學法學博士，曾任行政院政務委員、中華民國無任所大使）先生等。而我在師大附中的高中同學，絕大多數都念理工科去了，所以在台灣大學政治學系與我二度同學的，就只有許世楷同學一人。

在就讀台灣大學的四年中，我從原本的三心二意蛻變為有定性的青年。大學的社團活動多，一些同學都很熱中於此，十分活躍，但我鋒頭並不健，因為我整個人收起心來用功讀書。不知是否自覺高中以前已經玩夠了，上大學不該這樣繼續玩下去？同一時期，經由慢慢涵育培養，我的學習能力似乎也變得更強，不但提升了比較與思考問題的能力，亦能透過不同角度去看待問題——當然，這是一步一步積漸而至的。在「接受」和「相信」之前，先抱持一些「懷疑」，以啟發思考能力。此外，我開始接觸《外交》（*Foreign Affairs*）雜誌上的文章，以及許多文史哲方面的書籍。

我在台大就讀期間，代聯會之下分設服務、聯絡等幾個組，代聯會會長（主席）曾邀我到聯絡組擔任組長，不過實際上好像也沒做什麼。

民國四十六年六月，我從台灣大學政治學系畢業，同月，我依當時的規定，大專畢業生服預備軍官役，正式入營服役，我屬於第六期的預備軍官。服兵役是國民應盡的義務和光榮的權利，煌煌規定，載在憲法；服兵役，也是社會上一般認為男孩子蛻變為真正「男人」必經的磨練過程。因此，舊時流傳的「好鐵不打釘，好男不當兵。」已不再時興，代之而起的是「好男要當兵」。

我先到鳳山的陸軍步兵學校接受入伍教育，結訓後，到北投的政工幹部學校接受分科教育。之後，分發到陸軍衛戍司令部所屬第五十七師，師

台灣大學學士畢業照。

身為預備軍官，我誓言做國家的革命軍人。

長是賈維錄先生（一九一六年生）的一個砲兵連，擔任基層連隊的政工官，以迄於退伍。這整整兩年的預備軍官役，我不但獲得軍中寶貴的基層連隊工作經驗，磨練出一身古銅色筋骨和強健的體魄，也在工作之餘厚植加強我的外語能力。

提及外語能力，以英文來說，其實我的英文根基是高中時期在台灣省立師範學院附屬中學扎實奠下的。誠如我的高中同班同學林宏樫兄所說：「附中學生英文很好，那是因為老師嚴格要求，高一英文老師周複、高三英文老師鄧文禮，都是很好的老師。老師要我們隨時翻英文字典，幾乎人手一冊，然後要我們多看課外英文讀物，如開明出版的《林語堂英文文法》，最讓我們受用無窮[3]。」之後，大學四年的用功勤讀原文書報，服役兩年的溫習加強，使我的外文能力更見進境。

早在大學畢業時，我便已就畢業後（因為眼看就有為期兩年的預備軍官的兵役，所以也可以說是將來退伍之後）的人生預作規劃。當時，我有兩個選擇：第一個是繼續鑽研政治學，因為現代政治學講述的自由民主多為舶來品，要深入研究這些政治理論及政治制度的實際運作，最好能到國外的大學去深造，才能在西方人的社會和環境中近距離實察，而不至於耳食、浮面、一知半解；第二個選擇是直接進入國內的公家機關，把四年大學政治學系所學的，學以致用，並在做中繼續學。果真如此的話，我優先考慮的是外交部門的單位，這一方面是由於我向來就對國際關係、外交問題、外交工作，甚感興趣；一方面則是因為父親與外交圈的人士有很多是熟識的志友，有些從事外交工作的長輩知道我的興趣也樂於汲引接納。但是，在服預備軍官役的那兩年中，讓我逐漸感到：大學四年所學的只是基礎的、入門的東西，僅具備從事研究的資格和條件而已，真正的研究其實根本還談不上，所以就愈來愈傾向選擇出國深造了。

民國四十八年春，因為成功嶺集訓期間和大學軍訓課程依規定折抵役期，所以已「服役期滿」的我，正式奉准以預備軍官役陸軍政工少尉退伍。服兵役是國民應盡的天職，我依規定服完兵役，正式退伍，至今軍階依舊只是少尉，但我覺得這是畢生的光榮，而且比起抗戰期間在重慶所看到的那些十來歲扛著步槍上前線的四川少年，毋寧是幸運多了。

負笈海外的研究所時期

我念研究所，從碩士班到博士班，都就讀於美國芝加哥大學，因此那為期六年的「研究所時代」，同時也就是我的「留學時代」。

我於民國四十八年三月二十三日抵達芝加哥。那時尚無民航噴射機，班機從台北起飛後，曾先後停降琉球、日本、勘察加、阿拉斯加（安克拉治）及西雅圖，在清晨四、五點鐘的時候飛抵芝加哥，在空中共歷時二十八個小時。友人張伯欣兄、王明純小姐及其夫婿李學文先生到芝加哥中途機場來接機。雖然已是三月中下旬的時節，芝加哥一眼望去，依然遍地積玉堆銀，在白皚皚的冰雪中，我平安抵達來到這座異國他鄉的名城。

當時，好幾所美國大學同時接受我的入學申請，然而這一次的選擇，主要基於兩點理由，讓我決定就讀芝加哥大學。第一、在芝大，可以就近師事我仰慕已久的美國國際政治及外交學大師摩根索（Hans J. Morgenthau）教授學習研究；第二、當時全美國的著名大學中似唯有芝加哥率先採行學季制，一年四季皆可入學，也皆可畢業，其餘都採學期制。我於春季退伍，學期制要等到九月份才入學，得白白浪費半年多，甚非所願。何況，芝大的獎學金是很不容易申請到的，實在也有「棄之可惜」之感。

芝加哥大學的學術研究風氣與校園環境景觀甚佳，但當時學校所在地曾有治安隱憂的問題。為此，很多優秀的教授和同學，都認為芝大本身好，但校外治安不算好。很多美國南方的居民進到大都市，他們首先選擇的就是芝加哥。後來幾年間校長艾德華‧列維（Edward H.Levi）都十分注意學校整個環境的改善。那時，別處學校是捐錢來蓋房屋，芝加哥則是買屋來拆，愈拆鄰居愈少，以致於沒有鄰居，而學校治安也愈來愈好。在哥倫比亞大學、耶魯大學也都曾有類似情形。芝加哥大學終於度過危機。芝大一邊是湖泊、博物館，一邊是公園，所以環境的問題，就慢慢解決了。但是大學也要注意與社區居民的關係。美國前總統歐巴馬便是從芝大附近社區組織開始做起，從事社區活動，照顧需要照顧的人，他是這樣起家的；他的夫人曾擔任芝大醫院體系的副院長，有效地幫助歐巴馬共同增進社區的凝聚與和諧，並在其過程中了解民主政治在最基層的實際運作情形，而非紙上談兵，空談理論的高調。

在美國，大學政治學系所上的課程，分為七個領域，分別是：一、政治學理論：包括傳統的政治思想和新的政治理論（即行為學派）；二、公法：包括憲法、行政法、國際公法，以美國憲法為主；三、各國政府：「各國」，係指美國以外的國家；四、政治社會學：如政治參與、政治忠誠、政府治亂等；五、國際關係或國際政治；六、公共行政；七、地區研究：如印度研究、東亞研究等。芝加哥大學政治學系的每一個領域，都延聘名師擔任講授。碩士班只要通過一個領域即可，博士班則要通過五個領域。

當我在台灣大學時，閱讀相關的專書和期刊，早已聽聞美國國際政治及外交學大師摩根索教授的大名。父親於民國四十五年應美國國務院邀請訪美期間，曾在芝大拜訪過摩根索教授，當時曾說到我是政治系的學生，摩根索教授就表示希望我大學畢業後能到芝大深造。那時在台灣的大學，不開「國際政治」這門課，而多半開「外交史」和「國際法」課程；至於「國際關係」課程則有的開設、有的不開設，即便開設，其內容也多為一般的國際關係，而非國際政治。我第一次接觸「國際政治」科目是在芝加哥大學，而「外交史」中的「國際關係史」、「中國外交史」也都是進入芝大後，才開始有系統性地閱讀。摩根索教授的「國際政治」課程，包括了國際關係、哲學、歷史、法律、經濟、戰略等範疇。由於它本身就是政治學之下的一門大學問，因此不乏眾人對此作出貢獻，而摩根索教授便是其中十分重要的一位學者。

我在芝大就讀研究所時，政治學系系主任赫曼・普里切特（C. Herman Pritchett）教授為美國政治學會會長、美國憲法專家，我曾修過他的課。當時，美國政治學界的政治理論主要分成兩個學派：一是自然權利學派，主要的代表學者是列奧・施特勞斯（Leo Strauss）教授及其高足約瑟夫・克羅普西（Joseph Cropsey）教授（二人合著有《政治哲學史》〔*History of Political Philosophy*〕），和杰羅姆・克溫（Jerome G. Kerwin）教授、漢娜・鄂蘭（H. Arendt）教授（著有《極權主義的起源》〔*The Origins of Totalitarianism*〕）。克溫教授與克羅普西教授都是我的業師。克羅普西教授在我畢業後一直跟我聯絡達四十多年，於二〇一二年與世長辭，高齡九十二，其子為美國海軍助理部長；另一個學派則是行為學派，主要的代表學者有大衛・伊斯頓（David Easton）、莫頓・卡普蘭（Morton Kaplan）、唐肯・麥克雷（Dunken MacRae）等人。

我追隨摩根索教授學習「國際政治」，課程主要講述國際政治的現實主義，此一學派的歷史淵遠流長，主張國際政治不應再像過去，以理想主義做為出發點，認為全世界可以實行民主政治、信仰和平。一如美國威爾遜（Woodrow Wilson）總統「成立國際聯盟以維持世界和平」[4]。他的理念誠然十分崇高，十分吸引人，但實際上辦不到。二戰後，英國首相邱吉爾揭開冷戰序幕。美國外交暨歷史學家喬治・凱南（George F. Kennan）用筆名「Mr. X」發表文章，他認為美國人難以法律與道德的思考路徑（Legalistic-Moralistic Approach）了解國際問題的現實。摩根索是此學派的大師，其所著的《國家間的政治》（*Politics Among Nations: The Struggle for Power and Peace*）成為學習國際政治者必讀的聖經，影響至大，徒子徒孫遍布全美各大學。當然，也有反對該學說者，認為他沒有理想。因此，理想主義與現實主義間的爭執一直很大。尤其越戰期間，摩根索主張撤出越戰，當時美國國務院甚至進行圍剿，由國家安全顧問（NSA）邦迪（McGeorge Bundy）對付他。在國際關係領域中，廣泛牽涉到許多內容，包括系統理論、外語（第二外語：法語）、蘇聯問題、中共問題、印度問題等。此外，儘管我主修的是國際關係，也得同時選修其他課程，如「各國政府」等。

剛進入芝加哥大學時，有些課聽不太懂。學校也沒對非英語國家的外國留學生有任何特別措施，而是「一視同仁」。克溫教授上「政治思想史」，用喬治・塞班（George E. Sabine）的書為教材，一開始實在看不太懂，主要有兩點原因：一是東西方思想的差異性，二是其書內容對初學者似乎也確艱深些。在芝大的頭兩年，為了不服輸要趕上進度，每天都很忙，只有夏天八到十週的時間，可以稍微休息一下。

我自小的好友張伯欣兄，是父親日本慶應大學同窗聘三伯（張聘三先生，一九〇三～一九八五）的獨子，父子先後擔任彰化商業銀行的董事長，傳為台灣金融界少有的美談。從小，我每次到台中就住他家，他來台北就住我家，我們交情很好。那時他在芝加哥，我乍來初到，就是他來接我的。暑期他到離芝加哥約三十分鐘車程的巴靈頓（Barrington）地方，在那裡的鄉村俱樂部打工，把我也找去。我們在那裡做調酒的工作。雞尾酒的調配，因酒類不同，調法、配方也有別，其實也可說是一門很大的學問，十分有趣，很多酒類至今我仍記得。工作的待遇似乎也不錯，兩個多月下來，管吃管住，結餘的所得竟然足夠買一部車，內心油然而生自食其力的成就感，簡直帶著些許的驕傲，因為我終於學得一丁點的勤儉工夫。日裔總管名叫馬西，一板一眼注重效率，對於那次打工，我覺得十分值得，十分難忘。

當時芝加哥大學的大學部有兩千多人，研究所有四千多人，顯然該校的經營重點為研究所，以從事學術研究、培育學術研究人才，以及領導學術研究發展為主。芝大出身的很多大學教授、校長、著名律師、著名醫生，很多埋首做基礎的研究，且當時中國留學生數量不多。芝大由美國石油大王洛克斐勒創辦，聘請哈波（W.R Harper）先生為第一任校長，在一八九二年成立的第一天就是一所第一流的大學。芝大不是以討生活為目的的教育機構，而是一所追求真理、研究發展、開創新猷的學術領域、追求卓越及品質的高等學府。所以，儘管建校於一八九二年的校史算不上多悠久，但當時在芝大校友、教授及研究人員中，共有八十餘位諾貝爾獎得主，是世界數一數二的（當時英國劍橋大學位居第一）。芝大沒有農學院與工學院，但其自然科學、人文科學、社會科學、生物科學乃至神學院、醫學院、教育學院等領域的研究，可都是一流的，僅經濟學系一個系就擁有八、九位諾貝爾獎得主。在芝大就讀，壓力很大，所有人在任何時間皆孜孜不倦用功讀書，沒有一個人貪玩浪費時間的。有時看了一場電影，內心就會產生極大的罪惡感，因為身旁的同學都在念書——可想而知，在芝大求學的過程相當辛苦。美國曾調查全國一百所大學，其中最能夠「由你玩四年」的，是某州一所「曬太陽的大學」，芝大是倒數第二，而敬陪末座、倒數第一的是西點軍校。

芝大學生的平均年齡也不小。我就讀芝大時，住在學校宿舍B-J Court五年，跟歐巴馬總統的舅公查爾斯・佩恩（Charles T. Payne）住在一起並結為好友。我這位朋友的姊姊就是歐巴馬的祖母，他後來取得博士學位，曾擔任圖書館館長之職，二〇一四年辭世，享壽九十歲。他的妻子梅蘭妮（Melanie）當時寫了封信給我和方瑀，謝謝我們的唁電。其後歐巴馬在我曾住過的宿舍旁邊的法學院擔任講師，而且執教逾十年之久。我曾到新加坡開會，第一次遇見歐巴馬時，他一看到我就說：「我知道你。」

我在芝大政治學系碩士班就讀，兩年內以全A的成績，和題為〈土地改革與社會正義〉的碩士論文，獲得國際公法與外交學碩士學位。美國大學教授對學生功課成績評分為A、B、C、D四級，C以上即及格，但C在及格邊緣，約略相當於國內大學部的六十分，勉強及格而已。我的碩士論文指導教授是講授政治經濟學的查爾斯．哈丁（Charles Hardin）教授。芝大的很多老師只跟學生探討學業上的問題，鮮少其他的私人往來。但哈丁教授曾不定期帶我到教授俱樂部用午餐數次，他待人和藹可親，每次都很關心我論文寫作的進度如何等等，能對一個十足平凡的外國學生給予真心的關切和無私的指導，真是一位有教無類的夫子，特別令人感激和懷念。

碩士論文，其實主要是藉以訓練和考察碩士生的寫作思考、文字表達能力。當然，一篇文章要能被稱為「論文」，自然得有別於記敘文、抒情文、意識流的筆錄或匠心營造的小說創作，或相關文獻的冗長抄寫，而須掌握兩大重點：一、針對其論題，進行必要和適切的討論，其重點在必須有「論」，而後總結出明確的結論，或得出「尚無結論」的結論；二、其論題必須具有重要性和意義，討論無關宏旨的或風花雪月的「議題」，並不能稱其為一篇「論文」。

我的碩士論文選擇中央政府遷台後台灣的農業土地改革為論題，這是台灣的要政大事，以時間言，去今不遠，時地俱近，其影響及於經濟、社會、政治，尤其是民主制度和社會發展等層面，而且與中美合作的中國農村復興聯合委員會（通常簡稱為「農復會」）有關，具有相當的重要性。況且，相關研究資料的取得亦不太困難。歲月如矢，我撰寫碩士論文已是半世紀以前的事了，其間研究台灣農業土地改革的專著、論文不勝枚舉，汗牛充棟，我在此想提兩點：

一、當時大陸進行「土地改革」，塑造我政府之所以退出大陸是因農地改革之問題嚴重、失去農民支持使然。而台灣農村租佃問題亦亟待處理解決，政府乃分成三個步驟，依次進行：首先是民國三十九年三月實施三七五減租，將地租減為千分之三七五，並規定地主需與佃農訂立書面契約，租期不得少於六年。[5]其次是民國四十年，政府將公有耕地放領給農民，地價按該地全年正產物收穫量兩倍半折成實物計算，分十年平均攤還，並准許農民於繳清第一期地價後，即取得土地所有權，而可免繳佃租。截至四十二年止，共計放領公地達八萬三千九百七十七甲。第三是民國四十二年四月進而實施耕者有其田，規定地主（七千七百五十戶）可保留出租耕地中的中等水田三甲或旱田六甲，超過的土地，由政府徵收轉放農民承購，徵收耕地之補償標準，按各等則耕地主要作物正產品全年收穫量二點五倍計算，其補償額的三成以公營事業股票發給，七成則以實物土地債券發給。

台灣的農業土地改革相當成功，實為不爭的事實：首先，它改變了台灣農地所有權的結構，使自耕地面積占耕地總面積的百分比，從民國三十七年的百分之五十五．八，提高到四十二年的百分之八十二．九，大大激發了農民的耕作意願。其次，它促致台灣稻米的巨幅增產，糙米年產量，從民國三十七年的一百一十四萬三千八百零九美噸（Short ton），增加到四十一年的一百六十七萬三千一百五十二美噸，不但提供足夠的糧食，更使農村得以穩定[6]。僅此二端，台灣的農業土地改革確是應該給予正面的肯定。

二、歷來探討台灣農業土地改革成功原因的文章很多，有些人喜歡將它歸因於「政策制定者」和「土地所有者」的分離，固然當時二者的分離是事實，但也並非「政策制定者」和政策利害關係人處於分離情況下的任何政策，都能穩操勝券、成功在握，至少還得要政策利害關係人深明大義、奉公守法，願意「犧牲小我、成全大我」，而執行政策法令的公務人員操守廉潔、弊絕風清，始有可能。其實，尤其是耕者有其田政策的推動，可以看出農地改革之能逐步推行、圓滿成功者，主要仍仰賴政府在信誓旦旦的宣示決心和魄力後，所能展現出來的實力斤兩。

民主憲政的政府，既無權更不應該也不可能片面沒收地主的土地，然則如何能夠將地主手中的土地放領給沒有自耕農地的佃農呢？當然必須對地主所轉移的土地給予合理的補償，政府應就補償地主的地價，七成發放「台灣省實物土地債券」，另三成則發放台灣水泥公司、台灣紙業公司、台灣農林公司、台灣工礦公司四家公營企業公司的股票，開放四大公司的股權及經營權，讓農村的土地資本轉成工商企業的資本，使昔日的地主轉型成為工商企業的經營者、企業家。這就是政府的實力。倘使政府手中沒有四大公司的股票，也不發行「台灣省實物土地債券」，給地主以合理的地價補償，那麼無論「政策制定者」與「土地所有者」如何徹徹底底地分離，農地改革之圓滿成功豈能坐致？當然是絕不可能的事。不過，可惜的是，在當年數千戶地主中，有些並無經營企業的經驗、學養和興趣，未能好好運用其以土地換得的股票和實物土地債券，並非人人都能成為像辜振甫（一九一七～二〇〇五）先生那樣成功的企業家，他們心中必不好過。這不僅是這些地主一人一家的損失，也是台灣經濟和政治發展過程中大家共同的損失，多少助長了台灣社會上出現的反對勢力。

民國五十年三月，我獲得芝加哥大學國際公法與外交學碩士。我的碩士論文，也獲得美國著名刊物《農業政策》以論文方式刊載出版。

是年，碩士班和其後博士班的老師鄒讜先生曾兩次建議我轉到哈佛大學攻讀博士，他願意全力推薦我，我思考再三，一方面芝大政治系教學陣容幾可謂政治學界一時之選，大師級的老師比比皆是，再則更換學校又將面臨許多調適，在芝加哥大學求學已步入佳境，最後我感謝了他的好意，進入同系的博士班攻讀學位。我繼續探究西洋政治思想史，更對自由主義在中國所走的坎坷路感到莫大的興趣，並且以此做為我博士論文的研究課

在芝加哥大學活躍的學術研究氣氛下成長。

題。

西洋政治思想，或西洋政治歷史，在基督教深入西方人心之後，發展成為基督教與政治權力爭衡或鬥爭的歷史，形成雙劍論（gladii duo）的二元思想。其基本立論簡單來說，即我們每一個人都有兩種不同的生活，一個屬於精神層面，是屬靈的、上帝的領域，由教會（宗教）掌管；另一個屬於世俗層面，是凱撒的領域，由政治或政府掌管，而政治不可侵犯到精神層面。有鑑於此，中古時期的教皇雙劍論，認為這兩把劍，一把屬於凱撒（政治），一把屬於上帝。西方俗諺說：「凱撒的歸凱撒，上帝的歸上帝。」便是這個意思。根據前述理論，進而發展出個人生活有任何人不可侵犯的領域，首先是思想和信仰，接著是表達思想的語論、集會、結社、價值觀乃至其他權利。

古代歐洲文化基礎薄弱，文明普及的範圍僅限於萊茵河與多瑙河以南的地區，在西元四世紀以後，歐、亞兩洲北部的蠻族相繼入侵文明地帶，原本薄弱的羅馬文化被摧殘殆盡，因此歐洲由西元五世紀至十一世紀間，成為蠻族劫掠、蹂躪、破壞的戰亂社會，也是文化、學術倒退至最低落的時期，史稱「黑暗時代」[7]。「愈野蠻的人也許即愈怕鬼神，這似乎是古今中外不變的一種通則。在歐洲黑暗時代中，蠻族雖然可以到處焚掠破壞，將羅馬帝國原有的文物制度恣意摧毀，但是他們懾於神的權力，對於基督教教士及教產等，卻不敢侵犯。」[8]因此，基督教教會能在黑暗時代成為巋然獨存的一盞亮光，而歐洲的政教鬥爭也成為歐洲政治思想的基礎。民主政治思想隨著時代向前邁進，有相當漫長的歷史，精神權力、宗教信仰與世俗權力、世俗力量互為消長。個人有與生俱來的天賦權利，非政治所得而隨意剝奪、侵犯。在這過程中，教會方面其後將興起由馬丁・

路德（一四八三～一五四六）發難的宗教改革。

在西洋政治思想中，自由主義、自由思想，極為古老，源遠流長，經過文藝復興和宗教改革後，自由的定義愈趨具體。最先是在宗教籠罩下思想的自由，不特政府不能管，教皇也不能管，信仰上帝沒有問題，但這是個人的意志，毋須他人代辦仲介。之後，「自由」的發展演進與時俱進或可以分成三個階段：

第一階段是思想的自由，信仰的自由，言論表達如著作、演講的自由，集會結社的自由；以及為了確保上面這些自由必須包括的：人身自由、居住及遷徙的自由。總而言之：自由就是反抗種種限制自由的自由，也就是反抗政府無限上綱的權利。除非是對犯罪違法、作惡多端的人之外。因為一般多是政府侵犯人權，而非教會，西洋政治史上幾次大規模的民主革命表現得很明顯。這個階段裡，自由可以用「反對」政治和教會權力來概括、詮釋；第二階段中所謂的自由，已經從各種自由的列舉、確保，以及反抗限制自由的自由，進一步要求參與政府的運作，要求參與政治權力，投票、選舉、罷免、創制、複決，透過人民的權力，參與管理政權。這個階段裡，自由可以用「參與」來概括、詮釋；第三階段中所謂的自由，更進一步要驅使政府為人民服務、做事，政府成為為人民服務的機構，以德國一九一九年制定的《威瑪憲法》來說明可能最為明確，此後幾乎所有的國家都規定：政府必須辦理基本的國民教育、醫療保健、保障工作機會、促進勞工權益、照顧弱勢人民生活等，有人開玩笑說連補假牙、修眼鏡都是政府的責任，而成為所謂「福利國家」。這個階段裡，自由可以用「服務」來概括、詮釋。

我的博士論文，是探討自由主義在中國所走的坎坷路，所用的例子是中國的共產主義，和中國的實用主義。論文題目為〈中國共產主義對實用主義之批評〉[9]，共產主義者宣稱他們是科學的社會主義，辯證唯物法屬於嚴密的科學；宣揚自由主義、實用主義的胡適之（一八九一～一九六二）先生和所謂唯心論者馬赫（Ernst Mach，一八三八～一九一六，奧地利人）是我論文研究的重要參考，其中馬赫提出世界要素論、函數關係論和思維經濟原則。政治統治權力的基礎必須建立其「合法正當性」（Legitimacy），過去「君權神授說」（中國的「真命天子」）、「天賦人權」、「民主多數決」、「生命共同體」等學說，都是爭取合法正當性的理論；近世以來，西方崛起，理性主義掛帥，科學與否已是達到真理的唯一途徑，且成為顯學。統治是否「科學」逐漸成為「統治是否合法正當」的基礎，共產主義和實用主義皆標榜科學特性，兩者在思想上的衝突在所難免。列寧（一八七〇～一九二四）曾大力批判馬赫，中國共產黨對胡適先生等人也不遑多讓——這是我論文基本的背景。關係到自由主義在中國所走的坎坷路，讓我簡單作一敘述。

民國三十八年之後，北京大學的許多教授和校友渡海來台，其中不少後來都在台灣大學任教，他們「讓自由的種子在台大開花結果」，因此

「自由的思想，北大、台大『系出同源，一脈相傳』，一個是在大陸歷史上自由主義的前鋒，一個是台灣自由主義的堡壘，隔了一個海峽，相互輝映。」[10]我置身於這個「台灣自由主義的堡壘」。由於攻讀政治學系，於課堂上飽聆師長們的啟發提攜，加之相關典籍的披閱嚼味、同學間的相互討論，以及我反覆的思索推敲，逐漸對中國近百年來整體思想的發展過程，特別是自由主義進入中國之後所走的一段坎坷路的探討，產生相當的興趣，也形成若干的看法。自由民主的政治社會，肯定是世人所希冀、所嚮往的。但是在自由民主政治與極權殘暴統治勢不兩立的對抗、鬥爭中，自由民主的一方仍然必須要能滿足一些基本條件和發展環境，使大家都能同享自由民主的甘甜美果。「十九世紀末、二十世紀初，那段二、三十年，你看看這個國家所面臨的是什麼？是中法戰爭、是中日甲午戰爭、是八國聯軍、是日俄戰爭、是第一次世界大戰，可以說整個國家都在列強、帝國主義燒殺擄掠，不平等條約的喪權辱國中度過，老百姓的生活已到了貧苦的極致！烽火連天、兵荒馬亂，……」[11]因此，很多外國人低估、輕視中國人，其中日本人和歐洲人尤甚，他們認為中國人是沒有國家意識和團結能力的民族。中國人的忠誠，即效忠所及的範圍，在外國人看起來，充其量不過是家族、宗族這些層級，並無國家、民族意識，不會團結，一盤散沙，所以很容易被制伏。加以過去中國教育不普及，交通不方便、訊息不流通，貧窮愚昧成為對中國大多數人的刻板印象。

我從小在大陸看到抗戰期間很多家破人亡的慘劇，也看到很多十幾歲的少年毫無選擇地走上戰場，記憶非常之鮮明而且深刻。我當然沒有理由不支持自由民主的理論與理想，保障基本人權的普世價值。尤其母親是信仰甚篤的基督徒，我們一家人都深受基督教精神的影響。父祖皆為中國國民黨的黨員，長期以來的政治取向，當然也是民族的振興、民生的樂利。中國國民黨是一個捍衛國家最大利益，以民族興亡為己任的負責任政黨，所以往往必須審時度勢，堅苦卓絕，在困難中作抉擇。政治問題往往不是是非題，而只能在兩害之間權其輕而已。

前幾年我在北京大學所作題為「堅持和平，走向雙贏」的演講中，提到胡適之（一八九一～一九六二）先生回國提倡自由主義，以及胡先生介紹他的老師杜威（Dr. John Dowey，一八五九～一九五二）先生的實用主義，談到科學的方法、科學的精神，主張在面對國家重大的政經社會問題時，要以問題取向，要能容忍，不要過激，不要急進，而應漸進地、逐步改良地讓它聚沙成塔，克服困難、解決問題。這種有步驟、有方法，冷靜客觀有效處理問題的方式，我是很欽佩的。

杜威的實用主義教導人們「不要有教條」（然而，「不要有教條」本身，何嘗不是另一項教條？）。但是，「不要有教條」也並非得以無視一切理則、規範，可以隨心所欲、盲動妄為。杜威學說的誕生，自有其特殊的美國環境。美國自從一七七六年獨立建國後，在特殊的歷史背景和地理條件下，孕育其自由民主的大環境，路易士・哈茨（Louis Hartz）著有《美國自由的信念》（*The Liberal Tradition in America*）一書，他認為美國杜威實用主義之所以可以教人「不要有教條」，是因為美國有極其深厚巨大的自由的信念，平時所顯露出來的只是冰山的一角，其下更有「人生而平等」、「人應該自由發展」、「天賦人權」等理念的穩固基礎。杜威以為實用性便是真理，用更通俗的話說：「有奶便是娘」，「行得通便是真理」。所以，胡適之先生提倡的自由主義，追求自由民主與繁榮的憧憬那一套，固然崇高而正確，只可惜當時的中國並沒有那種環境。回顧歷史：一八四〇年以後，我們中國一如前述吃盡了苦頭，「安居樂業」成為遙不可及的奢望。在這種惶惶然不可終日的環境下，侈言科學方法、科學精神。在期盼透過漸進且逐步改良的方式處理「問題」、解決「問題」的同時，確立何謂「問題」的本身，就是一個大問題，而寄望人們好整以暇、耐心解決問題的時機，也可能早已過去。據此，胡先生和李大釗（一八八九～一九二七）先生在《新青年雜誌》時期，進行了一系列關於〈多談些問題，少談些主義〉的辯論，並提到「我想這樣的態度在一個正常的時刻和環境之下，也許是一個最好的選擇」。[12]但是，在當時明顯已不是從容談論什麼女人裹小腳、什麼新舊文體問題的時候。自由主義在中國生不逢辰，它的市場就注定不會很大，「它的影響大部分還是局限在知識份子中」[13]。

所以，上個世紀各種思想進入中國後，雖然在高等學府的校園中曾經百花齊放、百家爭鳴，但最後真正吸引熱血的時代青年的，還是國家安全、民族生存、人民幸福的政治號召，青年一代或者投效主張三民主義的中國國民黨，或者選擇主張社會主義的中國共產黨。中華民國的締造者暨中國國民黨總理國父孫中山先生，在其演講的《三民主義》中也多次論及自由問題，在《總理遺囑》中更首即諄示國人和全黨同志：他致力國民革命四十年的目的，是「在求中國之自由平等」，革命尚未成功，同志仍需努力。

我曾在一本著作中總結了我以上的看法，我認為自由主義和共產主義，雙方都主張自己才是現代理性主義的真正唯一的傳人。所謂理性主義，在西方思想上因其所處時代之不同而有不同的意義。理性主義的古典意義為：根據先驗的假設，依照一定的推理程序來求得對事物認識的思想。迨至十七、十八世紀，乃由依賴先驗的假設變成依賴後驗的經驗為取得知識的唯一手段。這種新理性主義主要的特徵在於它確信社會與自然現象皆可經由一定的理性程序予以了解，並認定經由此種理性程序了解自然與社會現象之後，將可予以合理地控制或改變。

正如許多西方學者的見解，此種理性主義表現在政治哲學方面時，涵蓋了自由主義思想和共產主義思想。在一個只有科學方法可以建立正當性和正統性的現代社會思想中，兩種思想皆主張自我的科學理性，很自然會走上衝突之途。所謂自由主義，如以普遍最被了解的自由主義，即英美傳統下的自由主義為解釋對象時，它具有以下幾個特徵：第一、它是樂觀而進取的。正如業師摩根索教授所指出的：理性主義者確信凡是理性上正確的必定為道德上善良的，而理性上正確的行為亦必是邁向成功的行為。因此，只要確實掌握理性的方法，必能導人類社會於正軌。也因此，他們以強調教育，灌輸方法訓練為職志；第二、它是反政治的。他們認為政治是先於理性時代所遺留的殘餘渣滓，是一片尚未經理性法則開墾的艱險之地，但只要本著科學的原則，一切主義思想的鬥爭必將歸結成問題而後一一迎刃而解。在科學時代裡，革命將為改革所取代，政治將為行政所取代，政府終必以社會工程學的方法處理事務，專家將取代官吏，進步將代替競爭。總之，樂觀地表現否定政治的觀點。因此，自由主義者的思想，被人稱為「由政治逃亡」（Escape from politics）的思想，或「非政治派的政治」（The politics of the Unpolitical）[14]。

我的博士論文指導教授有三位，核心教授是鄒讜教授，他是黨國元老鄒魯（一八八五～一九五四）先生的哲嗣，芝大第一位中國籍的政治學博士，另外兩位是克羅普西教授與傑里米．阿茲雷爾（Jeremy Azrael）教授，口試委員會還有三位教授，包括系主任普里切特（C. Herman Pritchett）教授、摩根索教授，以及另一位校外請來的教授。口試時，摩根索教授問我：事過多年，為何選擇探討中國的自由主義以及大陸對胡適的批評？他問我中國還有自由主義嗎？言談間他將自由主義譬喻為「馬」，說道：「馬已經死啦，為什麼還要踢牠。」我回答道：「老師，馬尚未死。」他接著說道：「馬尚在踢腳。」我趕緊接著回應：「對！對！馬尚在踢腳。」業師鄒讜教授的是中國的政治和外交課程，他治學十分認真，也對我很好，著有《美國在中國的失敗》和《中國之危機》等的經典書籍，但我們的師生關係僅限於學術研究，並沒有因為同是中國人而親近些。

至於摩根索教授，猶記民國四十五年，父親以台灣省政府委員兼民政廳廳長身分應美國國務院邀請，前往美國考察民政業務時，曾於是年三月二十八日上午在既定考察行程外，前往芝加哥大學參觀，兩人有一面之緣。其後我任職於行政院青年輔導委員會，有一回摩根索教授前來台灣，下榻圓山大飯店。父親和我請他吃飯，並請毛樹清（一九一七～一九九七）先生為陪賓，那時摩根索教授患有心臟病，我前去接他，席間賓主盡歡，他很高興，直說自己在台灣享用了一頓羅馬式盛宴。用餐結束後，我送他回飯店休息，他垂詢我的近況，並稱我為「可造就之材」，期許我好好用功。回想在芝大受教的「師門五

博士畢業典禮與方瑀合影。

年」，得到很多的教誨，也建立深厚的師生感情。重逢時，我離開芝大已十數年，而昔時情景歷歷如繪、猶在眼前。

民國五十四年九月三日，我獲得美國芝加哥大學政治學博士學位，成為繼業師鄒讜教授之後獲得這項學位的第二個中國人[15]。

兩天後，即九月五日，我與未婚妻方瑀在位於碧波萬頃之密西根湖畔的芝加哥大學邦德教堂（Bond Chapel）舉行簡單隆重的結婚典禮。那時正在麻省理工學院從事研究的岳父，從波士頓前來替方瑀主持婚禮，挽著她的手，慢慢地走到地毯的另一端，岳父既欣慰又不捨，眼角泛著淚光將她交給我。我們站在牧師面前，聽他說道「in

我和妻子方瑀的婚紗照。

health and in sickness」。方瑀和我，從此天長地久，恩愛相守，共度一生，簡單的小型酒會加上岳父大人在芝加哥龍園飯店擺了三桌喜酒，完成了我的結婚大事。光陰荏苒，再過三年即將迎接我們的鑽石婚了。[16]

因為翌日我即應聘前往美國威斯康辛大學政治學系就任助理教授，所以當晚喜宴散席後，我們這一對新人便攜同簡單的家當，由我開車前往隔一天（九月七日）就要開始授課的威斯康辛大學河城校區。

就這樣，在我於美國幾乎同時完成取得學位和迎娶美嬌娘這兩件人生最重要的大事後，接著又由一個外國留學生一變而為一名外籍助理教授。

在圓山飯店的婚禮上新人合影。

我戒慎恐懼，作周全的準備，決心由最基礎開始，踏上萬里無雲的事業征途。

注釋

1 林文月（民78年2月27日）。〈我的舅舅〉。《聯合報・聯合副刊》，引自連戰（1989）。《連震東先生紀念集》（頁311）。台北：連戰、方瑀。

2 許漢等編著（1993）：《連戰前傳》（頁53）。台北：開今文化事業有限公司。

3 林黛嫚（1996）。《我心永平：連戰從政之路》（頁25-26）。台北：天下文化出版公司。

4 編注：出自美國總統威爾遜之十四點和平原則（Fourteen Points）。

5 編注：民國三十七年，台灣佃農所繳地租為其收穫量的千分之五六八，而九成以上的租佃為口頭契約，地主可以任意撤佃。是以大多數農民終年辛勞所得，強半繳租，且毫無保障可言。

6 戚嘉林（2008）。《台灣史（增訂版）》（頁551-552）。台北：海峽學術出版社。

7 高亞偉（1995）。《世界通史（上冊）》（頁105）。台北：高亞偉。

8 高亞偉（1995）。《世界通史（上冊）》（頁106）。台北：高亞偉。

9 其部分內容後曾以*Chinese Communism Versus Pragmatism: The Criticism of Hu Shih,s philosophy, 1950-1958*為題，刊載於《亞洲研究期刊》（*The Journal of Asian*

Studies）27(3)，1968年5月出版。

10 連方瑀（2005）。《半世紀的相逢：兩岸和平之旅》（頁249-250）。台北：天下文化出版公司。

11 連方瑀（2005）。《半世紀的相逢：兩岸和平之旅》（頁251）。台北：天下文化出版公司。

12 連方瑀（2005）。《半世紀的相逢：兩岸和平之旅》（頁251）。台北：天下文化出版公司。

13 連方瑀（2005）。《半世紀的相逢：兩岸和平之旅》（頁251）。台北：天下文化出版公司。

14 連戰（1974）。《民主政治的基石》（頁12-15）。台北：正中書局。

15 關於我的研究所（留學）時代，學習研究及課餘生活的一些細節，坊間書刊已有披露，可參閱林黛嫚（1996）。《我心永平：連戰從政之路》（頁31-46）。台北：天下文化出版公司。

16 連方瑀（2007）。《與子偕行：連方瑀自選輯》（頁6-7）。台北：天下文化出版公司。

第三章——種下返國服務的種子

在美初執教鞭

民國五十四年九月，我相繼完成取得芝加哥大學的政治學學位和終身大事。結婚第三天，便在美國威斯康辛大學執起教鞭，作洋人師。這是我在大學任教的初體驗，是年我為二十九歲。

我是受威斯康辛大學聘任為該校政治學系助理教授，在系上講授一年級的「政治學」與二、三年級的「國際關係」兩門課程，每週授課九小時。一年級的課用大班教室，每間有兩百名學生。雖然是首次任教，課堂上面對的是洋大學生，然因來美已經六年，政治學相關課程的內容是我熟悉的本行功課，語文對我也已不是問題，我對這份工作之必能勝任愉快，具有相當的信心和把握；不過由於這是我學成後的第一份工作，是我跨出人生事業漫長征途的「攻擊發起線」的初始，只許成功，不可失敗，加上我凡事不遺餘力的一貫處世態度，不能不預擬如何克服可能的挑戰與考驗，而兢兢業業，不敢掉以輕心。每每通霄準備，不敢成眠，在那窄小簡陋的公寓中繞室演練，妻子坐在沙發兼床的角落充當觀眾兼評審，我們以戰戰兢兢，全力以赴的心情，換得了學生的肯定，校方的器重，直到教書的第二年，才敢買一架電視機稍做休閒。

擔任威斯康辛大學教席時的留影。

我每每徹夜編寫講授大綱，將課程內容有條理、有層次地條列，力求精確，既方便自己上課時的講授表達與補充發揮，也有助於學生聽講時的理解吸收。剛開始大概一個小時的課需要四至五小時的準備，語云：「一分耕耘，一分收穫。」我對教學工作的用心，果然贏得學生們的好評，我開的課也「十分叫座」[1]。這使我稍感安慰，自己無忝於做為第二個在芝加哥大學取得政治學學位的中國人，也可以對得起這些年熱心教導我的美國老師們。

民國五十六年，我改而接受康乃狄克大學政治學系助理教授的聘任，轉往該校執教。於是我們搬家到康大，方瑀的碩士班學籍也由明尼蘇達大學轉到康大，繼續攻讀，以迄於取得碩士學位。後來於一九九七年她又取得紐約聖約翰大學贈予的哲學博士學位。

任教康乃狄克大學時參加方瑀的碩士畢業典禮。

在康乃狄克大學，我除了「政治學」與「國際關係」兩門課程之外，增開「西洋外交史」與「國際政治」兩門新課。跟在威斯康辛大學一樣，對於教學工作，特別是新開的課程，我更加朝乾夕惕、竭盡股肱之力。前次兩位系主任弗爾德（J. Field）先生和葛生（L.

Gerson）先生都成為我的至友，而教授經濟學的中國學者蔣中一先生，更成為我的莫逆之交，一直到今天還透過信件問候彼此。

是年八月，還在暑假期中，長女惠心出生。她的加入，使我們的小家庭更充實，讓我們滿懷感恩和喜樂。但在初為人父母的欣喜之餘，照顧嬰幼兒的能耐卻也是必須面對的考驗。九月份開學後，我要教書，方瑀要上課，尤其如此。我們只能盡量調配並錯開時間，在家的人就負責帶小孩，碰到兩人都必須外出時，則支付鐘點費，請一名研究生的妻子照顧惠心。

有些人懸揣我是一個完全不碰家務的「大男人」，其實我與方瑀一起照顧惠心直到她十一個月大，包括幫小孩餵牛奶、換尿布、洗澡、推搖籃等。為了夜間也能好好照顧惠心，我們多半輪班睡覺。如果第二天方瑀有較早的課，她便先睡，由我照顧惠心。待她醒來，換我去睡，由她接班照顧惠心。反之，則我先睡，她後睡。常常我是利用照顧惠心的時間，一邊準備第二天講課的一些資料。有一次給惠心換尿布，我有點頭昏眼花，不知不覺把拿下來的手錶和舊尿布一併包起來扔掉了，損失慘重。不過，這段同心協力、攜手共度的歲月，使我們夫妻更能體會和增進相處之道。

像方瑀這樣又要照顧嬰幼兒，又要讀書的女生，真的只有「心力交瘁」可以形容。我總覺得：帶嬰幼兒的母親，也不能完全沒有自我，而仍有其應享的權利，不能給孩子全綁住。因此，我希望她也能參加某些朋友的聚餐和活動。

民國五十七年春，方瑀順利取得康乃狄克大學的生化碩士學位。我參加了她的碩士班畢業典禮，她的用功與毅力讓我由衷欽佩，也感到一份與有榮焉的驕傲。在她生下惠心後的新學期，也是她在碩士班的最後一學期，本想盡量挑選容易「派司」（Pass）的課，偏偏那學期系上新開「高等生化專題討論」這門課，主持人華盛頓教授是甫從其他名校「挖」來的權威學者，對學生的要求很高，規定每個選課的學生一學期要做兩次長達一小時半、內容完全不同的專題報告，並且不得採用一九六五年以前的參考資料，所以選這門課的幾乎全是博士候選人。方瑀原本沒打算選，而她的指導教授威德爾先生，非常希望她能加選這門新課程，認為可以從中獲得許多新知識，更可以學得如何從群書中找題目做研究工作，但她猶疑不決，威德爾教授知道她是膽怯，不敢在名教授、準博士們面前班門弄斧，便溫和地告訴她：「念書和做事是一樣的，在還沒有實地去做之前，妳怎知妳會做不成？」方瑀終於加入了這門「高等生化專題討論」，而且以不壞的成績順利通過，當然其過程十分艱辛不在話下。但從此，威德爾教授的教誨，每能助她克服因畏難所導致的猶疑[2]。

民國八十八年九月三日，我接見美國康乃狄克州政界人士訪問團，該團由州檢察長貝利（John M. Bailey），成員包括警政廳廳長李昌鈺、警政顧問莊順甲等人。當天我分享了一九六七至六八年間，自己曾受聘於康乃狄克大學政治學系任教，僑居康州兩年，我非常喜歡當地的生活環境，並期盼康州能與中華民國加強各方面交流合作，增進彼此的關係。

民國五十七年，為了響應政府有關學人歸國服務的號召，也為了陪侍雙親、善盡身為獨子的孝養之責，在方瑀獲得碩士學位之後，我們決定毅然離美返國。七月初，表姊黃曉鶯從美國回台灣，她知道我們即將返國，且擬順便一遊歐洲大陸，乃將惠心先行帶回台北送請雙親暫時代為照顧，使方瑀和我得以沒有牽絆地暢遊歐陸，也可以讓兩老提早看見他們尚未謀面的長孫女，只是這樣一來卻要偏勞他們照料惠心一、兩個月了。八月二日，我偕同方瑀由美國紐約甘迺迪機場飛抵英國倫敦，展開歐陸四十日的旅程，遊蹤所至包括英國、法國、比利時、荷蘭、丹麥、德國、瑞士、義大利八國[3]。九月中，我們返抵台北。是時上距民國四十八年三月我最初負笈赴美，前後已近九年半矣。真是歲月如梭！

回憶我在美國的那九年半的日子裡，先是念完芝加哥大學政治學系碩士班及博士班十分繁重的課程，又忙於撰寫學位論文，始得以順利分別取得學位。學成後，先後在威斯康辛大學與康乃狄克大學任教，宵衣旰食，盡心盡力。其間，娶妻、生女，方瑀還在碩士班攻讀她的學位，我們齊心協力，兩人胼手胝足，草創小家庭，準備教材與幫忙換尿布、推搖籃，已累得手忙腳亂，委實沒有任何時間做別的事情，也從不曾參與任何政治活動。那時，我對於自己在學術界的努力與成果是滿意的，也根本沒有任何轉換跑道從事公職的意願。返國以後的變化實非始料所及。所以，父親晚年每當看到我為公務煩累時，常會充滿憐惜地說道：「離開學術界也是個損失，作育英才，研究學問，應是另一番境界。」我當然明白父親話裡的意思。

在美國大學任教的三年，是我教學的初體驗，我的兢兢業業、戮力以赴，得到學生和學校同事的肯定，讓我很有成就感，這也是促使我返國回母校繼續任教的動力之一。不過，仍有美中不足之處，至今使我不無遺憾的就是：在美國的大學裡，老師一般只跟學生探討學業上的問題，鮮少其他私人的往來。我當學生時如是，當老師時亦復如是。由於當時我實在太忙，也無暇去關心許多學生生活上的事務。加上三年後我即離美返國，沒有跟這些洋學生保持聯繫。這些學生的年紀，以當時攻讀碩士班和博士班推算，現在應該多已六十開外，我發自內心希望他們皆能諸事順心！

總結來講，在美國擔任三年教授給我們帶來了更充實的生活，雖然只是一位助理教授，但廣為同事和同學接受。蔣中一教授最近完成他九十自述的回憶錄[4]，他在書中多次提到我們兩家人的往來，當中寫道：「連戰的辦公室和我的辦公室分別在社會科學院的第一樓和第二樓」、「我們當時雖然不在康大（他在康乃爾大學當訪問教授）但已知道一位前任中國小姐連方瑀將到斯托爾斯（Storrs）當教授的夫人、和『研究院』的學生，我們不在學校，因此無法認識他們，但後來離開綺色佳（Ithaca），我們成為極好的朋友」、「當我們見面時，連戰已在校園中稍有名氣，因為他言所當言，謙虛有禮，甚得各同仁及同學歡迎」、「連方瑀的成績優秀，所修的皆是新開、不容易的課程，但她考取碩士，成績亮麗。」（She passed the oral with flying colors）。

在數理經濟學夙有名氣的蔣教授回憶錄中，難得寫上一筆當年對我在美國初執教鞭及內人留學的印象，這也不禁觸起我們在異國任教求學的年輕歲月追憶。

響應學人歸國

為了響應政府學人歸國服務的號召，加上赴美六年，家父亦多次催促我把握機會回台，民國五十七年適巧有機會應國科會與台灣大學錢思亮校長的邀請，返台在母校台灣大學政治系任客座教授，當時開了「國際政治」、「政治學」及「西洋政治思想史」三門大學部的課程。其後應錢思亮校長美意，次年獲其邀聘我接任政治系主任，又兼任政治研究所所長。在研究所則開了「近代政治思潮」、「國際政治專題」兩堂課。我以三十二歲的年齡接掌台灣大學政治系主任與政治研究所長前後約七年左右時間，每天忙碌於學校的教學、研究，這期間也開始了與社會的接觸，亦包括服侍雙親盡我獨子孝養之責。因此我非常感謝錢校長延攬我回國，讓我有了安定感，除了可貢獻所長外，也給了我家庭團聚的幸福感，返國不久長子勝文出生，加上長女惠心，連家的成員也愈來愈熱鬧了。

不久，應政大法學院院長雷飛龍先生之邀，出任政大政治系兼任教授，每星期授課兩小時。

我出任台大政治系系主任後，先受吳俊才先生之邀，到國關中心出任研究員。後也受時任政大國際關係研究所所長杭立武博士之邀，參加其外交小組成員。當時所內成立了外交、經濟兩個任務性編組的研究小組，直接對經國先生負責，是行政院高層次的智囊團。

杭立武先生從駐希臘大使返國主持國際關係所，以前我去希臘時，就見過面而認識了，因此他邀請我參與外交小組，小組召集人是周書楷先生，另有陶百川、許紹昌先生、王紀五先生及立武先生等共約五、六位。經濟組的召集人則是劉大中博士，我們固定每週都要開會一次。

記得當時我們還固定召開中美大陸問題的研究會議，當時美國尚未和大陸建交，因此出席的美方學者對大陸的了解發生了很大的啟發作用。當時我是中方的祕書長，會議前在中山樓召開歡迎會，蔣夫人還應邀出席茶會，這是我第一次見到蔣夫人。我要逐一介紹出席外賓予蔣夫人認識。這個會議輪流在美國與台灣召開約七、八次，那時三十來歲的我，算是年富力強，記憶力也好，因此結識不少美方的亞洲、大陸問題專家學者，像有一年在美召開，就曾在美國知名學者費正清（John King Fairbank）家中有個聚會，在舊金山、帕羅奧圖（Palo Alto）、華府也都召開過。

另一方面，應世界自由民主聯盟主席谷正綱先生的邀請，我也成為世盟下的世青盟主席，每年參加年會，走遍了許多國家。

也因為有此參與的背景，我在民國五十八年奉派為我國出席聯合國第

就任台大客座教授，及參加十全大會，當選中央候補委員。

二十四屆大會中華民國代表團的顧問。拓展邦交、維護我聯合國席次權益，是我所參與的第一線外交工作。

記得我在七、八月間就抵達紐約，協助我駐聯合國代表大使劉鍇（一九九一年於舊金山辭世）。劉大使經常會接到各知名學校邀請演講，一些較小的學校、學院，有時他就會要我代表前往。聯合國每年的大會是九月開始，會期約三個月，在聖誕假期前才閉會。那三個月，在我被指定必須參加的大會外，主要參加了第六委員會（法制委員會），那年的委員會要繼續制定國際海洋法，因此對於國際條約的討論制定，有了第一手的學習經驗。在紐約的三個多月，另一固定的活動是出席各種餐會，我英語還算流利，話也不多，規規矩矩，該喝酒我就喝，因此算是很搶手的陪賓。記得剛到紐約時，外交部長魏道明很關心我這小夥子，還要其祕書黃新壁常帶我去吃飯。

大會開始後，出席聯合國代表團各種餐會不斷，應接不暇。亞洲、美洲、歐洲、中南美洲、非洲五大洲的朋友都要照應，當吃飯變成一種工作，味道也就不一樣了。這對我後來出任主持國家外交的工作，不但有了很好的心理建設，對同仁的辛勞也能多一層了解。

那段年間，中國大陸積極取代我方參與聯合國，其在蘇聯、印度、阿爾巴尼亞等國的支持下，代表權競爭十分激烈。因此聯合國代表權的維護成為工作的重點，代表團全體成員都要分組固票，每天早上八點開會，隨時要盯緊各種會議進行情況。另外，隨時還要召開檢討會議，交換意見，了解各友邦代表團團長或首席代表的個人行動，可以說是積極備戰。那年一起擔任顧問職的還有馬樹禮先生與陳裕清先生，馬先生有情治背景，陳先生則是新聞背景，他們多隱身於後，較少公開露面。而代表團的成員還有魏道明、劉鍇、周書楷、楊西崑、薛毓麒、丁懋時、張純明（曾任立委、前駐聯合國常任大使蔣廷黻重要搭檔）、梁望立（前東吳大學法律學研究所所長）等，俱是一時之選的外交前輩、國際公法專家。

國防研究院的文武訓練

那年我國的代表權仍維繫住，我於聖誕節後返國，隨即受邀參加國防研究院的受訓。國防研究院是國民黨總裁蔣中正召訓黨與國家的高階訓練班，學員文武各半，受訓時間長達十個月，

與父親先後參加國防研究院受訓。

住在陽明山革命實踐研究院，學員們都朝夕相處，建立了革命情感，日後擔任國家重要職務，都有機會照應。

國防研究院自民國四十八年到六十年，總共舉辦十二期，參加研究的政軍學員幹部共七百三十三名，我是參加第十一期。家父震東先

國防研究院第十一期畢業典禮，我在第二排左三，與蔣中正總統、行政院嚴家淦院長、國防部蔣經國院長、張羣秘書長、何應欽上將合影。

生參加了第一期，因此父子喬梓同研，實是難得。我同期的學員包括徐立德、王昭明（一九二〇~二〇一五）、陳守山等，他們後來在我擔任行政院長時，協助我很多，徐立德先後出任副院長還兼任過經建會主委，王昭明是政務委員兼祕書長，陳守山則從警備總司令升任國防部副部長。陳守山還是難得一見的台籍高階將領。開訓典禮都是在十月三十一日革命實踐研究院院慶也是蔣公華誕當天，但我是等到聖誕節後才報到，當時同學們都笑說我有「特權」，晚報到約兩個月。

當時班主任是張其昀（後來創辦中國文化學院，即今中國文化大學），我們受訓期間除要聽講外，也常要上台發表意見、專題研究，受訓期間還到國外參訪，我選擇的是北線，參訪韓國、日本。

當時就學員背景分為政治、經濟、軍事、文化四組，我結業時是文化組的第一名。

結訓前，蔣總裁在其辦公室單獨召見，點了名，向其敬禮後，他就要我坐下。總裁的左邊是張其昀先生，右邊是秦孝儀先生，周應龍先生則在秦先生後擔任記錄。

記得總裁問了我三、四個問題。第一個問題是對這次受訓有何心得，我答說這是很新穎的經驗，意義重大。個人從未參與過文武合一的學員訓練，尤其課程均是由高層次、大戰略視野出發，我個人雖受過軍訓，也服過預官役兩年，但這種課程設計及主持的講座都是一方碩彥，包括政治、經濟、軍事、教育文化等，受益匪淺，我相信其他學員也會和我一樣心得；其次他問我在美國待的時間不短，兩國間的教育有何差別，我說一般人對美國的印象是，美國的學生似乎個性較自由活潑，但個人的體驗並非如此。美國的學校不能一概而論，美國也有一些所謂曬太陽的大學，但是有更多的學校都有其學術傳統，傳承嚴謹的學風與成就。像科技、法律、企業管理，都有其獨到之處和重大的貢獻。在美國的外國留學生中，中華民國留學生還不算多，但是我們對美國名校嚴謹的教育訓練，印象深刻。

美國是自由主義國家，思想開放。他們對自由深富信念，這是他們的價值觀，不會有重大爭執。他們不會開口閉口談自由民主，這和我們不一樣，我們在基本倫理與價值上出了問題。

他接著問我在美的時間多長，我說將近十年。六年念書，書也教了三年多；他還問我是否看過祖父連橫先生的《臺灣通史》，我說從小翻閱過，但沒有從頭到尾一字一頁地讀過，需要查證時，我就會翻閱。蔣總裁說《臺灣通史》是很重要的文獻，他抵台已經給我祖父頒過褒揚令，事實上，在其他場合也有很多人對我父親提過。我父親出任內政部長，是老總

行政院蔣經國院長接見派駐薩爾瓦多出任大使的我。（國史館提供）

統頒的令，而我出任駐薩爾瓦多大使，也是老總統頒的令。因此政界友人對我說：「蔣總統令及你們家三代，實在難得。」我是在民國六十四年二、三月履新赴薩國上任，他老人家於當年四月五日辭世。

而蔣夫人於我前文提到每年的中美大陸問題研究會議，她都會親自主持歡迎茶會，我擔任我方祕書長皆隨侍在側，介紹雙方出席學者。記得在士林官邸，也曾拜見蔣夫人兩次。老總統過世後，她搬到紐約長島長住，我和內人方瑀到紐約市，曾於不同時間先後去拜訪她老人家，當時她的精神狀況都還不錯，每次碰面都要拿出點心招待。

記得她最後一次回台灣準備離美時，李登輝總統（一九二三～二〇二〇）到機場送行，我那時擔任外交部長陪在一旁，上飛機前，蔣夫人告訴李總統，現在黨和國家都交到你的手裡，你是很好的基督徒，希望在主耶穌的保護下，要用愛心，為國服務。

我在二〇〇〇年參選總統時，蔣夫人關心我的選舉，當時還透過秦孝儀先生發表公開信，明確呼籲各界支持中國國民黨候選人連戰，這是退出政壇許久後，夫人少有的政治表態，我內心十分感動與感謝。

蔣夫人於二〇〇三年十月二十三日在美國病逝，當時我在中國國民黨主席任內正在美國訪問，抵達洛杉磯時，在地黨務幹部趙靖告訴我這噩耗，我隨即改變行程飛往紐約，到蔣夫人寓所，向蔣夫人家屬致意。不久後我親自率領國民黨追悼團於十一月五日參加於聖巴托羅繆大教堂（St. Bartholomew's Church）舉行的追思禮拜，同行的有行政院前院長李煥（一九一七~二〇一〇）、郝柏村（一九一九年~二〇二〇）、前立法院長梁肅戎（一九二〇~二〇〇四）。在葬禮上我和蔣夫人生前友人美國參議員賽門（Paul Simon）代表講話，追悼蔣夫人一生對國家的貢獻，同時也代表中國國民黨致贈黨旗；而中華民國政府則指派錢復（一九三五年生，時任監察院長）代表出席。當時我駐紐約經文處處長夏立言（一九五〇年生），也出面接待國民黨與政府追悼代表團一行。

蔣經國先生出任行政院長後，提拔台籍青年從政。我在學校任教期間，經國先生就曾多次召見，徵詢我對海外台灣人工作、解除戒嚴以及國會改選等重大議題的看法。與經國先生的見面無論是在松江路的救國團、或是行政院，他每次約見的主題不同，他很有雅量接受敏感的政治建言。我記得對他提過「民主政治就是參與政治」、「因為不平，許多台籍人士才有挫折感」、「因為中央政府台籍人士的比例長期偏低」、「台籍人士在政治地位感到不平等，自然在海外另有主張」；他曾問我「不要戒嚴，你看怎麼辦？」，我很坦白說「不解嚴不行」，我說「台灣在國際間的戒嚴盛名，真是浪得虛名，因為實際戒嚴的程度不到百分之三」，因此可以考慮廢除戒嚴令、緊急命令等，以國家安全法令取而代之。我講完之後，經國先生沒有回應，我也不知道他的看法究竟如何。不過看他沒有慍色，我也泰然。

那時每年都有國建會，海內外學人也有很多相同寶貴的意見，顯然經國先生都聽進去了，因此在國民黨內就開始推動六大革新。民國七十六年七月十五日蔣經國總統宣布廢除戒嚴，並在立法院積極推動國安三法的立法，我記得當時正服務於行政院副院長期間，有一回行政院長俞國華（一九一四～二〇〇〇）擔任總統特使出使韓國，祝賀總統就職，但經國先生心繫國安三法的進度，在俞院長出國的一週，經國先生每天召喚我到總統府垂詢國安三法的立法進度，由此可見經國先生對解除戒嚴與開放組黨及集會遊行合法化等民主進程的關心程度。

還有一次我奉派到歐美訪問，與海外青年學者晤談，聽取他們對國是的建言。返國不久，經國先生召見，一個颱風剛過境不久的午後，天候十分悶熱，那時蔣院長的辦公室沒有冷氣設備，只在桌上開了支小電風扇，他見我西裝筆挺打著領帶，要我寬衣，我再三道謝，他竟然還把風扇轉到我這頭，讓我能吹到涼風，經國先生能對我這年輕學者傾聽，不僅給我深刻印象，他的風範也對我自己日後從政之路影響深遠。

注釋

1 林黛嫚（1996）。《我心永平：連戰從政之路》（頁59）。台北：天下文化出版公司。

2 方瑀（1975）。《依蓮集》（頁27-28）。台北：華欣文化事業中心。

3 方瑀將此行整理著成《歐遊雜記》一書，後交由台北皇冠出版社出版，列為〈皇冠叢書〉第227種。

4 Alpha C Chiang(2021), *Tales from My First 90 Years:* World Scientific Publishing Company

第二部

從政之道

第四章
全力以赴 拚交通

我走上服務公職的路，要很感謝經國先生的提攜。民國六十四年，我三十九歲時，被延攬出任駐薩爾瓦多共和國全權大使，這是我擔任公職的第一個工作。而後返國出任國民黨中央委員會青年工作會主任、副祕書長、行政院青年輔導委員會主委、交通部長、行政院副院長等職務，都可謂是經國先生的不次拔擢。

民國七十年十一月二十五日行政院局部改組，我由青輔會主委被任命為交通部長，並為行政院政務委員，我的前任林金生先生，也就是知名雲門舞集創辦人林懷民的尊翁，改為不管部會之政務委員，我們於十二月一日舉行交接。同一天我也卸任青輔會

因經國先生提攜，我出任駐薩爾瓦多大使，晉謁總統莫林納（Arturo Armando Molina）並與該國女童軍晤面。

主委職務，由高銘輝（一九三一年生）先生繼任。

無庸諱言，接下交通部長一職之前，我對交通行政各項業務是陌生的，若說我是個門外漢亦不為過。迅速而切實地「進入情況」，以便做好工作，這是我轉換工作或調整職務時的一項嚴格自我要求。對我而言，此次新職各項業務的陌生程度空前，因而「進入情況」所需的「在職訓練」期間也較過去幾次都要長些。

一到交通部工作，便展開了我的「在職訓練」。在工作上，我要求部裡各單位和所屬機關、機構依照公務機關分層負責的相關規定，凡經常性的工作，及例行公事，該決行的層級就應該負起責任妥為決行，不必往上陳核。我則盡量利用時間到每一個單位和所屬機關、機構，去聽取簡報，了解其工作推動情形及所面臨之問題，並盡可能前往第一現場如車站、機場、工地、售票處實地查看，親睹運輸事業之營運情形和建設施工。此外，每天苦讀各種業務報告與剪報資料，遇有不明白之處，則隨時向同仁請教。晚上回家後，仍是專致研讀交通方面的書籍。當時方瑀也幫我搜尋國內外各種書刊，真要謝謝她。

民國七十一年元月十九日，我到交通部第五十天，已看遍過部裡每一單位和全部所屬機關、機構一次，翌日《中國時報》的〈交通圈內〉說我完成「新生訓練」。但是我的交通行政「在職訓練」其實是與我在交通部的任期相終始的。我一直抱著「在工作中學習」的態度，來面對一件又一件的工作。七十三年二月二十四日凌晨，行政院孫運璿院長（一九一三～二〇〇六）猝然中風，住進醫院治療。五月十五日，孫院長暨行政院各部會首長向蔣總統經國先生（一九一〇～一九八八）提出辭呈。這是蔣總統與李登輝副總統就任前，行政院依慣例的總辭程序。翌日，總統核准行政院總辭案；二十一日，總統提名俞國華任行政院長，咨請立法院同意；二十五日立法院投票表決，以九成一的同意票通過此項閣揆人選，總統即日明令特任俞先生為行政院長；二十八日，中國國民黨第十二屆第二次臨時中央常務委員會議，通過內閣人事案。這次的行政院改組，我仍留任交通部原職，沒有異動。七十六年四月二十二日，黨的中央常務委員會議，通過蔣經國主席交議行政院高層人事局部改組調整案，這次局部調整是因原任副院長林洋港（一九二七～二〇一三）先生已出任司法院長，經國先生和俞院長於是調整我的職務，要我接替林洋港先生遺缺，這也是經國先生生前最後一次的人事安排，隔年一月十三日他就不幸辭世。我接任行政院副院長，郭南宏（一九三六年生）先生則接任交通部。五月二日，我宣誓接任新職。算起來，我在交通部服務，前後將近六年的時光。

至今回想，在交通部工作的那六年期間，我幾乎沒有休假過一天，卻可以說是我整個公務生涯中最覺得充實欣慰的時期，也幾乎沒有什麼遺憾之事。交通部是一個可以做實事的機關，在那職位上只要去做就一定有成績，不做一定沒有成績，清清楚楚，明明白白。六年任內，深受經國先

民國七十四年六月二十八日，陪同行政院俞院長（右二）、李國鼎政務委員（右三）參觀郵政博物館，我（左二）專注聆聽。

生與孫運璿先生、俞國華先生前後兩任院長的信任及充分授權、絕對支持，在部裡和所屬機關、機構全體同仁，以及各種交通事業廣大從業員工辛勤努力、相互合作之下，加上全國各界民眾，特別是消費大眾、民意代表和媒體所給予的督促、指導、鼓勵，讓我們至今仍覺得那是非常豐碩、饒富意義的六個年頭。那時有較多的機會晉見經國先生，備承他的愛護與勉勵，他似乎注意到我是當時最年輕的閣員（後來吳伯雄先生出任內政部長，他生於一九三九年，又小我三歲），常說我是年輕人，他喜歡勉勵年輕人。記得那六年時光每到總統府受召見時，他總不例外會問起「你今年幾歲啦?」」,最後一次召見結束時,他還單獨對我說「你的行政能力很強」,表示對我很期待,也很信任。這些獎勉的話,給我無比的鼓舞與信心,同時也讓我更加注意領導統御及人際關係和凡事講求實效,務必無負期勉於萬一。

當時,政府從民國六十三年起積極推動的十項建設(一般稱為十大建設),包含中山高速公路、北迴鐵路、鐵路電氣化、台中港、蘇澳港、中正國際機場(民進黨政府執政易名為桃園國際機場)、中國鋼鐵廠、中國造船廠、石油化學工業、核能發電廠,至六十八年底已次第完成,共計耗資新台幣三千餘億元。在第七期經建計畫期間(民國六十五年至七十年),除完成十大建設外,並繼續推動十二項建設。十二項建設計畫執行期間為民國六十九年至七十四年,內容則為台中港第二、三期工程,中鋼公司第一期第三階段擴建工程,繼續興建核二、三廠,完成台灣環島鐵路網,改善高屏地區交通工程,拓建屏東至鵝鑾鼻道路為四級高級公路,興建東西橫貫公路三線、開發新市鎮、興建國民住宅、加速改善重要農田排水系統，修建台灣西海岸海堤工程及重要河堤工程、農業全面機械化促進、建立縣市文化中心（包括圖書館、博物館、音樂廳等），這些建設多項與交通部門有關。因此，經國先生召見時特別期勉我以積極認真的態度，全力推動交通建設，並加速一應服務設施的現代化發展。

前行政院長孫運璿也對我提攜照顧很多，記得孫院長組閣邀請我擔任交通部長時，他曾懇切鼓勵我：「年輕人要積極任事，無懼於各種艱困之來。」孫院長也是老交通部長，他還對我說：「小夥子當交通部長，我沒有要特別

陪同瓜國交通暨工程部長奧總加晉見行政院孫院長。

鼓勵的話，不過中國人常講，新官上任三把火，你上任後，就好好去燒吧！」「要好好的研究規劃，有什麼該做未做的，排定優先順序，即知即行，說幹就幹。現在，所有『動的』（指運輸和通信等交通事業、交通行政）都交給你，三把火燒給大家看，功不唐捐。」

第一把火：台北市區鐵路地下化開動

我在交通部長任內，首先把近三十年議而未決的台北市區鐵路地下化工程付諸行動，這項決定不僅劃時代地改善台北市的路面交通，也為後來的捷運、高鐵、台鐵三鐵共構車站，奠定重建完成的重要基礎。

台北市區鐵路地下化的可行性研究，是否要維持不動，走地下化還是高架或是轉彎改路線，歷經二十年遲遲未決，相關的研究報告檔案堆得比人還高。孫院長在其個人回憶錄裡曾提到：「我在交通部長任內遺憾的是沒有將台北市地下鐵定案下來，當時台北市人口已一百七十萬，應該興建

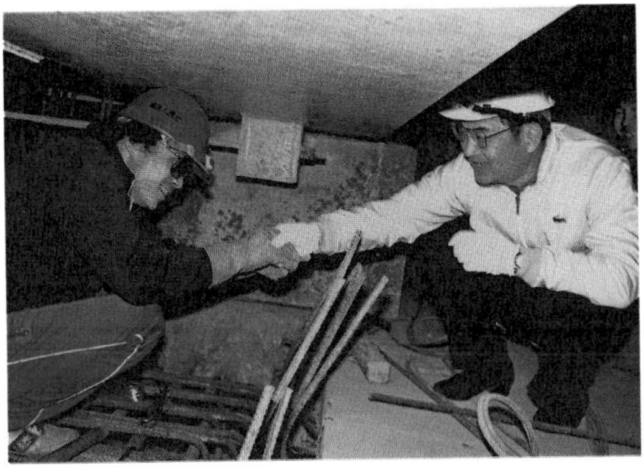
台北市鐵路地下化工程期間，向勞苦功高的工作人員致意。

地下鐵了，我已開始規劃，而且已有了具體方案，採取地下鐵捷運系統。但是我離開交通部後，學者、官員、專家卻始終對應該走地下或地上而爭論不休。這一爭就將近二十年，足夠我們興建兩三條，想想看那時如能定案，台北市今天不會有那麼多交通問題，公共交通方便，大家不會搶著買車。」[1]由於孫院長跟我提起這項遺憾，所以我到交通部後，依照孫院長的提示，決定把台北市區鐵路地下化工程優先推動起來，不能再是坐而言，是應該起而行了。眾所周知，當年中華商場未拆除，台鐵不地下化，已經嚴重影響當地交通及台北市的整體發展。在我到任前，民國六十八年七月，行政院就已核定：台北市區鐵路之改善，照交通部所擬延長隧道案辦理，將縱貫鐵路一段雙軌移入地下，以兼顧「鐵路幹線運輸」與「大眾運輸系統」之需求。到了六十九年十月，則聘請德國DEC顧問公司展開規劃，七十年秋完成初步工程計畫。然而實際工程推動，卻毫無進展。我在爭取各方支持時，總強調台灣經濟已經起飛，鐵路地下化是勢在必行的政策，但是政府部門負責重大經濟建設且具有影響力官員卻提醒我：「老弟啊，省著點，國家並不是那麼有錢。」因此常以預算不足告終，簡報後也無進展，讓我踢了鐵板。但是我並不死心，我要交通部運輸研究所黃嘉禾所長等同仁接續不斷地找時間安排簡報，我親自出馬詳細說明清楚，對他們的顧慮能袪除的盡量袪除，不能袪除的，則設法動之以情，取得他們的諒解而後已。在我們的誠懇和用心下，最後「簡報攻勢」總算奏效，而王昭明兄在旁敲邊鼓也幫了忙，民國七十三年一月二日，行政院院會終於通過台北市鐵路地下化的工程預算案一百七十七億元，工期為六年。孫院長當然了解此案的「複雜」，我之所以有此膽量與勇氣去碰觸這項重大建設案，還有一個重要背景是孫院長曾專程陪我向蔣經國總統說明，獲得總統同意背書後，我更有信心去推動這件艱巨的工作。

當時推動鐵路地下化工程的大將是董萍將軍（一九二三～二〇一九），他從聯勤總司令部借調過來，是修路鑽洞工程的專家。記得施工期間他的公務所就在台北火車站的底層，我多次視察工程進度時，對於他在辦公室門口掛著一幅其親筆對聯「為者常成，行者常至」做為自己的座右銘，印象深刻，這對聯成為他對此項工程的自我期勉。而我對他領導同仁不眠不休，主持這項工程如質如期完工，對於所有參與建設的幕後工作同仁也給予最大的肯定。今天台北鐵路完整地下化，為民眾稱便，董萍先生厥功甚偉。

回首當時，台北市區鐵路地下化如果不推動，每當火車經過，台北市就會被阻隔成南北兩區，對交通之不便與誤時可見一斑。

工程推動時，經國先生也很關切台北火車站的改建問題。當年有人反映蓋六層太浪費了，也有人反映火車站靠近淡水河，應注意地下水的問題，車站若蓋太高怕將來承受不住，若興建樓層低，又怕地下水層影響浮起來，因此我特別要求土木工程專家務必留意這些問題。

任交通部長時，台北市區鐵路地下化工程於板橋舉行開工典禮，台灣省主席李登輝謙虛要我站中間合影。

我記得台鐵地下化及台北火車站改建完工典禮，邀請台灣省主席李登輝及台北市長楊金欉（一九二三～一九九〇）出席剪綵時，人在中興新村的李登輝主席還特別打電話給我，說道：「部長，等下典禮，你要站在中問喔！」他認為交通部與台北市政府才是主角，省府只是配角，因此剪綵不要安排他站中間，由此可看出李先生當時考慮的細膩，他也對此項工程定案開工之不易，了然於胸。

等到台北火車站往西到萬華的地下工程完成後，基於累積的工程經驗與改善效應凸顯，後續往東的南港段地下化就順遂多了。台北車站地下化當時就考慮到三鐵共構的問題，無論工程的管線、動線設計和銜接，都是重大挑戰。而今見到台北火車站、南港車站與高鐵及台北捷運共構方便旅客轉乘，我便覺得當時堅持政策推動，是正確的抉擇。因此台北市區鐵路地下化開動，可說是我到交通部的第一把火。

我在交通部任內非常關切東部縣市的對外交通問題，因此東部鐵路拓寬工程於民國七十一年七月一日通車，台北到台東間行駛自強號特快車，縮短車程大受民眾歡迎，不僅提高服務品質，亦加速東部花蓮、台東兩縣經濟發展。同年九月新中部橫貫公路嘉義至阿里山段也正式通車。是月，東部濱海公路改善及鋪設路線工程同步完工。這是我對台灣東部與山區交通重視的重點工作。我還憶起南迴鐵路的推動，當時亦有反對意見，理由是高雄、屏東到台東的雙向旅客有限，這也不能說錯。但南迴鐵路不該只是考慮工程預算的問題，而是全島鐵路要不要連結成網的另一層次問題。對此我堅決認為應該推動，與經建會及行政院進行著拔河比賽。總算經建會在七十三年一月四日核定了「台灣環島鐵路網計畫」，總經費兩百四十三億元，南迴鐵路也有譜了。而宜蘭線的鐵路拓寬工程則於七十四年底完成，從台北經宜蘭到花東間的鐵路運輸量獲得大幅提升。

這也讓我想起，過去第一條中山高速公路闢建時，應否規劃兩線或三線，那時的部長也是在各種壓力下決定省錢規劃兩線。但是很快就不夠用，變成邊穿衣服邊改衣服，後來拓寬三線的工程非常吃力。

經此經驗教訓，後來闢建北二高時，我們規劃的車道就寬敞多了，使用多年也沒有需要增闢車道的問題。

以中山高來說，當年黨外的立委在立法院質詢時還批評說是為有錢人開的道路，而今看來不僅是偏見更是短見。經國先生推動的十大建設代表作——高速公路，後來對國家經濟建設的貢獻與全民交通的方便，人民皆是有目共睹，尤其後來台北桃園路段經常塞車，還規劃了高架路線，現已延伸到湖口，新竹、苗栗縣市也在爭取高架路線，由此可見工程規劃的遠見相當重要。七十年代推動的十大建設，也沒想到經濟起飛這麼快，汽車的數量更是飛躍式成長。

另外，捷運系統的建設也需要遠見及魄力規劃推動。七十五年一月二十六日，經建會決議要投資一千五百餘億元，興建四條台北區捷運系統路線，當年六月二十七日，台北市捷運系統工程局正式成立，也為我國的捷運建設邁開第一步，台灣最早開始營運的第一條捷運系統文湖線於一九九六年三月二十八日通車，全長二十五・七公里，全線二十四站。這也為台北市及高雄市往後推動捷運儲備了人才及經驗。而在我離任前，交通部向經建會提出的西部走廊高速鐵路計畫、高雄都會捷運等十六項公共建設投資先期計畫，也獲得經建會審議通過。其中高鐵計畫雖然延宕多年，但後來證明台灣南北兩地縮短為一日生活圈，對經濟、旅遊、通勤等各方面都做出貢獻。當年交通部的同仁對全島交通效率提升的規劃，全部都已兌現承諾，超出預期效果。

我在交通部任內批示的最後一件公文，是決定推動台北到宜蘭的快速道路，其中最關鍵的當屬雪山隧道工程。記得離任前，經國先生把我叫到行政院，他說道：「你離開交通部前，要把台北到宜蘭的快速道路處理好，這條道路除有經濟效益外，也要從方便民眾通行以及國家安全角度去考慮。你做個政策決定，就可以推動。」我因此當天回部要路政司、運輸研究所找了家美國知名的帝力凱撒工程顧問公司（DeLeuw Cather），就南港宜蘭隧道公路進行可行性研究。這家公司擔任領頭羊和打隧道知名的奧地利吉奧工程顧問公司（Geoconsult）及我國的中華顧問公司三家一起參與評估規劃，為開鑿雪山隧道工程邁出重要的第一步。

在推動北宜高速公路的過程中曾多次遇到波折與困難，例如鑿山洞遇到落水的問題，鑽掘隧道的機具「大約翰」（TBM）曾卡在山洞裡。後來我調到台灣省政府時期，當時的郝柏村院長曾因對宜蘭地方人士有不同看法，以致這條公路的開闢預算一度遭到擱置，後來我居間協調，才又順利動工。等我到行政院服務，又碰到這條路，對這條高速公路的推進，「已是老相識」，更是加把勁，指示兩邊同時開挖，加快工程進度。由於東部地區花東、宜蘭到台北，交通本就較為不便，花蓮縣的選舉，每每提到給東部居民一條安全回家的路，就是指要把這條公路延伸，替代常山崩的蘇花公路。因此這條高速公路的完工，的確大幅改善了東部居民對外的交通聯絡，尤其長達近十三公里、從新北市坪林開通到宜蘭頭城路段的雪山隧道的歷史性工程。這條國道五號，現命名為蔣渭水高速公路，宜蘭儼然成了台北人的後花園，其觀光旅遊產業也獲得大幅提升。而從國防的角度，台北與東部的聯繫，也因這條道路開闢，有很高的戰略價值。

雪山隧道從一九八〇年開挖到二〇〇六年，完工時是亞洲第二長的公路隧道，在世界的排名則為第五名。民進黨政府為搶政績，在選舉時間曾多次安排通車典禮。但這條道路從規劃到推動都是國民黨政府時期的重要交通建設，後來歷經政黨輪替才完成，重要政策有其延續性完成的必要。

我的學術背景算是社會科學，但當年出任交通部長卻要領導許多自然工程科學人才，猶記當年《自立晚報》曾有一篇評論寫道：「連戰接任交通部長是『政治上了軌道』。」回顧我在交通部長所推動的道路建設，包括台灣十二條東西向快速道路，雖係郝柏村院長時期規劃，但我接任行政院長時，加速推動這十二條公路，讓台灣島西部縣市的山區與海線得以直通，這就猶如將人體的動脈打通，對國家的交通、經濟都起了重要作用。

記得當時推動此建設，陸續有鑿山洞或道路完工，有些地方官員喜愛題字，我則認為此風不可長。我在交通部長任內，曾第一次受邀為泰安休息站完工題字，後來我想到一條高速公路兩側休息站從北到南若都要題字實在太多了，郵政博物館落成也要我題字，便全數婉拒。我認為自己只是政策性的擘劃推動者，工程是由很多無名英雄所推動，不需要去凸顯自己留個題字，後來首長題名之風氣，也就漸漸沒有了。但孰料未久，現今這個風氣又死灰復燃，實不可取。我回想在交通部長任內還主持了關渡大橋的完工，以及高雄過港隧道工程全線貫通與全面通車，這是台灣第一條海底隧道。而民國七十四年高雄港貨櫃吞吐量激增，排名躍居世界第四名，這也是台灣經濟起飛的櫥窗。此外，電信事業的發展同樣突飛猛進。民國七十年，完成台灣區市內電話全面自動化工程，所有自動電話用戶除金門、馬祖外，均可相互直接撥號通話，而國際電話用戶直接撥號業務，也開放到三十五個國家地區。電信總局在我指示下，開始推動「鄉村電話普及化計畫」，另為推動提升通話品質，我國也與美國電話電報公司（AT&T）簽約進行技術合作，設廠生產光纖系統。上述這些重要交通建設完工至今，可謂方便了全國人民，更促進經濟發展。

第二把火：積極推動權宜船舶歸籍

我在交通部長任內，海空運輸也是工作上的重要重點。拓展國輪船隊，協助開闢航線，開拓貨櫃航運及港口貨櫃裝卸量，輔導長榮海運走向世界，布建全球海運網，這使台灣貨櫃裝卸量名列全球之首。記得這項成績在國民黨中常會報告時，得到擔任主席的經國先生帶頭率領中常委們鼓掌肯定。當時華航的航線在歐洲開闢到阿姆斯特丹，另開闢盧森堡貨運航

華航航線在歐洲除開闢至阿姆斯特丹外，另開闢盧森堡貨運航。

線，飛美國的航線還延伸到紐約，等於開闢了空運的全球網。我當時的次長陳樹曦（一九一一～二〇一二）曾私下半開玩笑地說道：「部長你真的做到『開天闢地』啊！」

對外貿易的盛衰榮枯是中華民國經濟發展重要的一環，出口貿易尤其是台灣經濟命脈之所繫，而台灣為一大島，四周皆面臨深海大洋，如欲增強出口貿易，理所當然必須發展海運。政府在推動十大建設，籌設大煉鋼廠與造船工業後，為使其煉鋼、造船與運輸三者融為一體，乃宣示「國貨國運、國輪國造與國輪國修」之航業與造船工業之基本政策。民國六十

陽明海運第三代大型貨櫃船第一艘「吉明輪」，在中船公司高雄總廠命名下水。

六年四月，行政院核定「貿易、航業及造船配合實施方案」，明定計畫造船由政府提供低利貸款，對進出口大宗物資，由國輪裝運百分之七十，一般雜貨由國輪自運百分之四十。俾藉由龐大的進出口貿易需求，帶動航業的成長，創造國家整體利益。在我到任的首年（七十一年度），繼續執行六年經建造船計畫，簽約建造原料船四艘，計五十萬載重噸。此外，建造新船及購進現成船參加營運共十七艘，其中協助陽明海運公司建造大型貨櫃船八艘。記得七十五年三月一日，陽明海運第三代大型貨櫃船第一艘「吉明輪」，在中船公司高雄總廠命名下水，這是當時國內最大型的全貨櫃船。那時我國航業權宜船舶問題漸形嚴重——所謂「權宜船舶」[2]（Convenient flag ships）即本國行業所屬之船舶，因政治因素或經濟因素，向外國如巴拿馬、賴比瑞亞登記入籍，使國輪噸數減少，導致我航業盛行「一船公司」，缺乏應變彈性，易受運費市場波動影響，引發業者自相競爭。因此，我積極推動權宜船舶歸籍，以致有些報導說這是我上任的第二把火。我盡力號召航業界老闆們共襄盛舉，把他們擁有的懸掛外國國旗的權宜船舶回籍，改掛中華民國國旗，拓展國輪船隊的總噸數，讓我們成為商業國家和海洋國家。至於在協助國輪開闢航線方面，當時我估判航業界未來有一段很長的榮景可以預期，但因海峽兩岸政治上對峙之故，國輪尤其是政府所屬的船不能去香港攬貨，大大限縮我們的貨源。香港是一個國際港，各國貨品的集散地，大陸很多出口商品經由香港運銷；我們要發展航業，如何能不到香港去攬貨乘載呢？所以我洽請中國航運公司董事長彭蔭剛（一九三五年生，東方航運公司的老闆董建華先生之妹夫）先生接頭，由我們國營的陽明海運公司與港方進行談判，經過協調溝通後，在雙方對等的情況下，我們的船可以到香港攬貨，他們的船也可以到台灣來，我們用梅花旗，他們用紫荊花旗。剛開始實施的時候，我們在香港獲得承運的獲量有限，但這些年經營下來，陽明海運的貨源已有七成來自香港，要是當年不開闢香港航線，陽明海運的經營恐怕將是艱辛之至了！

當時有一篇報導提及此事時寫道：「事實上在處理許多重大的案子上，連戰也表現出無比的魄力與決斷力，只是由於沉默的個性，連戰的這些表現很少向外界宣揚。例如前身為招商局的陽明海運公司十餘年來未曾派船泊靠香港，許多人認為這是敏感的政治問題，不敢去碰，然而連戰經過一番深思熟慮後，毅然決定派船靠泊，為國營的陽明海運擴增了許多業務。」[3]

當然，我對民營航運事業，也一樣盡力給予協助幫忙。例如張榮發（一九二七～二〇一六）先生創設的長榮海運公司，一一突破運費同盟的封鎖，先後開闢下列遠洋定期航線，包括遠東至中東、中南美、美東、美西、紅海及地中海、歐洲等，而於民國七十三年連接歐洲的英國和美洲的巴拿馬，完成環球東西雙向航線之創舉，這是不容易的突破。也因為長榮海運擴大營運，我們政府居間協助幫忙很多，職此之故，張榮發先生生前一直對我很好，真是一位念舊的長者。以上是我的三把火之二。

第三把火：推動航空事業的全球航線

接著談到加強對民航事業的輔導管理與協助。說到民航事業，不能不提到中華航空公司。我在交通部服務期間，政府尚未成立華航基金會。該公司既為一民營企業組織，政府對其輔導與管理均與一般航空公司相同，惟因該公司係我國唯一的國際航空公司，政府為拓展對外貿易，發展海島型經濟，及基於政治與外交等因素，必須培育一家國際性航空公司，另為突破對岸之封鎖亦有必要如此。因之政府對該公司在擴充機隊及開闢航線等方面應給予協助，俾使它在全球經濟普遍不景氣的衝擊下，仍能擔負其所肩負之責任。在輔導其發展機隊汰舊換新方面：該公司原有機隊機型老舊，競爭力薄弱，經輔導配合國家經建計畫，擬定機隊更新計畫。民用航空局並向法國訂購空中巴士A-300飛機四架，另為平衡中美貿易的出超，向美國波音公司訂購十架，租予華航公司加入營運，成為華航機隊主要的基礎，使其業績因此顯著改善；在協助其開拓國際航線部分：和與我國有邦交的國家，簽訂政府間民航空運協定，無邦交國家則由政府之民間代表簽訂，或協助該公司與外國航空公司商定航權協議，開闢航線。

我到任一年內，該公司即開闢歐洲盧森堡貨運航線。此外，該公司因收支不能平衡，財務調度困難，請求民航局收購其在中正國際機場內投資興建之「飛機修護棚廠」，經民航局專案呈奉行政院核准，由民航局編列預算收購，再租予該公司使用，以紓其困。又如該公司購買飛機之貸款案由政府出面保證等等。而在七十三年四月八日，華航公司班機從桃園中正機場起飛，經安克拉治抵達紐約，十二日從紐約首航環球航線飛行，橫越大西洋，經過三個航管區，安抵荷蘭阿姆斯特丹，將中美、中荷航線自紐約與阿姆斯特丹銜接，完成環球航線之營運，這也標誌著我國民航事業邁入新紀元。我到交通部履任之初，深感交通施政責任之重大，需要更加努力，也更需要新觀念和新方法，以促使交通事業順利發展。為達成此一任務，我曾與部裡同仁以安全、便利、服務、發展等四項目標相互策勉。我以為唯有本著「安全第一」、「利民為先」的原則，依循社會大眾的需求，兢業以赴，加強建設，提高服務品質，配合國家整體建設發展，才能完成此一神聖使命。[4]

為了實現安全的目標，我成立了民航現行制度檢討委員會，對航管系統及設施、場站設施及管理、航空器修理維護及試航、人員檢定及考核四項制度進行檢討評估提出建議事項，釐訂進度，督導實施，加以改進。當時我們的航空事故發生率竟然約達世界平均值三倍，足見改善飛航安全之重要性與急迫性。因此除了在啟用當年即行裝設ＩＬＳ（Instrument Landing System）即自動導航儀器降落系統之外，先後為其餘機場加裝上項系統，必能提供航空器在最後進場時所需的橫向、縱向及垂直高度等引導信號，使航機得於不良天候下安全而精準地進場，這是當時非常重要改善飛航安全的手段之一。是以媒體界也報導我對推動航空事業的全球航線有功，讓華航堅定地站起來、在全球飛起來，這可說是第三把火。

另外，我還要求加強年度道路交通安全重點改善措施計畫，減少道路意外事故發生。我們當時對工作要點之執行方面，除修訂有關交通安全法令外，更嚴格要求交通執法、加強交通違規案件處理，增充及改善道路交通工程，改善汽車駕駛訓練班教學及加強駕駛人管理，另外也對停車場擴建、加強監理等業務，協調台北市、高雄市、台灣省（三個省轄市）擬訂計畫實施。對於提高鐵路行車速度，在我到交通部一年半後，就曾提出兩次計畫，一方面由我們鐵路局自己進行，另一方面也請英國顧問公司來研究指導，此一加速計畫推動，對於提高運量、爭取時效，便民不少。

我在交通部長任內，也全面開放國民出國觀光，而今國人出國旅遊已成一年中個人或家庭的重要休閒生活，回想當年外滙及出國觀光都受限的時代，真是不可同日而語。

與美日氣象預測能力並肩

我在交通部任內極有意義卻未見太多報導的另一項政策決定，是提升氣象局的預測能力。過往，氣象局的主力一向由出身空軍氣象聯隊的背景人士擔綱。我記得交通部氣象局提出要向美國採購氣象專業用途的超級電腦，當時提出的預算金額是五億元，但送交經建會審議時，卻引起高度討論，大家都很興奮。當時經建會邀請台大大氣科學系主任、所長蔡清彥和首位獲得美國氣象學會麥辛格獎（Meisinger Award）的張智北教授及資策會代表等一起討論。當時我力主應該採購氣象用超級電腦才有助提升我國氣象預測能力。這項提議不僅獲得通過，甚至計畫預算擴充到二十億元，這是當時一起參與討論者的共同遠見。由於張智北教授任教美國海軍研究院氣象系，因此這次採購的系統是美國海軍使用系統，當時記得還是由華航七四七專機載回。這部氣象用超級大型電腦CDC-CYBER 205，可算是戰略物資，當時能夠順利完成採購也不容易。本項採購案於七十五年十月初安裝，七十六年一月正式運轉。據當年在經建會服務參與此案的楊世緘先生事後與我強調，藉由這部超級大電腦，台灣的數值預報系統也建立了起來，可以和美國、日本等單位交換資訊，我國氣象局成了國際知名的中心，可跟其他先進國家的氣象研究單位平起平坐。現在台灣氣象預報的速度與準確度已大為提高，對防災的準備，貢獻尤大。對國人而言，可以提前知道一週的氣象變化，甚至小區域的氣象準確預測，對於任何戶外活動舉辦與否，都是最重要的依據，當年氣象局提升功能的效益，後來都一一凸顯出來，證明這個決策的重要性。另外，其他重要的氣象更新設備有花蓮氣象雷達觀測站換裝新型氣象雷達，附有電腦控制颱風追蹤系統，利用專線電路，即時傳送至中央氣象局預報中心作彩色影像顯示；又在嘉義氣象觀測站完成微氣象遙控觀測系統裝置，附有微電腦設備，探究農作物收穫與氣象因素之關係，以期達成增加農作物產量之目標。

交通部門的職掌包括鐵路、公路、道路交通安全、水運、港務、民用航空、郵政、電信、觀光旅遊，舉凡交通事業、交通建設、交通行政與經濟科技發展、國防實力緊密牽連，甚至與全國民眾日常生活休戚相關，由於交通預算較多，推動的重大交通建設過程常也有折磨與不如意事，但是當工程竣工時，福國利民的甜蜜果實讓全民分享，就會回想全體參與同仁胼手胝足，篳路襤褸、奮鬥砥礪，還是有很溫馨的感受。

我在交通部長任內鐵公路、海空運都無重大事故發生，媒體喜稱是我的福氣，但這近六年的交通部長任期，也讓我親身體會「公門可以行善」這句話沒有錯。重大的政策是要能斷敢斷，親力親為。政策的可行性評估有其必要，目的在發掘問題。我的常識告訴我，重大的交通建設投資，是為往後經濟的更發展、更繁榮奠下基礎。我們常會聽到工期會太長、耗費預算太多，但這些都不應該成為政策推動的阻力，正確政策的推動，總要開始，這是我從政的堅持與體悟。

化解劫機及斷航險情

我在交通部長任內還曾碰到棘手的華航貨機被劫至大陸事件。記得那是民國七十五年五月三日，華航一架貨機，自泰國曼谷飛往香港途中，突轉向降落廣州白雲機場。機員三人中，機長王錫爵宣稱願留大陸，副機師董光興與機械員邱明志則願返回台灣。為此事件我們政府召開緊急專案會議，指定民航局協助接救被扣人機。五月二十日，華航公司與大陸中國民航在香港終就貨機被劫事件達成協議，決定將董、邱二機員及貨機交還，無任何附帶條件。二十四日該貨機自香港飛回桃園中正國際機場。此一事件總算落幕。

此一事件爆發之初，大陸方面先將貨機送至北京，宣布我方若派人前往接機，飛機與人員可立刻遣返。我方為營救被困機員，由華航公司委推國泰航空公司代為交涉，並以機員家屬名義申請國際紅十字會協助，而大陸方面堅持此一事件為中國人之事，拒絕第三者介入，國泰公司與紅十字會皆不得其門而入。俟陸方以原來計策落空，扣留機員過久有害無益，乃提議在中立地帶舉行談判，我方遂同意華航公司與陸方中國民航進行商談。我政府並鄭重宣示此舉純為民間組織之行為，並無政治性含意，亦不表示將放棄當時的「不接觸、不談判、不妥協」三不基本國策。商談之初，陸方要求我方至廣州接機，遭我方拒絕，並表示縱使「談判」破裂亦在所不惜。由於我方策劃周密而審慎，本著人機分離方式處理，陸方終於讓步，使得平順解決。但我身處其間，心急如焚，每日在辦公室處理至深夜始下班，回家後復頻頻與各方聯繫，迄此事落幕乃已。

當年經國先生是國家最高元首，面對此一有史以來第一遭華航班機被劫事件，要實質談判又不能給國人及國際間有違反三不政策的印象，期間之拿捏甚是為難。所幸劫機是萬國公罪，陸方最終也未堅持原先的政治盤算而得到妥協。此一事件，也可說是兩岸分治以來，首次的「商談」，也為後來的兩岸紅十字會及海基、海協會商談首開先例，而我身處交通主管部門，在我方的決策會議上涉入甚深，特別在此做個回顧。

另外，我在交通部任內也處理過我國與菲律賓之間斷航、復航的棘手問題。那是因為民國七十二年八月二十一日菲律賓反對派領袖艾奎諾搭乘華航CI811班機返回馬尼拉機場，遭暗殺身亡，當時菲律賓總統馬可仕因而藉故中止航權，我國即時澄清未為菲國接受。其實這是菲國國內政治問題，艾奎諾以化名入住圓山飯店，然後搭乘華航返回馬尼拉，準備投入議會選舉，其在機場遇刺身亡，當時媒體報導的方向都指向馬可仕政府難脫關係。事實上，我國並未參與艾奎諾的返國計畫。因此我們一再敦促菲國恢復華航航權，並聲明不希望被迫採取相對措施。二十九日我公開表示：我國對菲國容忍已達極限，華航航權日內如未恢復，我國即斷然中止菲律賓航空公司航權；九月二日，民航局宣布自九月三日零時起，暫停菲航公司在台北及高雄航權，直至華航公司在菲航權恢復為止。在我國被迫祭出報復性的停航措施後，菲國總算回心轉意，在十三日宣布恢復華航在馬尼拉的航權。十四日我國宣布解除菲航在台降落禁令，雙方於十六日起復航，此一斷航事件才告落幕。

在交通部卸任後，我獲任行政院副院長，為俞國華院長分憂解勞，召開跨部會的協調分工任務，尤其是召開了十餘次行政院組織法的研討會，為我國行政組織調整做了奠基工作。另外，我還主持了行政院香港小組、華航小組、環保小組、公共設施保留地取得小組等工作，這都是當時政府面對兩岸情勢及內政的棘手問題，需要各部會集思廣益，形成共識。

經國先生過世，李登輝先生

民國七十六年十月十日，在蔣經國總統任內最後一次現身的雙十國慶典禮上，除五院院長外，我（右六，行政院副院長）也受邀出席。（中央社提供）

繼任總統，我於民國七十七年出任外交部長，先後推動我國與巴哈馬、格瑞那達、貝里斯、幾內亞比索建交，與賴索托王國、賴比瑞亞復交，同時推動李登輝總統訪問新加坡。任內也配合經濟部長陳履安（一九三七年生），一起推動經貿外交，以「台澎金馬關稅領域」，申請加入關稅暨貿易總協定（GATT），這也是世界貿易組織（WTO）的前身。後來二〇〇一年我們與中國大陸先後成為WTO的會員體，這對我國的經貿發展是歷史性的重要一步，等於躋身世界的「經貿聯合國」一員。

在中華民國退出聯合國後，我們在外交的戰場上節節敗退。我擔任外

任交通部長期間，我曾出訪沙烏地阿拉伯並接受贈勳。

長時，是邦交國難得有進展的階段。但是隨著大陸三十年改革開放成功，在世界舞台的政經實力上漲，兩岸的邦交國也呈現此消彼長情況，對於像我這樣曾在外交戰場上打拚過的人來說，面對現況——尤其是蔡英文政府連續丟掉聖多美普林西比、巴拿馬、多明尼加、布吉納法索、薩爾瓦多、索羅門群島、吉里巴斯及尼加拉瓜八個邦交國，豈能沒有唏噓的感慨，我與胡錦濤總書記所達成的「外交休兵」政策是多不容易！

注釋

1 楊艾俐（1989年4月）。《孫運璿傳》。台北：天下雜誌。

2 編注：又稱權宜國籍船。

3 趙忠耀：〈政壇第二代「貴族」連戰〉載楊旭聲編輯：〈第二代接班人〉風雲書系，群倫出版社，民國76年6月二版，頁218

4 參考民國71年10月23日我在立法院預算交通兩委員會第七十會期第一次聯席會議所作之報告。見立法院秘書處編印《立法院公報》，第72卷第6期，頁28-29。

第五章——為國發聲的外交生涯

民國七十七年國民黨第十三屆全會一中全會後我奉派出任外交部長，這是李登輝總統當選中國國民黨主席後的內閣布局，第一位台灣籍總統派任第一位台灣籍人士出任外長。

當時也有媒體注意到，我是繼黃少谷（一九〇一～一九九六）之後第二位由行政院副院長轉任外交部長的例子。

我想李總統挑選我出任外長，應該也是注意到我曾擔任駐薩爾瓦多大使，並擔任過中華民國聯合國代表團的顧問。其實外界較少知道的是，在美國與我國斷交後，我曾經擔任蔣經國總統的特使，以兩個月的時間密集走訪中、南美洲等國家，以鞏固邦誼為唯一任務。當時我與參謀總長賴明湯（一九一一～一九八四）上將分工，他走訪軍人執政的友邦，其餘文人執政友邦就由我代表。行前外交部長蔣彥士（一九一五～一九九八）特別轉達經國總統的指示，為鞏固邦誼，需親自拜訪友邦元首，轉達中美關係雖然改變，但是中美之間的實際邦誼、包括軍事、經貿、科技、文化、政治等各種關係仍會維繫。當然這些國家會有些個別要求，我也必須回國轉達，為了邦交的持續進行許多邀訪。

當時我曾向李總統簡報「務實外交」政策的看法，我認為務實外交，要以自己的利益為最重要的出發點，不能夠因意識型態而傷害國家現實的利益。若因虛無縹渺的現實而傷害眼前的國家利益，是不應該的。如果研究外交理論以及過去我國的外交歷史，有過太多太多的教訓。李總統十分支持，並形成他任內最重要的對外政策。因此突破過去「漢賊不兩立」的閉鎖政策，積極參與國際組織，也成我外交工作的挑戰。當我們推動這樣的外交政策轉變，我相信那時對岸的相關負責人如楊尚昆、吳學謙、錢其琛對我當然不會有好話。

當時我們的立場是，對外關係是如何處理當時的雙邊關係，至於對方與大陸的關係，我們不管、也不影響其與我的關係，這是合情合理的說法。

我上任的兩個月後就碰上是否應該推派代表出席在北京舉行的國際科學聯合總會，這是棘手的問題。雖然蔣經國總統在前一年已經開放大陸探親政策，但是對於開放政府官員與人民到大陸參加國際性會議或體育文化活動，則是要好好研議。

一九七一年中華民國政府退出聯合國後，仍然維持著以中央研究院名義在國際科總的會籍。一九八四年國際科總通過兩岸同時為會員的決策，北京方面爭取一九八八年的年會，我中研院是否要派員與會，外交部需要拿出政策建議。當時我修改了國際組織司長吳子丹呈報的公文，決定向行政院建議，同意以民間團體身分派員到北京參加國際科總年會。由於時間已十分緊迫，我特別派了祕書李大維將此「極機密」公文，親交給行政院祕書長錢純。

後來「行政院大陸工作會報」通過我所擬議的幾點原則，同意以民間團體「台北科學會」名義出席於北京舉行的國際科總第二十二屆年會，不過當時並未同意公務員出席。此舉也成一九四九年後兩岸隔離三十九年後，第一次有台灣地區人民到大陸出席國際學術會議的先例，這也為稍後的財政部長郭婉容（一九三〇年生）出席北京亞洲銀行年會以及我體育健兒出席北京亞運鋪了路。

現在回憶此事，似乎毋須大驚小怪，但以兩岸長期對立不接觸的政策思維，跨出這一步，也有風險。

「務實外交」創歷史突破

接著一九八八年十月四日，台灣省進出口商業同業公會聯合會理事長林資清率團到蘇聯考察經貿投資環境、隨後工商業者也爭取拓展與東歐國家貿易；一九八九年三月李登輝總統出訪無邦交的新加坡，被外國媒體稱為來自台灣的總統，我並未否認；財政部長郭婉容重返亞銀年會；一九九〇年一月一日，政府決定以「台澎金馬關稅領域」名義申請加入關稅暨貿易總協定，同時也積極申請加入亞太經合會議（APEC）。這些都是我在外長任內推動的歷史性突破，當然秉持的就是「務實外交」的最高決策。

民國七十八年四月十二日陪同李總統至機場歡迎宏都拉斯總統阿斯科納（José Azcona del Hoyo）伉儷訪問中華民國。

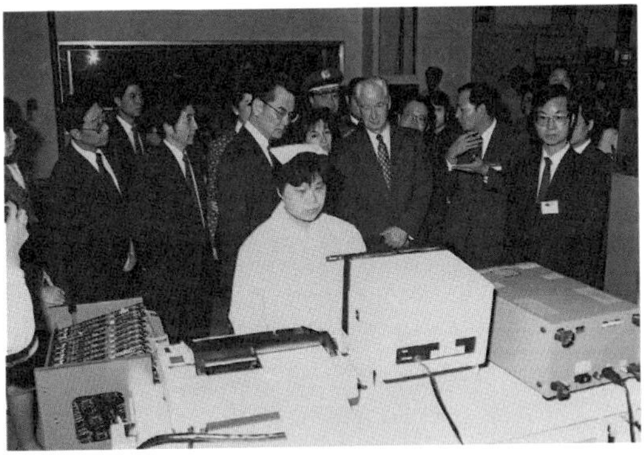

陪同宏都拉斯總統參觀國內產業。

不過上述的決策過程，少為人知的是遭到對我相當照顧的外交元老的挑戰與質疑，認為有違基本國策。

我記得在一次國民黨中常會上，林資清理事長的東歐及蘇聯訪問，卻遭到總統府祕書長沈昌煥（一九一三～一九八八）的公開質疑，我與經濟部長陳履安遭到指責炮火波及。

以當時務實的經貿外交來說，外交部與經濟部聯手放寬執行對蘇聯、北韓、古巴、越南等共黨或社會主義國家的間接貿易政策，是與時俱進，讓企業界尋找商機，但是黨內少數元老則有不同意見。

記得林資清出發前拿不到簽證，特別尋求我的協助，我因此特別指示我駐泰國代表處協助該團過境曼谷直飛俄羅斯。但此事曝光後，沈昌煥祕書長不以為然，在中常會發言時，手拿蔣公所著《蘇俄在中國》，聲稱政府決策者忘了歷史教訓，中蘇是歷史的世仇，老總統這本書對這段歷史有非常完整的紀錄，國人及黨內同志不能不了解整個過去，他批評主政者沒有敵情觀念，竟然核准推動商人和東歐及蘇聯做生意，完全違反基本國策。

沈昌煥的黨齡與輩分極高，我與陳履安等後輩遭公開修理，但與沈同輩分的行政院長俞國華見狀也尷尬，等於同遭修理。

沈昌煥當時講到激動處，還要求外交部於一週之內將本案的來龍去脈向黨中央報告，這等於是要我寫「悔過書」。後來的事態發展，我不得不到總統府探望沈昌煥，並說明政府的決策並未改變雙方間接貿易的政策，而經濟部國貿局雖有兩位官員同行，但持的是普通護照，並不是代表兩國之間的官方接觸。當時我是認為打開經貿之門，並未改變國家的基本政策，當然所謂的「悔過書」我也並未向中常會提出。事實上，與蘇聯的貿易，初期因為雙方內部及對外的考量，是採取間接貿易的方式。

當時我所提出的一系列走向世界的政策改變，沈昌煥都有意見，最後李總統也認為這樣下去不是辦法，政府的外交決策將難以統一貫徹，因此在為期不長的時間內，十月十七日，李總統斷然改任命政大校長李元簇（一九二三～二〇一七）出任總統府祕書長。

此一事件也說明，那段時間的務實外交推行，是經過政策角力。而沈昌煥轉任總統府資政後，就淡出政府的決策角色，同時也不再公開對外交政策發表評論。

對於蘇聯與東歐國家的外貿關係拓展，當時行政院長俞國華於立法院答詢時特別表示，自己並非完全不與共產主義國家往來，他闡釋反共國策與無敵意者可做貿易。俞院長此一宣示，也算是政府對於開放與蘇聯及東歐國家貿易做了最後的開放定調。

我上任外長未久，即推動代號為「華興專案」的李總統出訪新加坡行程。當時我交代駐星代表蔣孝武，「如果方便，希望促成李總統正式訪問新加坡。」而蔣孝武也不負使命。在他的積極奔走下，李光耀總理很快就同意，我也立即將此佳音向李總統報告，李總統隨即同意出訪。

由於老總統到台灣後，除訪問過菲律賓及韓國外，就未曾再進行出訪，當時有一說是大陸河山一日未光復，則不出國的誓願。而繼任的嚴家淦總統曾於一九七七年出訪沙烏地阿拉伯，等到經國先生出任總統則未再出國訪問。

因此安排上任未久的李總統到無邦交國家訪問，的確是一創舉，記得當時新加坡《海峽時報》率先刊出「台灣來的總統」，受到不少媒體注意，等李總統回到松山軍用機場記者會時，被問到對於這樣的稱呼有何感想，當時李總統回答：「雖不滿意，但可以接受。」我當下的意會是，如果稱呼來自中華民國的總統，那應該是滿意的答案。

「彈性外交」爭取邦交

一九八九年五月亞洲開發銀行第二十二屆年會在北京舉行，政府決定派財政部長郭婉容率隊參加，這是當時大陸政策的一大突破，並獲朝野與輿論肯定，認為這是務實、前瞻且不迴避的立場表示。事先外交部與行政院、總統府三方曾密集開會，政府決定派代表出席。不過我國與亞銀方面溝通，我方代表團將不與中共國家主席楊尚昆、總理趙紫陽有直接晤面機會。

在前一年的三月，我的前任外交部長丁懋時就曾公開宣布，我政府將派員出席四月份於馬尼拉舉行的亞銀年會。當時會有此決策是因為一九八七年中共加入亞銀後，亞銀將我會籍改為「中國台北」，因此隔年我國即以缺席表示抗議。但李總統上任後，認為我們是亞銀創始會員國，如果只因抗議「名稱」就缺席，並不符合國家利益。

因此在內部會議中，外交部就持支持出席的政策立場。原本到北京開會的團長理應是中央銀行總裁張繼正，但張總裁認為自己是黨國元老張群的兒子，為避免衍生出不必要的困擾，因而婉拒率團，政府才決定改派郭婉容以亞銀理事身分出席。

民國七十九年二月二十二日接受薩爾瓦多總統克里斯蒂亞尼（Alfredo Cristiani Burkard）贈勳。

由於這是政府遷台後第一位政務首長到大陸地區開國際會議，因此備受矚目。事先政府內部開過多次的沙盤推演給郭婉容參考。而俞國華院長也曾有代表我國出席亞銀年會十五次的紀錄，他也專程給郭婉容面授機宜。

當亞銀年會在北京開幕，當大會奏起主辦方的國歌《義勇軍進行曲》時，郭婉容與一起出席的團員辜濂松、薛毓麒等雙手環抱在胸，以示不認同中共「國歌」的立場，這也是兩岸當時仍為敵對立場態度的表示。

郭婉容部長最後不辱使命，順利返台，媒體對她不卑不亢的態度與優雅的談吐頗有好評。而我在外長任內支持此一開放的決策，亦表示政府對

與時任菲律賓總統柯拉蓉（Corazon Aquino）會面。

過去保守封閉的大陸政策，開了一扇窗，既然打開就很難再關上了。

我擔任外長時，是有「一個中國、兩個對等政府」的政治構想，因此全力進行「彈性外交」。我擔任外長的時間是一九八八年七月二十二日至一九九〇年六月一日，我的前任是丁懋時，繼任是錢復，之後於六月十六日出任台灣省政府主席。外長任職期間推動與巴哈馬、格瑞那達、貝里斯、幾內亞比索等國建交，以及與賴索托王國、賴比瑞亞復交，並談成尼加拉瓜復交。外長任內訪問新加坡、印尼、馬來西亞、菲律賓等國，也曾出訪歐、亞、非三洲七國（德、法、奧地利、泰國、埃及、瑞典及挪威。）

曾有媒體記者評價我在外交部任內一雪「斷交部」之恥，讓對外關係有了一線生機。因此我在三年外交部長建立七個邦交國，就是推動務實外交的成果。應該說是外交部同仁不辭辛勞，衝鋒陷陣，共同努力所獲得的務實外交成果。

「多邊外交」爭取重返國際組織

我在外長任內，在多邊外交方面，最重要的工作就是配合李總統的「務實外交」政策，突破外交束縛，重返國際組織，其中鎖定的就是加入關稅暨貿易總協定（GATT）等國際經濟組織，當時外交部與經濟部等單位常開會研究，要時時掌握GATT烏拉圭回合（Uruguay Round）談判的方向，加入此一組織對我國的經貿、財務有何要求標準，我們要履行的義務有哪些，因為此事進展對我們真是茲事體大。

我於一九八九年九月五日以外交部長身分在行政院主管人員研討會

中，曾主講「國際情勢與外交策略」。當時我提出今後要加強國際參與，並首度吐露重返GATT的可能性很大，因為該組織以國家為會員，也可以獨立關稅領域申請。

我國是成立於一九四七年的GATT的創始會員國，但隨著退守台灣的情勢變化，我們也於一九五〇年退出。等到一九六五年三月，我們想重新以觀察員身分參與，但退出聯合國時，觀察員身分也遭撤銷。直到一九九〇年我國重新申請，一九九二年獲得理事會受理，也開始了近十年的入關衝刺。

當時申請入會，行政院特別成立一個小組，由我和經濟部長陳履安共同召集，成員還包括蕭萬長（一九三九年生）、江丙坤（一九三二～二〇一八）、吳子丹等人。當時行政院長李煥相當堅持國家的尊嚴、主權與國格，因此對於擬議以「台澎金馬關稅領域」名義申請入關，他是持保留態度。但以「中華民國」名義叩關是不符國際現實的折衝，因此各種替代方案，行政院遲未核可。

最後迫於時間壓力，在GATT即將結束、WTO就要成立的前夕，我與陳履安不得不破例連袂決定要參與的決策。不過當時也有政治風險，如果李院長與李總統意見不合，我告訴陳履安我們要有辭職負責的心理準備，不牽累任何一位長官。所幸，最後此一決策未釀成府院不合的風暴。

當我們以「台澎金馬關稅領域」申請加入GATT時，我還特別在外交部召開記者會說明，這只是對加入GATT的世界貿易組織前身特性所做的權宜決定，但並不表示我國今後以此模式重返國際組織。

至於這種變通會否影響國家主權的認知，我也特別指示國際組織司司長吳子丹對新聞界說明，指出GATT是以關稅領域為主體的國際組織，我國係援引第三十三條入會規定，係以目前我國所控制且在「對外商務關係上享有完全自主權的個別關稅領域」之「台澎金馬」地區名義申請，並不涉及國家主權。

最終，我們與北京先後加入WTO。這條申請加入有「世界經貿聯合國」之稱的WTO之路，坎坷且崎嶇，但最後終底於成。

一九九二年九月，GATT理事會成立審查我入會案。同年就任行政院長後，我於五月八日視察外交部，在聽取外交部長錢復的簡報後，做了六點指示：

一、兩岸關係的變化不會也不應影響我國在外交工作上的努力與方向。政府希望藉由兩岸良性的互動，化解中共在國際間對我外交工作的阻撓與破壞。

二、面對國際情勢中，經貿力量的影響力已凌駕軍事力量的趨勢，我們更要加強國內經貿力量對外交工作的支援。

三、加強駐外單位的統一協調，落實總體外交。駐外單位應由外交部統一指揮，行政院並應加強恢復對外工作會報之功能。

四、對於錢部長所提外交領事人員待遇提高的問題，由行政院人事行政局積極考慮。

五、對於我國參與聯合國的問題，中華民國的政經實力不容忽視，我們要加強國際經濟合作，克服困難，達成目標。

六、致力改善中、美貿易逆差，尤其是有關智慧財產權的協商，我們應將已採取的具體措施及成果，讓美方充分了解。

我在擔任行政院長與副總統期間，多次出訪，媒體也幫我取了一些「過境外交」、「典禮外交」及「學術外交」等新名詞。

叩開墨、捷往來之門

一九九三年十二月我訪問馬來西亞、新加坡，提出「排斥零和、走向雙贏」的大陸政策。當時與大馬首相馬哈地（Mahathir Mohamad）、副首相安華（Anwar bin Ibrahim）、新加坡總統王鼎昌、總理吳作棟、資政李光耀等晤談，建立更好的關係。

民國八十三年一月二十四日率團訪問中南美洲過境美國時，拜會前美國總統雷根夫婦。

翌年一月，我出訪了宏都拉斯、巴哈馬，於一月二十四日以特使身分率團出席宏都拉斯新任總統雷伊納（Carlos Roberto Reina）的就職典禮，當過境洛杉磯時，我駐洛杉磯辦事處長張慶衍特別安排小型樂隊於機場演奏梅花等歌曲歡迎，同時也安排我拜會前總統雷根伉儷。但是後來受到北京的抗議，聲稱我的過境具有政治性，因此回程美國過境時間被縮短。後來我又安排訪問巴哈馬，這是一場旋風式訪問，由於巴哈馬總督達林爵士（Clifford Darling）適巧出國，臨時改由代總督湯貴德（Orville Turnquest）接待。一九九四年五月我接連訪問薩爾瓦多、瓜地馬拉及墨西哥三個國

泰王蒲美蓬閣下在皇宮與我親切晤談，促進中泰邦誼。

家。五月二十九日我以總統特使身分，前往薩爾瓦多參加新任總統賈德隆（Armando Calderón Sol）的就職典禮，這是我以前駐節過的國家，因此有很多回憶及一些老友。

六月五日我轉往無邦交的墨西哥訪問，這是一九七一年與墨西哥斷交後，首度有中華民國政府的行政院長到訪。當時我透過墨西哥報業鉅子、《太陽報》（El Sol de México）的負責人安排，與墨國執政黨總統候選人塞迪略（Ernesto Zedillo）晤談，並應邀到農業部長的農場作客。塞迪略是美國耶魯大學經濟學博士，且是我國著名經濟學家費景漢的學生，因此他以孔子名言「有朋自遠方來」歡迎我的到訪。當時這段訪問並未對外曝光，直到塞迪略當選，新聞局才發布我們兩人碰面晤談的照片。

我到訪墨國後，墨西哥就大幅放寬對我人民的簽證，對兩國間的商務、經貿往來，開了方便之門。

一九九五年六月我訪問了奧地利、匈牙利和捷克。在奧地利友人、前維也納大學校長溫克勒（Dr. Gunther Winkler）博士的邀請下，隔天一早到了布達佩斯英雄廣場（Heroes'Square），陪同有郭為藩、胡志強夫婦。溫克勒是真心支持我們的教育家、政治家，能有這麼一位重要的友人，我十分珍惜也敬佩他。我記得他曾介紹擔任過聯合國第四任祕書長的奧地利總統寇特・華德翰（Kurt Josef Waldheim）與我交談，這位奧國總統對於中華民國的憲政體制、努力方向及遭遇到的困難，都十分了解，我相信都是溫克勒告訴他的。

六月十八日我抵達捷克，二十一日在布拉格與哈維爾（Václav Havel）

總統、克勞斯（Václav Klaus）總理晤面，商談加強兩國經貿合作與學術交流事宜，隨後並接受查理士大學（Charles University）頒贈榮譽獎章。

我在布拉格期間的訪問受到捷克、德國及英國媒體的重視，不少媒體也引用捷克新聞通訊社拍攝我與哈維爾總統晤談的照片，雖然這難免引起北京方面的抗議，但捷克政府發言人證實我的到訪，並稱是私人訪問性質。《南德意志報》（Süddeutsche Zeitung）報導稱，捷克總統哈維爾不顧中共反對，週三在布拉格接見來自台灣的行政院長連戰。並稱連戰會見哈維爾經由捷克國家通訊社公開，使得我在布拉格的訪問比在匈牙利及奧地利更具有公開宣傳的意義。柏林《每日鏡報》（Der Tagesspiegel）報導寫道：「哈維爾在他的辦公室接見連院長，並有總統府發言人作陪。姑且不論連院長的訪問是正式或私人性質，捷克總統府事實上對於這項訪問，相當重視。」

布拉格的兩大日報《今日青年先鋒報》（MF DNES）及《正義報》

（Právo），也都刊載我與哈維爾總統晤面的照片。而《布拉格報》（The Prague Post）則在頭版報導了我接受查理士大學學術獎章的贈予，並在該校發表演講的訊息。

二〇〇三年我在國民黨主席任內第二度造訪捷克，並出席「公元兩千論壇」（Forum 2000）會議，探討世界公平發展的主要障礙，我在會中簡短發言，就台灣內部經驗，說明縮短全球差距的看法。這次論壇的主辦人就是前總統哈維爾，應邀出席的還有南非前總統戴克拉克（F. W. de Klerk）、前美國國務卿歐布萊特（Madeleine Albright）、約旦王儲哈山親王（Prince Hassan）等。

哈維爾是享譽世界的知名文學家、劇作家及堅持人道理想的政治家，畢生奉獻捷克的民主改革，他前後入獄過二十餘次。自我到訪捷克後，兩國關係快速發展，在經貿、學術、科技及文化等各領域的雙邊交往大為提升。一九九五年底總理夫人克勞斯（Klaus）訪問台灣，對台灣的風土人情及文化經濟有了深刻印象，兩國間的商貿投資與觀光旅遊也有了進一步的拓展。

一九九六年八月我以副總統兼行政院長身分，率特使團出席多明尼加新任總統費南德茲（Leonel Fernández）就職典禮。在典禮中與委內瑞拉總統卡爾德拉（Rafael Caldera）、阿根廷總統梅南（Carlos Saúl Menem Akil）、烏拉圭總統桑吉內提（Julio Maria Sanguinetti）、西班牙王儲菲力普王子晤面，在外交部門的集體努力下，我以有限的時間與無邦交國家政要晤面，也發揮了最大外交邊際效應。

多明尼加訪問後飛往紐約轉機到烏克蘭訪問，當時把隨團記者都「放鴿子」。當夜全台的媒體都在找我究竟去了哪裡，其實我是飛往烏克蘭基輔大學接受榮譽博士。

我在二十日接受基輔大學校長史科賓科（Victor V. Skopenko）頒贈榮譽博士，並接受教育部長柴古諾夫斯基（Mykhailo Zghurovskyi）晚宴。訪烏期間也與烏國總統庫奇馬（Leonid Kuchma）就科技、文化等層面深入交換意見。

烏克蘭是前蘇聯十五個加盟共和國之一，有「歐洲穀倉」之稱，在前蘇聯區域是人口第二多的國家。

在烏克蘭停留期間，史科賓科校長曾專程陪我到克里米亞半島雅爾達的里瓦幾亞宮（Livadia Palace）參觀，這也就是影響中國權益甚大的雅爾達密約簽署地。當時，在蔣介石委員長事先不知情的情況下，美國羅斯福總統竟答應史達林，將大連、中東鐵路等出賣給蘇聯，中國政府被迫簽定《中蘇友好同盟協約》，導致後來外蒙古以公民投票宣布獨立等。當時美國總統羅斯福及英國首相邱吉爾為換取蘇聯對日本宣戰，這三強首腦也制定二戰後世界新秩序與列強利益分配方針，因此對於戰後的世界局勢影響甚大。蘇聯對日宣戰後，東北滿洲國戰敗，蘇聯接收的日本關東軍戰略物資後來轉交給中國共產黨，這亦為國共內戰的情勢帶來逆轉。因此到此參觀的過程，我心情是沉重又複雜。

烏克蘭的航母及人造衛星我們都很有興趣，臨上飛機前，我還與該國的教育部長見了面。隔年三月我也邀請了基輔大學校長史科賓科夫婦到台灣訪問。

鞏固中南美洲邦誼

一九九七年一月七日，我再次率特使團出席尼加拉瓜新任總統阿萊曼（Arnoldo Aleman）就職典禮，除與中南美洲相關友邦元首晤面外，我也首度與無邦交國蘇利南副總統勞達吉順（P. S. R. Radhakishun）晤面。同年九月巴拿馬將召開巴拿馬運河世界會議，巴國總統巴亞達雷斯（Ernesto Pérez Balladares）特別通過與我的晤談機會，力邀李總統能親自與會。

為了鞏固與中南美洲的邦誼，我還特別攜帶了經建會所擬的「加強對中南美洲國家經貿合作方案」給諸友邦參考。

任行政院長期間在駐教廷大使戴瑞明的安排下覲見教宗若望保祿二世。

結束尼國訪問後，我途經邁阿密、紐約，轉往教廷與愛爾蘭訪問。在駐教廷大使戴瑞明的安排下，我覲見了教宗若望保祿二世，除轉呈李總統問候的信函外，雙方也就國際與亞洲事務交換意見。另外，我也與教廷國務卿蘇達諾樞機主教（Cardinal Angelo Sodano）晤談。根據統計，這是中梵自一九四二年建交以來，雙邊最高層的政治接觸。同年年底，我與教宗的晤面竟被教廷視為年度十大新聞之首。教廷是中華民國目前在歐洲唯一的邦交國，因此我的到訪，也開啟我國政要訪問教廷的先河，後來幾任總統、副總統、總統夫人都陸續訪問教廷。

未久，一九九八年一月教廷任命單國璽為樞機主教，這也是繼于斌樞機主教過世、中斷多年後，中華民國教區再次派有樞機主教。

結束教廷訪問，我於一月十六日轉往愛爾蘭訪問，除參訪知名的三一學院外，也與該國反對黨黨魁伯蒂・埃亨（Bertie Ahern）、參議院多數黨領袖、都柏林市副市長等政要晤談餐敘。

在愛爾蘭停留期間，印象最為深刻的是與反對黨黨魁埃亨的深談。在我駐愛爾蘭代表李明亮的居間連繫下，埃亨先生在首都都柏林漁村海邊設宴，宴會上安排了該國知名的踢踏舞表演，也喝了特別的白蘭地酒咖啡（Irish Coffee），做為主人他極盡熱忱接待，是一位十分開放的政治人物，三言兩語就交心。他告訴我，目前他正面臨一個重要抉擇。他與友黨結盟已經是政治多數，但黨內對於是否推動倒閣行動及時改選，意見則不一致，他正要做最後決定，為此感到傷神，因此他也徵詢我的看法。我特別說明，這麼多小黨的聯合，意見一定多，情勢也複雜。不過我們中國人有句古話「夜長夢多」，英文也有雷同的話「When the night gets long, the dream gets wilder.」，他聞言開懷大笑，說我講得很有道理。當我離開愛爾蘭沒幾天，他就決定推動倒閣案，準備投入大選，後來順利當選，擔任總理長達十年左右。

三訪教廷

我曾經先後三次訪問教廷，有一次受邀參加教廷聖誕音樂會，當時應邀表演的都是世界知名的聲樂家，我們全家備受禮遇，被安排坐在第一排，這是一場難忘的高水平聖樂音樂會，至今仍印象深刻，難以忘懷。

單國璽升任樞機主教未久發起成立財團法人天主教失智老人社會福利基金會，為因應國內遽增的失智症照護需求，我覺得這是很有意義的社會工作，因此受聘為榮譽董事長，我也做了私人捐獻。記得二〇〇〇年千禧年來臨之際，當時教宗選擇了一百項工作，分配給全球各國家的教區推動，當時台灣被分配到失智老人以及愛滋病的照顧。由於台灣天主教徒們的愛心奉獻，深獲教廷肯定，後來我也很榮幸再次應邀到教廷參訪，這是由教廷大使館直接打電話到我辦公室邀請，指定歡迎我及家人再次訪問教廷。我記得抵達羅馬機場時，教廷特別指派禮賓官接機，並款待我們下榻附近山上的旅館。隔天一大早五點左右就被喚起，五點半左右受邀參觀教宗若望保祿二世辦公室，還安排照相。辦公室的右邊有個門，打開就是教宗專屬的小教堂。我們進去被安排坐在左邊第一排，另一邊則是自非洲、美洲歸來的年輕傳教士，約十人左右。

教宗已經先抵達，並在神壇前祈禱，而後轉身上講台講話，期勉世人慈愛助人且予以關心祝福話語。離開前，我們到大廳，一一上前與坐著的教宗握手話別，教宗起身走到我親家陳清忠面前，還摸了他的頭，恰巧這天是陳清忠先生生日，教宗另外送給親家一個瓷盤紀念，同時還摸了我大兒子勝文的臉頰。這親切的一幕，我事後才得知這是特別為我們連府所安排的私人彌撒，教廷接待單位特別說明教宗非常關心我們家的一切，我們得知都非常動容。台灣知名的天主教徒監察委員江綺雯曾告訴我，能應邀出席教宗的私人彌撒，是難得的殊榮，也是教會少有的最高榮譽。教宗若望保祿二世於二〇〇五年四月三日辭世，當時我在中國國民黨主席任內也特別表示哀悼，推崇他是一位偉大的宗教領袖。

抗議聲下的冰島行

一九九七年十月七日我率團訪問冰島，與奧德森總理（Davíð Oddsson）會晤並拜會國會議長，之後到奧地利、荷蘭訪問。原定要到西班牙訪問，但媒體提前曝光，在中共抗議下，只好取消。

這次是我專任副總統後首次的出訪，也是出任行政院長後第四度訪問歐洲。

冰島是我國在北歐唯一未設辦事處的國家，當時我在駐丹麥台北代表處代表陳毓駒的陪同下和冰島總理奧德森會晤，共進一場「離開首都的晚宴」。同時我也在冰島首都雷克雅維克知名的珍珠樓（Perlan），宴請了冰島友好協會成員，包括當地友我的議員，中央銀行總裁也參加。雙方雖然都是初次見面，但我誠摯地介紹與說明，為雙方的友好踏出重要的一步。

奧德森在我眼裡是位硬漢，即使中共正式抗議我的到訪，但他並未有所懼，邀請我到國家公園旁他的夏日別墅晚餐。記得我們車隊出發大約行近一個多小時，穿越了一些黑漆漆、人煙稀少的荒郊，但是抵達別墅時，赫然發現媒體記者雲集、閃光燈與電視攝影機陣仗驚人。晚宴開始，奧德森的開場說道：「今天我誠摯歡迎一位來自溫暖、熱情

任副總統兼行政院長期間，我率團訪問冰島，與奧德森總理會晤。

洋溢而又遙遠之地的外國領袖，大家可能熟悉聖經裡的一句話，上帝做了一個決定，選擇了以色列人做為祂的子民（God's chosen people），而今天連副總統兼院長來到的也是上帝的子民，被冰凍的子民（Frozen people），這就是冰島，上帝冰凍之人，一年到頭都在零度以下過活。」他的這段話迄今我還印象深刻。

奧德森總理當時才剛滿五十歲，年輕有為，相當精明幹練，為人也風趣幽默。他曾擔任過冰島最大報紙冰島《晨報》（Morgunbladid）的記者，以及首都雷克雅維克的市長，也擔任過獨立黨的副主席、主席和國會議員等職務，政治歷練不少。他在宴會上比較冰島（Iceland）與以色列（Israel）的差別時，還特別提到兩國的國名都是以I字開頭，但冰島是「被競爭對手包圍」（Surrounded by competitors），而以色列則是「被敵人包圍」（Surrounded by enemies）。席間他亦頻頻詢問中華民國在台灣的情況。

我則告訴他，我是中華民國自台灣於去年（一九九六）三月所選出的副總統。在國際友人私人聚會場合，能夠坦然說出我們的國名，非常有尊嚴地道出國家的各種情況，是相當可貴而磊落的襟懷。雖然中華民國與冰島並無邦交，但我們在國家名稱上毫不讓步。政黨領袖、民意代表、學者專家和一般觀光客如果都能秉持一貫的態度，這才是保持我們國格和國家尊嚴最基本的做法，絕不要讓外國人感到困惑。

我記得他還特別說明冰島的溫差很大，清晨只有零度或更冷的零下，但到中午就出大太陽，氣溫回升到二十幾度。我則回應說台灣的天氣比較穩定，日夜溫差不會超過十度。

這場晚宴，奧德森總理還邀請了該國的幾位大企業負責人作陪，一位是旅遊業的鉅子，另一位則是冷凍業的大老闆，這也為我們未來的旅遊與漁業合作鋪了路。

奧德森總理及夫人在門口迎接我們的新聞刊登在早報頭版，雖然中共連番抗議，但是我們的行程未受到阻撓或變更。

在冰島期間我參觀了冰島大學（University of Iceland）、國家與大學圖書館（National and University Library of Iceland）等學術單位，實地考察國民所得幾乎為我國兩倍的冰島生活品質和社會建設。這座圖書館有先進的網路運作、軟硬體和藏書都先進豐富，對古籍的保存也下了功夫。我們也抽空造訪了一九八六年美國總統雷根與蘇聯總統戈巴契夫兩人於冰島會談的霍夫迪樓（Höfði House），或又稱為雷根、戈巴契夫館。

對於兩國的經貿往來，在我出訪後的進展包括：台灣對冰島出口腳踏車、汽車和電腦零件等產品，其後有可能增加民生消費品的銷售；而地處高緯度的冰島，則盛產高品質的漁產品，例如鮭魚、深海紅魚、格陵蘭蝦等。我國自冰島進口商品以俗稱鱈魚的格陵蘭大比目魚為主。台灣是當年繼日本之後，冰島在亞洲地區的第二大貿易夥伴。

至於冰島的極地風光，如難得一見的北極光與地熱，是難得一見的世界奇觀，我到訪時台灣每年前往冰島旅行的遊客只有五千人，僅占其觀光人口百分之一，因此冰島正尋求更多台灣觀光客的青睞，為增進彼此交流，雙方也認為增設辦事處的需求大增。

我到訪冰島後，冰島國會副議長阿納德（Ragnar Arnalds）、首都雷克雅維克市長季絲拉朵蒂爾（Ingibjörg Sólrún Gísladóttir）、國會外交委員會主席歐瑞希（Tómas Ingi Olrich）陸續抵華訪問，為兩國關係升溫。十月十日離開冰島後，轉赴奧地利著名滑雪度假勝地因斯布魯克（Innsbruck）短暫停留一天。陪同我們的老朋友溫克勒教授特別向我們辭行，說是最後一次歡迎我們，因為他年底十一月將要退休了，告別這位老友，我們還特別擁抱道別，心中也有點感傷。

溫克勒教授的祖父曾到過中國，因此保留有一張鄭成功國姓爺照片。他說自己小時候常站在畫前凝視，思考問題，帶給他幫助很大。我問他何不將這張畫作存放在家鄉的博物館，他說除非他過世才會離開祂，我們聽他說到國姓爺時的熟悉度，就明白他與台灣的感情，他的確是一位我們的好朋友。

迎來馬其頓建交曙光

在此地停留，原本隔日要轉赴西班牙與舊識菲力普王儲會面。但消息曝光後，西班牙表示對我的來訪接待有困難「希望暫時推遲、延後」。這個訊息，我在冰島時就接到報告，我也不願給主人帶來困擾，雖然西班牙政府未仔細說明詳情，但表示承受了「前所未有的壓力」，希望我能諒解，我們駐西班牙代表林基正給我做了說明。

在中共施壓下，雖然我赴西班牙訪問生變，但我卻在奧地利維也納停留期間會見了馬其頓影子內閣的重要成員，促成了我國與馬其頓共和國的建交。我事先曾向李總統報告，他還要我告訴這位排名第二的影子內閣成員說，我們考慮對該國的難民營提供協助。其後於一九九九年的元月二十七日，我們與馬其頓共和國建立正式外交關係，並簽署建交公報。馬其頓位於東南歐的巴爾幹半島，一九九一年九月脫離前南斯拉夫聯邦獨立。馬國與我建交後，是我們在歐洲繼教廷後的第二個邦交國，但可惜這個邦交只維持不到三年的短暫關係。

由於不去西班牙，我因此提早轉赴荷蘭過境返國，在顧崇廉代表的安排下，在機場貴賓室與荷蘭多位國會議員碰面。

我在冰島行程曝光後，中共方面就抨擊，指責奧德森干涉「中國內政」，破壞中共與冰島關係，應負起全部責任。但奧德森對此表示疑惑，因為其一九九四年訪問中國大陸時，曾向當時的李鵬總理提到有意增強與台灣的經貿關係，當時並未遭到抗議。他說我是私人訪問，冰島也無意藉此激怒中共。

在外交部和駐外代表處的長期經營下，我以「度假」和「私人訪問」的低姿態模式，再次出訪歐洲，和無邦交國家進行了實質的接觸，也建立初步的友誼和進一步交流的契機。

我在國外訪問，能與出訪國家的政要直接晤面，這是比電話、傳真、寄賀卡更能夠直接建立私誼與關係，這是我最大的心得。尤其我以行政院長及副總統身分出訪，在正式外交禮儀接待的規格上都有一定標準，這不是一般「城市外交」所能取代。任何國民外交與城市外交只是整體外交的一部分，國與國的關係最重要還是要建立正式邦交關係，否則也要促成高層領導間的直接會談。

由於我國處境的艱難，我國官員到無邦交國家訪問，處處受到阻撓限制。我在過去出訪美國，刻意從西岸飛到東岸，甚至爭取要有一些公開露面，這都是對美關係的一些進展，當然美方也要承受北京的不時抗議。至於我在外長任內的建交作為，難免有人會批評是否為金錢外交。但實際情況則是要錢難免要給錢，但也不一定是如此，細水也可長流，合作之路可長可久，外交不一定要用到巨額的金錢，這也不是假話。

我記得與賴比瑞亞建交時，我指派次長蔣孝嚴去商談。當時賴比瑞亞與中共關係不佳，中共的承諾未兌現，他們想轉向。記得當時有些媒體指責蔣孝嚴是散財童子，因此蔣孝嚴一直發電報回來請示，他在當地待了兩三個禮拜。我當機立斷要他簽署建交，同意給予公路、體育場、學校、醫療等各項援助。我國與賴比瑞亞復交，是一九八九年十月間的事。

孰料，後來賴國發生政變，總統多伊（Samuel Doe）及財政部長被刺殺，而我國答應提供賴國援助的第一期款項，政府批准，中央銀行也配合。但是由於當時的建交承諾紀錄消失，我新派大使鄧權昌[1]無法執行此項援助，錢根本送不出去，賴國卻與我國建交。因此，媒體指責蔣孝嚴次長為散財童子是冤枉他了。

我在外長任內也談成與尼加拉瓜復交，但是尚未升旗建館時，我已奉派出任台灣省主席。當時查莫洛夫人（Violeta Chamorro）剛當選，我們中南美司的同仁就很努力積極，為拓展邦交立功，這些同仁都是幕後英雄。

又如我們與巴哈馬建交，我們只送給總督一部裕隆汽車，可以說花很少的錢；與貝里斯建交，我方援助他們一座橋梁，這是正常的國際合作預算支應；又如與布吉納法索、賴索托等國的建交，我們支援派出農業技術團；與加勒比海區域的格瑞那達建交則是協助其農業與漁業的發展。

其實在我外長任內蒙李煥及郝柏村兩位院長的支持，原本也談妥要與馬達加斯加建交，但可惜李郝卸任後，這個工作卻未執行下去。

中華民國的對外關係自從退出聯合國後，就日益艱難，也碰過一波波的斷交潮。撫今思昔，李總統及我外長任內拓展維持了三十個邦交國，而兩屆民進黨政府任內卻不斷發生斷交，截至二〇二一年十二月為止僅剩十四個邦交國。邦交是主權國家的象徵，邦交國的日益萎縮，當然與兩岸關係惡

陪同李登輝總統與海地軍政府主席艾芙瑞簽署聯合公報。

化有關。處理不好兩岸關係，中華民國的剩餘邦交國就岌岌可危了。

如果說我在外長任內工作有進展，這也與當時國際大環境有關。因為一九八九年的六四天安門事件後，中共在國際的聲譽受到極大影響，世界一些相信自由、民主、人權、法治的國家帶頭給予制裁。在那種氛圍下，中共也得到教訓。因此那時我們陸續有新的邦交國，那是十分忙碌的一段時間，當我奉派出任台灣省主席時，手頭上還有一兩個邦交案仍在進行。

二〇〇〇年五月二十日卸任副總統的前夕，我應新加坡資政李光耀的邀請，在新加坡停留了三天。緊接著五月二十三日我就飛往比利時布魯塞爾，歐盟的總部設置於此。我在行政院長期間，分別於

新加坡資政李光耀和我公私皆有交誼，數度來訪，對我政府多有支持。

一九九三年十一月及一九九七年三月先後接見歐盟執行委員會副主席班格曼（Martin Bengmann）及歐洲議會議員蕾汀（Viviane Reding）等兩個訪問團。而歐洲議會早在一九九一年六月十二日就成立「台灣之友協會」，進而在一九九七年四月更名為「歐洲議會友台小組」。因此我國雖與絕對多

民國八十三年任行政院長期間接待訪台的前蘇聯總統戈巴契夫（Mikhail Gorbachev）。

民國八十五年一月十六日任行政院長期間，接見前英國首相柴契爾夫人（Margaret Thatcher）。

數的歐洲國家只有實質關係，但是與歐盟的友好互動卻與日俱增。這次我首訪歐盟，並於歐洲議會就台海關係的未來發表演說，就兩岸關係、台灣現況與歐盟友台小組成員們進行討論與對話，就某種意義上也是一種突破。

此行我還訪問了波蘭，途經法國與支持我的旅法僑胞碰面，親身感謝他們對中國國民黨及我個人的支持。

首訪日本收獲見聞

從政期間，我應邀出國訪問的紀錄很多。其實我還憶及在擔任交通部長時，前駐日代表林金莖在擔任駐日使館政務參事時，曾經熱誠協助我首次訪問日本的行程。他認為中華民國政府與日本政府雙方對彼此認識、溝通都有待加強。因此，有必要讓日本友人進一步認識中華民國政府的新一代青年政治人物。所以，他曾經有系統、有計畫的親筆推動了一套日文版的專書進行介紹，我也忝為被報導的其中之一。他還聯繫日本企業界最重要的社團組織日本經濟團體聯合會（簡稱經團聯）邀請我去專題演講。當時日本中曾根內閣的運輸大臣長谷川峻不僅隆重接待，還安排我參觀了連結北海道與本州兩大島興建中的過海青函隧道，此一隧道是位於日本津輕海峽的海底鐵路隧道，為世界上最長的海底隧道（五十三·八五公里），包含有鐵路隧道及公路隧道，光是在海底的長度就有二十三·三公里，此一工程包含防水、防震、防火等艱難施工方式，讓我對日本隧道工程的卓越有進一步認識，這也提升我返國後推動台鐵台北市區地下化工程的信心。記得當時日方邀請我們訪問團下海參觀進行中的工程，但唯獨無法讓女士同行，這是他們工程界的傳統，我們只得尊重，因此妻子只能在岸上等待。

我的一生推動外交與參與國際事務的工作，可以說是繞著地球跑，我也要特別感謝妻子方瑀的全力協助。我出任青輔會主委時，她沒陪我出過國。在交通部長任內曾陪我到日本參觀北海道至青森的海底隧道，後也應邀訪問大韓民國及南非，這都是上述國家的交通部長、郵電部長及夫人很正式的邀請。等我後來擔任外交部長三年、行政院長五年多、副總統四年、中國國民黨主席五年多，她陪我出國的次數愈來愈多。外交的出訪，看起來穿著亮麗光鮮，但其實背後是很辛苦的，經常早出夜歸，參加各式官方行程拜訪與宴會。事先的打理、提醒、照顧，可說是無微不至，對我的工作真的幫助很大。因此做為外交官夫人的酸甜苦辣，真是不足為外人道。她在美國康乃狄克大學取得生化碩士，後來在東吳大學教中國文學，也喜愛寫作，但因為我從政的關係，她把自己的專業及喜愛的工作都捨棄了，相夫教子。等到年歲增長，我更能體會有她為伴的重要性。我衷心感謝她多年一貫的付出，要為她拍手，按個讚，給她鼓勵。

注釋

1 編注：鄧權昌擔任駐賴國大使的時間從一九八九年到一九九七年。

第六章——省政工作展抱負

在我的公務生涯中，緊接著外交工作而來的就是省政工作了。民國七十九年五月二十日，中華民國第八任總統李登輝先生、副總統李元簇先生在台北宣誓就職。二十九日，郝柏村先生獲立法院同意出任行政院長。三十日總統任命新的內閣，錢復先生接替我出任外交部長。是日，中國國民黨中央常務委員會議也通過提名我出任下一任的台灣省政府主席。

當時，台灣省議會及台北市、高雄二直轄市均極力爭取對於省主席及市長任用行使同意權。因此新任行政院長郝柏村隨即邀集中央委員會祕書長宋楚瑜（一九四二年生），台灣省主席邱創煥（一九二五～二〇二〇）、我、內定出任高雄市長的吳敦義（一九四八年生）、高雄市議會議長陳田錨（一九二八～二〇一八）、行政院祕書長王昭明、即將接任經濟部長的中央組織工作會主任蕭萬長和即將接任組工會主任的陳金讓（一九三五年生）、台灣省黨部主任委員王述親（一九二〇～二〇〇〇）、高雄市黨部主任委員黃鏡峰（一九三〇年～二〇一二）等，就省、市議會要求對省主席、市長行使同意權一事，舉行新內閣首次黨政協調。會中決定：該案因政治層面高於法律層面，應由政治層面考慮，以符合民意要求，同意省、市議會對於新任省主席、新任高雄市長人選行使同意權。

為此，內政部加速完成《台灣省議會組織規程》、《台北市各級組織及實施地方自治綱要》、《高雄市各級組織及實施地方自治綱要》、《台北市議會組織規程》及《高雄市議會組織規程》等五種法規命令的修訂工作，並火速函報行政院核定。

我獲提名為新任省主席後，也安排時間與新聞界晤面。記者們首要關切的就是「在省議會爭取同意權的情況下，您如何和諧府會關係」？我的回答是：「基本上我贊成省議會主張，這也是比較民主、開放的做法，經議會行使同意權同意的首長，在府會運作方面，理論上應比較平順。」記者當場追問我對獲得省議會同意把握如何，我對此表示，在行政院院會通過後、省議會行使同意權之前，我願意走訪省議會以尋求支持，我也計劃在院會通過我的新職任命後，即刻展開拜訪工作，爭取省議員們的支持。六月一日，行政院院會通過內政部所提《台灣省議會組織規程》等五種地方自治法規部分條文修正草案，明定台灣省主席及直轄市市長之任用，由省、市議會行使同意權。是日上午，我也在行政院政務委員黃昆輝（一九三六年生）的監交下，將外交部長一職移交給新任錢復。

在黨務系統的協助下，我從六月二日起展開全省密集拜會省議員之行，希望以親身登門拜訪請益，能順利獲得省議會的同意任命。我在三位組工會副主任許文志、謝隆盛及孫國勛及省、縣黨部有關人員陪同下，一一拜會各黨籍的省議員，除了西部縣市外，宜蘭、花蓮、台東及離島的澎湖縣，我都親自登門一一拜訪，我除了爭取省議員支持外，更希望多與各地民眾接觸，傾聽基層的聲音，以供到任後施政參考。

在我全省之旅途中的六月七日，行政院院會通過郝院長提議，提名我為台灣省政府委員兼主席，將函請台灣省議會行使同意權後，依法呈請總統任命。

院會通過我的人事案當天，我繼續展開拜會行程，記得在故鄉台南市停留時，我還特地前往台南市中山公園向祖父雅堂先生的銅像行禮致敬，我心中也默禱先祖父在天之靈，能助我在未來省政工作順利，以造福鄉梓。

六月十一日，台灣省議會安排聽證會，邀請我進行施政抱負報告，但由於民進黨籍省議員做程序杯葛，因此原定三點開始的報告拖到傍晚六點八分，我才上台。像這種在野黨的杯葛動作，我在內閣服務期間列席立法院早已見怪不怪。即使在全省之旅拜會時，絕大多數在野黨省議員以禮相待，只有一位台北縣民進黨籍女性省議員家裡大門深鎖，但是首次省主席上任前被要求行使同意權，在野黨的省議員要做點動作，表示點聲音，爭取媒體報導，我是能理解的。

我上台報告對「台灣省政的展望」時，首先強調：新任省府主席必須先經過省議會投票決定，才能正式任命到職，這是一個開明進步的決定，我衷心希望能接受這一次民主的洗禮，以認真的態度，面對大家的檢驗，也懇切希望，能得到省議員們的肯定和認同。我說，如果我能夠接棒省政衝刺，自必全力以赴，承繼過去成就，開拓新的境界，為省政的持續發展，完成新的階段性任務。

我並提出下列四個方向，懸為工作理念：

一、**以民為主**：切實的尊重民意。現在，服務公職的都是公僕，不是做官。省政府主席也只是一個省政服務團隊的領隊或工頭，需要帶領全省公務員，隨時順應民意，接受民意的監督，為省民服務。

二、**依法行政**：切實的依法行政。省政府是國家整體行政的中繼站，要秉承中央的政策，也要為全省各縣市的榮枯得失負其全責，而省政建設經緯萬端，都要兼顧國家的政策和民眾的願望。如何權衡至當，無偏無私，唯有崇法務實，開誠布公，信守原則，端肅風氣，確立公信，建立共信，才能彰顯施政的目標，落實施政的績效。

三、**求根務本**：盡量避免捨本逐末。台灣數十年來的縱向發展日新月異，而橫向發展則顯有不足，諸如貧富差距，物質與文化建設的差距，工商業與農漁發展的差距，城鄉榮枯的差距，都有顯著的問題存在。年來治安的惡化，民情的浮薄，價值觀念的混淆，鄉村人口的流失，隨波逐流者愈多，求根務本者愈少，都是一些偏差現象的表面化；這是社會的危機，也是省政的難題，今後唯有改弦易轍，求根務本，正本清源，謀求突破扭轉，才有效果。

四、**創新致遠**：盡量避免抱殘守缺。政府是為民眾而存在，政治是以改善人民生活、增進人民幸福為目的，消極的方面要解決目前困難，積極的方面要創造未來的發展，不但要看到當下現在，更要謀及子孫後代。省政是一棒接一棒的長期發展，每一任都要守成，更要能創新，有前瞻，有遠景，日新進步，不容停滯落後，亦不容偏差。

說明上述四項工作理念後，我提出今後省政建設的重點構想，做為未來著力的藍圖：

一、**政治建設方面**：致力省府組織合法化，地方自治法制化，提高行政效率與改進服務品質；擴大民眾參與，健全民主選舉。

二、**社會建設方面**：著力於維護社會秩序，確保省民生活安寧，提高環保意識，防治各種汙染；推展社會福利，辦好社會保險；擴大醫療網路，促進醫療保健；和諧勞資關係，強化國宅政策。

三、**文化建設方面**：注重認識史蹟源流，加強人文扎根；端正禮儀倫理，重建精神文明，倡導讀書風氣，提升精緻文化；均衡文化教育，興建文教機構。

四、**經濟建設方面**：著重於重要經建的執行，均衡地方發展；暢達交通，發展運輸；促進農業發展，增進農民福祉。

迎接台灣民主化的躍進

十二日，台灣省議會依議程排定召開大會，行使省主席任命同意權，這是省議會有史以來，第一次對省主席提名人選行使任命同意權。大會上午開議後，由於民進黨籍省議員們藉詞數度「杯葛」，會場也不斷掀起緊張火爆場面，一直到近午，始採無記名投票方式，進行既定議程，民進黨籍省議員仍有抗爭動作，但對投票並無大礙，結果在全體七十七位省議員中，計有六十六位領票，同意票為六十張，不同意票一張，廢票兩張，未投票三張，得票率達百分之九〇·九一。省議會本屆七十七席議員中，中國國民黨籍者占五十六席，民進黨籍者占十六席，無黨籍者占五席，從投票結果看來，國民黨籍的五十六票極可能均投下同意票支持我，另有無黨籍省議員也投了四票支持我。一般認為連日來，我分赴各地拜訪省議員，我的人品修養、學歷經驗、誠懇態度，以及公開表達支持省議會對省主席人選行使同意權觀點，受到大多數省議員的好評，加上本黨省黨部和省議會黨團運作成功，化解原持反對態度議員意見，因而得以順利過關。

是日，李總統發布命令：「台灣省政府委員兼主席邱創煥辭職已准，應予免職。任命連戰為台灣省政府委員兼主席。」而邱創煥院長另有任用，後來高升考試院院長。

台灣光復後，台灣省政府的前身機關為台灣省行政長官公署，台灣省政府於民國三十六年五月十六日成立，第一位官派省主席是魏道明（一九四七年五月十六日～一九四九年一月五日），接續是陳誠、吳國楨、俞鴻鈞、嚴家淦、周至柔、黃杰、陳大慶、謝東閔、林洋港、李登輝、邱創煥。謝東閔先生在民國六十一年六月六日，由台灣省議會議長升任台灣省主席，這是中央首次開始，由第一位台籍人士領導台灣省政，一直到我連續五任都是台籍人士出任此職。到我接任時，算是第十三任。之前的十二任，都是由行政院派任，未經省議會同意任命，由這段任命過程的改變，也記載著台灣民主化的進程。

在李總統發布命令後，至是我已如願能夠接棒省政衝刺，我自將實踐十一日在省議會聽證會所作施政抱負報告的承諾，秉持以民為主、依法行政、求根務本、創新致遠四項工作理念，貫徹始終，來從事省政建設各方面的工作，以改善人民生活，增進人民福祉。我是台灣建省以來第一位具有民意基礎，而非純由行政院一紙官派命令就上任的主席。

對我而言，這是一份極大的殊榮，省政工作也是一項不小的挑戰，我當然要竭盡全力來迎接這項工作挑戰，以為故鄉台灣貢獻。

十四日李總統發布台灣省政府人令：任命李厚高為台灣省政府委員兼祕書長、林豐正為委員兼民政廳長、林振國為委員兼財政廳長、陳倬民為委員兼教育廳長、許文志為委員兼建設廳長，孫明賢為委員兼農林廳長，張賢東、陳正雄、林淵源、張麗堂、施金協、蔡鐘雄、徐鴻志、李文來、黃正雄、陳進興、楊寶發、王仁宏、王人傑、柯芳枝、麥春福、林俏廷為委員。

十六日上午，台灣省政府主席交接典禮在中興新村台灣省訓練團中正堂舉行，我從主持典禮的行政院長郝柏村手中接過印信時，也同時接下綜理省政建設的重責大任。

郝院長在典禮致詞中指出，為提升行政效率，今後對於省、市政府的重大建設，中央有關部會將同時配合計畫作業，以縮短兩層次作業流程，來大幅度提高行政效率，並期勉我今後在推動省政工作上，要做到貫徹中央政策，發揮團隊精神，爭取民意支持，促進整體發展。郝院長也說，行政院推動的加強維護社會治安、推動社會福利、維護勞

民國八十二年二月十二日，行政院郝柏村院長前來省府辭行。

工權益等十二項施政重點，希望省府充分配合、協助貫徹執行，以落實中央政府的既定政策與工作計畫。此外，郝院長亦指示省政運作必須注重整體性，尤其對各縣市地方建設應一視同仁，對偏遠地區建設與民眾生活關懷，應特加重視，中央自當給予最大支援。並希望今後省、市加強與中央部會的聯繫協調，也多與縣市地方溝通，以服務心態加強幫助縣市地方建設，結合中央、省與縣市力量，團結合作。

我在接印後則表示，自己將以無比的使命感與責任心，全心全力來推動省政建設工作，創造省民更多更大的福祉，促成省政建設更繁榮、更進步與更發展。隨後，我在省政資料館親自主持建設廳卸任

出席省議會施政報告。

廳長李存敬（一九二六～一九九五）、新任廳長許文志交接暨宣誓典禮，並擔任監交人。接著在該館舉行接任後首次的省政記者會。我在致詞中除了重中六月十一日向省議會提出的四項工作理念外，我又提出三項省政工作目標就是服務的行政、團隊行政、革新的行政。

我也特別拜託新聞界朋友們，能秉持春秋之筆，樹立正義標竿，對善良光明的民眾，凡見義勇為、救難助困、扶弱濟貧、熱心公益、愛國愛民的優良事蹟，以及模範家庭、模範母親、孝行楷模、傑出青年、軍公教模範等善良民眾，多加鼓勵、慰勉；對社會作奸犯科、違法乖戾的份子，一本除惡務盡的決心，口誅筆伐，規過勸善，發揮暮鼓晨鐘、警世木鐸的教化功能。而在省政府方面，我強調自己今後將虛心受教，廣徵大眾的意見，貫徹中央的政策，並博採民意的建言，採納輿論的評言，做為施政的方向，希望我們大家分工合作，群策群力，使台灣堅實精進、省民富裕康樂，營造一個國內外大家都讚美誇獎的文化省。最後，我以：「本人當抱持恭敬服務桑梓素志，克盡所能，全力以赴，敬請各位新聞界朋友，給予本人及省屬同仁多予指教支持，加強施政報導，共同建設美麗繁榮台灣，開拓壯闊光明的前途。」做為致詞的總結。

傾聽各地鄉親心聲

我於民國七十九年六月到台灣省政府服務，八十二年二月，行政院內閣總辭，我也和全體省政府委員依規定向行政院提出請辭。算起來，我在中興新村為省民打拚了兩年又八個月。

十二月二十八日，我特別說明為配合當前環境需要，釐訂八項省政建設重點方向，做為今後努力方針，一、**結合民意，落實省民福祉**。二、**增進行政效能，提高服務品質**。三、**強化治安，維護社會安寧**。四、**整體規劃，加速推動建設**。五、**改善農業生產，建設富麗農村**。六、**廣建國宅，加強社會福利**。七、**落實環境保護，和諧勞資關係**。八、**均衡教育，發展精緻文化**。省政

府呼籲基層多予配合，使省政建設達到求根務本、創新致遠的境界，真正實踐這兩項工作理念。

記得民國八十年三月二日，我在接見國內主要媒體負責人時，特別指出今年是省政建設行動年。四月二十三日接待全國傳播及電視界單位主管人員時，我也指出新的一年是政府在政經重大建設上的行動年，包括正進行修憲、地方自治進一步法制化、行政區域調整、中央與地方權責釐清、地方行政層級組織調整，以及六年國建計畫的即將實施等；同時新的一年也是經建成果的驗收年，包括南迴鐵路全線即將在

民國七十九年九月二十日，視察鐵路地下化松山段工程，交通部政務次長馬鎮方（右二）、鐵路局長董萍（右一）陪同。

年度內完工通車，環島鐵路網因而即完成；西部濱海公路、台三線縱貫公路、河海堤興建及區域排水等第一期工程，均即將在這一年的六月底完成，並接著展開第二期後續工程，因此可以說是檢驗經建成果的收穫年

與時任行政院長的郝柏村先生一同出席南迴鐵路通車典禮。

於屏東枋山出席南迴鐵路中央隧道貫通典禮。

份。對於南迴鐵路的興建，原本我在交通部任內就積極規劃，還記得當時也有反對意見，認為投資成本高，回收利益不大。但我認為小小的台灣，如能將環島鐵路網完成，還是福國利民的建設，因此在省主席任內，能眼

與妻子前往慰問桃園景仁殘障教養院。

與妻子一同參加省府舉辦的文教活動。孩子們歡笑的臉龐，推動建立祥和社會，是我不斷努力的動力。

見南迴鐵路通車，我是無比欣慰，記得我還特別陪同李總統親自搭了這段火車。

在中興新村負責省政工作，是我公務生涯中最直接貼近全省父老鄉親的一段歲月，既能傾聽各地省民同胞最坦率最真實的聲音，亦能以最迅速最妥適的方式協助省民排除各種難題。每當看到他們洋溢著滿意和謝意的歡愉笑靨，我總立刻被感染，除了有種踏實的感覺，更多的是由衷的感恩。我時時銘記和感激國家社會與師長們對我的愛護與提拔，給予我這樣一個為地方效力、為父老服務的機會；我同樣銘記和感激省府及省府機關（構）的全體工作夥伴，還有全省各地省議員、縣市議員們鞭策，雖然大家有黨派之別，但是為省政建設的精進與省民福祉著想，我們都盡心竭力於各自崗位上，攜手並肩締造這一段充實美好的回憶。

台灣省政府工作成績回顧

在台灣省政府工作成績回顧，我想以政治、經濟、社會及文化四大項的具體數字來作說明：

一、政治建設

（一）深入基層廣求民瘼

我平均每週大約下鄉兩次，遍訪全省二十一縣市，將近三百次，廣泛徵詢聽取地方興革意見，列管追蹤，協助解決三百餘件。還經常邀請縣市長、鄉鎮市長、村里長、鄉鎮市民代表、農漁會理事長、總幹事、社會團體與宗教團體負責人等，分梯次訪問省政府，舉行座談，多達八千七百多人次，每次座談都邀請郝院長蒞臨指導，他都全程參加，所有基層反映的真正心聲直達中央，許多問題當場解決，其他的也全部列管追蹤。

（二）妥善處理陳情訴願

我到任後即於省府委員會議提示：重大民眾陳情意見，應指定有關首長予以接見，有效解決。前兩年半，受理首長會見民眾案件三百九十九件，會見解決者兩百一十七件，餘由業務主管機關適當處理函覆。另統一列管予省府受理之人民陳情案件兩萬五千餘件，年度平均結案率達百分之九十九以上。關於人民訴願，我要求秉持情、理、法兼顧之原則妥適處理。省府訴願委員會八十一年度較七十九年度審結案件增加約百分之四十三。我們對於民瘼的處理績效，郝院長曾多次在公開場合講話嘉勉。

（三）地方自治財源

1. 建議中央儘速修正〈財政收支劃分法〉，以早日協助地方改善財政困境。
2. 補助取得公共設施保留地，至八十一年十二月底已核定補助三千零七億元，對地方公共建設助益甚大。

3. 推行鄉鎮公共造產，以增裕地方財源。我曾舉例指出，嘉義縣阿里山鄉公所經營旅社賓館事業，每年有一千多萬元的收入，值得參考，省府應輔導各鄉鎮加強辦理。七十九年秋，全省三〇九個鄉鎮市中，二九七個有公共造產事業。八十一年度，省府公共造產基金共計核貸九千四百萬元。八十二年一月十八日我在省府首長會談中，指示民政廳：研究公共造產基金選擇財政短絀之鄉鎮三十至五十個就其地方特色，協助規劃發展公共造產，以裕財政，加速地方建設。實施公共造產之收益，七十九年度收益為五億五千餘萬元，八十年度為六億九千餘萬元，八十一年度為八億餘元，節節攀升，給鄉鎮公所增加不少財源，以推動地方建設。

4. 輔導縣市及鄉鎮市開闢非歲課財源，包括徵收工程受益費、辦理市地重劃、變產置產、公共造產、獎勵民間興建公共設施及開發其他各有資源。八十一年度此項開闢非稅課財源效益共計五百二十八億元。

5. 公庫存款計息，自八十二年一月一日實施，八十一年度縣市及鄉鎮市分別增加二十二億元及五億餘元。

6. 減輕地方工程配合款。

7. 中央及省對縣市天然災害補助。

8. 增加對縣市、鄉鎮市補助，首府對縣市、鄉鎮市財政補助經費之財政廳主管部分，自七十八年度之兩百八十三億四千萬元，遞增至八十二年度之四百六十一億三千萬元。所謂巧婦難為無米之炊，我到任後十分清楚地方財政的困窘，影響到建設推動，因此我才從上述這些方案，多管齊下為地方開闢財源，出發點絕對是該花的一定要花，絕不允許浪費，不要出現後來被遭批評所謂的蚊子館，讓地方首長更順利推動地方建設，實現政見，造福省民。

（四）便民措施民眾至上

1. 台灣省土地重測，面積如與權狀不符，採取合情合理的「多徵少補」措施，力求正確，而且有效補救，大為便民。

2. 公司設立或變更登記案件，七十五年時平均需六至七天，七十六年因手續簡化，縮短為二至三．六天，我擔任省主席時全面實施電腦作業，每件僅需〇．二天，大大的簡政便民。

（五）積極救災苦民所苦

台灣因地理天然因素，地震颱風天然災害不斷，每逢天然大災害，災民損失嚴重，亟需政府出手相助。七十九年六月我上任未久，就碰上歐菲莉颱風肆虐，山崩土石流淹沒，沖毀花蓮縣秀林鄉銅門村，罹難者三十六名。翌日我冒著強風豪雨趕往花蓮，協助地方救災。李總統也親往巡視，並指示辦理村民遷村工作。這是突然而來的挑戰，省府特撥款兩千六百餘萬元予以補助，配合各界捐款七千餘萬元，在吉安鄉南華地區迅速建立博愛新村，使劫後災民有安全的住所。為避免類似災難重演，我指示對其他有安全顧慮的七個村落也辦理遷村工作，並對九十四個村落，加強防災的各項措施。

（六）檢討不合時宜法規

我曾強調：省府施政，一定要依法行政，雖有說惡法亦法，但隨著時代變遷，如有不合時宜法令，務必要以積極、主動、負責的精神與態度來加以修改，但在未修正前，仍應堅持法令規定，依法行事，貫徹執行。如有違背法令事實，亦應依據相關事實及法令規定，依法處理。

1. 不合時宜之法律，詳加檢討，提供中央做為修法時的參考。例如有省議員反映：道路工程受益費的徵收往往不合理，有些被徵收受益費的業主，不但未受實益，反而遭受損害。我分析後認為，這種不合理現象，必須檢討改進，但我也強調：基本上，徵收工程受益費做法應予維持，而無直接受益地區不該徵收受益費，應予檢討，提供中央做為修法時的參考。
2. 檢討省法規，依該修則修、該廢則廢、該訂則訂之原則，每年均訂定年度法規整理作業計畫，檢討整理省法規。另為配合中央於八十年終止動員戡亂時期，亦首度大規模檢討省屬法規，以合時宜。

3. 檢討整理省府各機關所訂定之要點、須知、注意事項等行政命令，對不合時宜或已無實用性者均予以修正或廢止。

4. 健全國家賠償業務：我到任後，每年印製〔請求國家賠償須知〕加強對國家賠償之宣導。七十九年十二月提高省屬機關及縣市政府、鄉鎮市公所得逕行決定國家賠償金額之限度。

（七）取締違法伸張公權

郝院長上任後、格外重視治安工作，行政院召開治安會報我都親自出席，以求中央地方一心貫徹。在省府我也每月主持台灣省治安會報，我具體要求取締違法，保障合法，應本權責行使公權力，以維護政府的威信，同時必須講求執行方法。建設廳就根據我的指示，就舞廳、酒家等八種行業，就其是否合法領照、防火、避難、消防設施是否合格，全面清查，限期改善，否則予以斷水、斷電等處分。

（八）擴大對縣市政府之人事授權

並積極研議修正各縣市政府及鄉鎮市公所組織規程準則，以完成組織編制的合理調整，因應基層業務不斷增加之實際需求。此外，充實基層工作條件，提高村里長退職酬勞金及村里長每月事務費，並增加戶政人力，以提高服務效能。

二、經濟建設

（一）建設富麗農村、一鄉鎮一特色

這是我任期內貫徹執行的農業發展重要政策，包括農業、農民、農村發展的「三農」三個方面，簡稱三農政策。

1. 農業生產企業化方面：⑴輔導耕作栽培：規劃輔導良質米栽培，輔導代耕營隊，輔導建立良好輪作制度。⑵推動農業全面機械化：新設穀物乾燥中心十處，補助各型農機，以提高農業生產力。⑶成立企業化生產區二十七個。⑷繼續農地重劃。⑸輔導三〇九鄉鎮發展一鄉鎮一特色，對於農特產品的加工，也辦理了五十一個系列輔導計畫。⑹農地利用改善：在全省九十一個鄉鎮輔導設置現代化產銷設施，受益農戶三萬八千餘戶。⑺稻米生產及稻田轉作後續計畫：有效維持稻米產銷平衡，及市場合理穀價，改善提高農民收益。⑻改進蔬菜產銷專案計畫：加強輔導原有蔬菜及增設夏季蔬菜生產專業區，輔導設置重要經濟果樹生產改進示範園。⑼輔導運銷：輔導農民團體辦理共同運銷與直接運銷，減少中間剝削，成立五十六處農產品展售中心，輔導辦理蔬菜、青果、花卉、禽畜、毛豬、羊隻共同運銷。

2. 在農民生活現代化方面：⑴發展休閒農業：在全省四十八個鄉鎮設置十六種觀光農園，省府並選定新設休閒農業區十一處，另輔導完成二十一處休閒娛樂區，辦理休閒漁業規劃，補助休閒漁業區兩處。⑵農漁村社區改善：包括實質環境改善、貸款修建農宅、補助整建農宅，輔導農漁村文化發展，規劃調查坡地農村社區及建設，辦理保育利用工作。⑶辦理農村社區更新：以台中大安松雅農村社區為例，經以農地重劃方式辦理更新後，有完整道路、排水、電力、電信系統，並增加公共設施用地九千七百餘平方公尺，社區環境煥然一新。⑷拓寬重劃區路面：拓寬農路至四公尺以上，並將農路併行之水路配合施設混凝土U型溝，路面則加鋪級配。對農業機械化的推廣及農產品運銷，助益甚大。四公尺以上重要農路全面鋪設柏油，路肩並施設擋土牆。此外，漁產養殖區道路改善及給水、排水改善，並積極興建產業道路。

3. 農村生態自然化方面：⑴防治畜牧汙染：輔導辦理畜牧汙染防治設備五千一百餘戶，輔導各縣市牧草生產。辦理地區農牧複合經營十處，減少汙染。⑵推廣綠化：建立坡地植生工法示範區，補助縣市坡地環境綠化，全省坡地農場綠化示範區十處。⑶發展森林遊樂區：八十一年度起投資整建及充實二十處森林遊樂區。

4.其他重要措施包括：⑴自七十九年六月起至八十一年底止，共收購稻穀一七二點五萬公噸，直接增加農民收益四十五．八億餘元。⑵肥料代運服務：省府辦理肥料代運到家，節省農民領肥時間、勞力及運費，甚受好評。⑶執行沿海近海漁業資源保護及培育中程計畫：投放人工魚礁，設置漁業資源保護處二十五個，放流魚貝介種苗及取締非法捕魚等，另編列預算收購船齡十五年以上老舊漁船。⑷興建漁港船澳。⑸治山防洪：八十一至八十六年度，預定投資兩百九十四億元，辦理東部及蘭陽地區與西部地區治山防洪工程。

（二）推動國建六年計劃

配合行政院推動六年國建計畫，省負責其中的三百二十九項計畫，八十一年度編列一千零八十一億元經費辦理，八十二年度繼續編列一千九百三十六億元加強推動辦理。

（三）拓展交通網路

1. 鐵路方面：⑴南迴鐵路營運：南迴鐵路於八十一年十月正式營運，台灣地區環島鐵路網至此終告完成。⑵山線鐵路竹南至豐原雙軌工程，於七十六年動工，預定於八十五年底竣工。⑶東部鐵路改善計畫：主要包括宜蘭線鐵路電氣化、北迴鐵路雙軌及電氣化、基隆八堵至台東路線重軌化與號誌自動化等。

2. 公路方面：⑴西部濱海快速公路計畫：北自關渡橋淡水端，南迄高雄縣市交界的北堺橋，全長三百六十七公里，提升為快速公路。⑵西部走廊十二條東西向快速公路計畫。⑶台一線及台三線公路改善。⑷捷運系統規劃：台中及台南都會區捷運系統於八十一年規劃完成，桃園都會區捷運系統於八十二年三月規劃完成。⑸生活圈道路系統建設：完成全台十八個生活圈道路系統興建規劃作業，其中台北近郊及高雄近郊二個生活圈工程繼續進行中，餘亦次第實施。(6)村里聯絡道路改善：自八十年度起，分三年積極辦理，共編列二十七億元經費。

3. 港埠方面：(1)淡水國內商港第一期工程計畫。(2)港埠設施改善。(3)安平港開發計畫。

（四）加速地方經濟建設

1. 推行台灣省均衡地方經濟發展第二期計畫：自八十一至八十三年度實施，經費共一百三十五億元，由中央與省各負擔一半，建設項目包括：(1)產業運輸交通計畫，(2)農業公共設施，(3)觀光遊憩活動設施，(4)其他公共設施。

2. 一般小型零星工程計畫：由鄉鎮市公所執行，每件均在五十萬元以下，與民眾日常生活最密切。八十年度編列此項基層建設經費為十億元，以後兩年度均曾為十五億元，績效顯著，頗獲民眾好評。

3. 產業東移：通過二十三項產業東移實施計畫草案，列入東部區域計畫第一次通盤檢討辦理規劃。

4. 推行公共造產。

（五）廣建國民住宅

八十一年度興建一萬五千戶，八十二年度興建兩萬五千戶；並以專案計畫方式，在基隆市海濱（八尺門）國宅社區首度大批興建原住民國宅一百九十戶，另台南市大道新村等七個眷村之更新計畫，會同國防部及台南市政府積極辦理。

（六）加強省有財產清查管理

1. 省有土地清查：計有三〇・一萬餘筆，面積七・三萬餘公頃，以八十年公告地價計值六千八百零四億元，均建檔納入電腦管理。

2. 加速開發海埔新生地：包括新竹香山、嘉義布袋、苗栗通霄、彰化芳苑及大城等海埔新生地開發。

3. 省有河川新生地清查開發：自八十一年度起，兩年間清查結果，共登記取得省有河川地一‧一萬餘公頃，分別擬定使用計畫，交由有關單位開發使用，價值達四千五百億元，增闢省庫資源，我認為這是我任內一項非常值得欣慰的成果。

（七）區域計畫及都市計畫

1. 區域計畫：完成台灣省負責擬定之中部及東部區域計畫第一次通盤檢討。

2. 都市計畫：完成都市計畫通盤檢討八十處，面積五‧三萬餘公頃；完成老舊都市都市計畫書圖重製計十二處，面積六千九百二十四公頃；完成都市計畫定樁二十四處，面積四十九‧五三平方公里。

（八）實施容積率管制

至八十一年十二月底止，台灣省實施都市計畫地區訂定容積率管制者有二百六十六處。

（九）都市計畫公共設施用地取得及建設

至八十一年十二月底已取得公共設施用地七千八百四十五公頃，占預定取得面積八千一百零六公頃的百分之九十六・七八，實際發放經費達四千五百三十億元，所需建設經費約一千七百零四億元。

（十）區段徵收地利共享

自八十二年度起，辦理區段徵收五年計畫，分二十五區，面積三千三百三十公頃。政府可無償取得公共設施用地一千一百六十六公頃，節省地價費四百六十六億元及開發經費八百二十二億元。

（十一）水資源開發與防洪

1.台灣地區水資源開發計畫：即水庫開發及集集共同引水計畫。

2.防洪部分：包括興建河海堤八百餘公里的河海堤新建計畫、改善台灣省一千一百零八條區域排水的整治計畫、保護八十八萬平方公里土地的台北地區防洪計畫三期工程、大里溪治理計畫、改善屏嘉雲沿海地層下陷地區潮害計畫、改善員林地區排水工程等。

三、社會建設

（一）同心推動建立祥和社會

1.加強民主法治教育，重建倫理道德：輔導各級學校辦理民主法治教育，加強推行公民生活教育，並加強社區文化建設，在全省四千兩百七十八個社區舉辦各項民俗、文化及育樂活動。

2. 強化福利行政，增進民眾福祉：儘管省財政並非十分寬裕，卻編列巨額的社會福利經費，並且持續大幅成長，八十至八十二年度分別為二十三・二億元、三〇・四億元、三十四・八億元，並特別重視對精神病患、植物人、殘障者及婦女、兒童、低收入戶等弱勢同胞的照顧。例如：低收入戶最低生活費用標準，七十九年度為每人每月三千兩百元，八十年調高為三千八百元，八十一年再調高為四千三百元。當時省府自八十年度起編列巨額預算，辦理低收入者就學、就養、就醫、救助、安居扶助，此外，當時全省領有殘障手冊人口十八萬餘人，除輔導設置殘障教養機構，增加收容床位八千八百餘床，提供六千五百七十一個居家生活補助機會，並輔導台灣省各義務單位進用殘障者八千餘人，另收繳差額補助費九・七億餘元；對未獲收容之重殘者，則按月依最低生活標準給予生活補助費。另外，針對我國即將邁入世界定義的高齡化人口國家，當時全省六十五歲以上人口有一百零八萬六千餘人，省府亦訂有安老計畫，積極推動以因應需求。省府辦理中低收入老人醫療補助已達六千餘萬元，輔導日間托老服務人數十三萬一千餘人次，對孤苦無依、長期生病乏人照顧及行動不便者提供居家服務，八十一年度提供四．五萬人次。我曾在首長會談中，指示社會處加強老人福利之實施，研究對年滿六十五歲以上無義務撫養人老人，或雖有義務撫養人，而年收入未達國民收入最低標準的一．五倍者，給予每月三千元的補助。因此後來有八十二年二月通過實施的台灣省中低收入戶老人生活津貼每人每月三千元之發放，當時在各級政府的社會福利政策中，應該算是一種創舉。我記得當時要求社會處長洪德旋提出祥和社會方案，為照顧中低收入的省民，這個方案推動後，也受到中央部會與立委們的關注，後來行政院及立法院也陸續立法跟進，讓需要受照顧層面更廣泛。

3. 增進調解功能，促進社會和諧：我對鄉鎮市區調解業務非常重視，特於七十九年九月在省府舉行兩梯次的全省鄉鎮市區調解委員會主席業務座談會，期勉與會人員要秉持積德行善、不求回報的工作理念，主動積極，無私無我，犧牲奉獻，解決爭端，避免興訟，浪費司法資源，使社會更祥和。這些地方調解會主席，都是在地方上德高望重之士，我藉機除感謝這些地方仕紳的付出，並激勵他們士氣。八十一年度全省受理調解件數四萬六千餘件，成立件數兩萬一千餘件，成立率百分之六十八，調解工作的質與量均有顯著提升，讓當事人不必因此上法院，對安定社會，已收正面效果。

（二）防治汙染，落實環境保護

1. 舉辦環境清潔競賽：省府於七十九年起三次舉辦此項競賽，每次均約有三百萬人次實際參與，並帶動甚多社會團體及環保義工響應參與，提升民眾環保意識。
2. 推動垃圾處理第二期計畫：八十至八十五年度，預計投資五百六十餘億元推動此項計畫。
3. 加強重要河川汙染防治計畫：針對台灣省較具汙染性民營事業、醫療事業、養豬事業、電鍍工廠、工業區等專案列管一・四九萬餘廠場，已改善〇・八九萬餘廠場。

4.列管空氣汙染：列管工廠一・〇六萬家，督導改善〇・七八萬家，另針對高空氣汙染性的瀝青業及磚瓦窯業，重點列管兩百八十八家，預定在八十二年六月底全數督促改善合格。

5.土壤汙染防治：八十二年度預定完成一・二萬公頃農地之重金屬篩檢，並追查汙染源。

6.興建雨水下水道工程及汙水下水道工程，在八十一至八十六年度興建雨水下水道一千四百四十五公里，投入經費三百九十六億元，讓接管普及率由百分之二〇・六提高為百分之五十二。至於汙水下水道經費也編列七百九十億元，使普及率由百分之一，提高為百分之十。以淡水河整治為例，台北縣、市政府獲中央補助接管率已經跑在前頭，因此台灣省也要急起直追，在省府爭取下，後來行政院也對二十三縣市陸續提出補助。

7. 營建廢土管理：八十二年度編列一億元經費，協助縣市政府辦理營建廢土管理，並獎勵私人設置棄土場。

（三）積極防制犯罪，維護社會安寧

自七十九年七月至八十一年十二月止，台灣省刑案偵防，共計受理十六・三萬餘件，破獲十二・四萬餘件，破獲率百分之七十五・八七。其中，暴力犯罪發生〇・七萬餘件，破獲率達百分之八十四・六四；竊盜案件發生六・二萬餘件，破獲兩萬五千餘件，破獲率百分之四〇・〇一。另取締雛妓、販賣人口及妨害風化行為，均依法處理，以維護社會風氣。

（四）增進勞工福利，減少勞資糾紛

1. 迅速疏處勞資糾紛：勞資爭議人數已逐年下降，七十九年達二・一九萬餘人，八十年度減至〇・七九萬人，八十一年一至九月僅〇・四三萬人。另，重大勞資爭議案件均能圓滿解決。

2. 提撥勞工退休金：督促公民營事業單位依法提撥勞工退休準備金及提繳工資墊償基金，八十一年十二月底止，計有十三家事業單位奉准墊付三千一百三十一萬餘元，受益勞工一千九百一十四人。

3. 興建勞工住宅：辦理輔助勞工建購及修繕住宅，七十九年分配七千一百三十二戶，貸出四千一百六十六戶，八十年分配七千六百九十六戶，貸出四千零六十四戶，八十一年分配九千三百一十四戶。

4. 督辦勞保業務：迄八十一年十月底止，參加勞保之單位達三十二·八萬餘個，被保險人計七百六十五·二九萬餘人，歷年支付各項保險給付總額四千九百九十七·六億餘元。

5. 職業災害慰問及勞工諮詢服務。

（五）普及醫療資源，提升服務品質

1. 推動醫療網二期計畫：預計自七十九至八十四年度投資一百八十六億元，充實全省醫療與保健軟硬體工作，其中增擴建及遷建十八家省立醫療院所。

2. 辦理全體醫療服務：開辦一百六十六處群體醫療執業中心，運用醫療基金獎勵民間在醫療資源缺乏之地區設立醫療機構。

3. 加強巡迴醫療服務：服務診療病患十二．五萬餘人次，健康檢查七．三萬餘人次，重病轉介兩百五十七人次。

4. 普設精神醫療設施：於各省立綜合醫院開辦精神科門診十九家、日間留院九家、急性病房三家；另積極開放精神療養院床位。

5. 植物人養護。

（六）降低農保保費，嘉惠農民

農保自七十八年七月一日施行，至八十一年七月底投保人數已達一百六十八萬多人。為減輕農民負擔，農民負擔之保費由百分之四十降為百分之三十，但收支短絀兩百三十一億餘元，需由政府負擔，省府已建議中央補助。

（七）推動山胞社會發展

四、文化建設

（一）普及文化活動

1. 積極輔導基層文化活動：八十至八十二年度，共編列二·四億餘元，補助各縣市文化中心及鄉鎮市區圖書館辦理基層文化活動。
2. 推動藝術欣賞教育：八十至八十二年度，共編列一·二億元，積極推動美術、音樂、舞蹈各項藝術欣賞教育及各類演藝活動。
3. 弘揚傳統藝術：每年均補助各縣市及各級社教機構辦理傳統技藝研習及展覽

活動，八十年度起並推動輔導民間表演藝術活動。

4. 倡導讀書風氣：台灣省有十九個縣市文化中心，及兩百六十所鄉鎮圖書館。當時省府努力已達成鄉鄉有圖書館為目標，推廣圖書館利用教育，普遍設置圖書巡迴站，利用巡迴書箱服務社區民眾，兩年共辦理各項優良圖書巡迴展三百一十七場次，展出一千三百零四天，參觀人數達八十九‧三八萬人次。

5. 藝術下鄉：例如省立交響樂團推出藝術下鄉露天音樂會，兩年共巡迴全省各地演出一百八十七場次，共有二十八‧二七萬人觀賞。在此特別一提的是，當時我倡議成立台灣省音樂教育發展基金會，來支持音樂下鄉活動的經費。這個發想是有個背景，記得有次我受省教育廳邀請聆聽一場交響樂團的演出，卻發現團員中怎麼好多位是黃頭髮藍眼睛的外國人，後來細問得知東歐共產國家垮台後，很多音樂藝術家為了生活不得不離鄉背井。當時台灣經濟相對富裕，也接納這些傑出演奏家，同時也可提高樂團水準。但我得知整個樂團經費拮据，因而我和當時的台灣銀行董事長許遠東先生商量，是否一起出面來邀約民間及銀行界一起成立基金會，贊助他們的演出。本身酷愛音樂的許遠東董事長立即贊同，他當時身兼台灣省銀行公會理事長，公屬銀行也都支持，他們負擔一半，剩下的就由我邀約民間好友謝忠弼等一起出資，並推選我的牽手連方瑀出任董事長。當時負責此事的陳澂雄團長很認真推動，他除了照顧全體的團員的生活起居外，還用一部貨櫃車打造成可以伸展成為表演的活動舞台，開往全省各鄉鎮演出，執行音樂藝術下鄉的計畫。我記得他們還曾邀請李前總統夫人曾文惠女士欣賞，在窮鄉僻壤，各階層的民眾不分你我，除了可以聽到熟悉的台灣民謠望春風等外，也接觸到貝多芬等名曲，當時在地方上甚獲好評。

6. 發展各省立社教館之不同特色：如新竹館規劃為民俗禮儀推廣中心，台南館規劃為傳統科技展示等；並發揮全省社教文化工作網路系統功能。

7. 輔導各縣市文化中心設置地方特色文物館。

8. 計劃在台中、台南分別籌建音樂廳及博物館，以均衡文教資源。

9. 輔導成立文教基金會：輔導縣市及省立各社教機構成立財團法人文教基金會。

（二）充實教育經費，提升教育水準

台灣省教育經費大幅增長，七十八年度為三百一十九億元，七十九年度曾為四百五十六億元，自是台灣省教育科學文化支出達到憲法百分之二十五的比率，八十至八十二年度分別為五百三十六億元、六百三十一億元、六百九十五億元（縣市經費未計入）。

（三）促進城鄉教育均衡發展

1. 充實偏遠地區教學設施：省府每年編列十五億元經費，嘉惠偏遠地區，充實教學設施、改善學校環境，以及提高教師素質。
2. 充實國中國小教育設施：八十一年度中央補助一百二十八・六億元增改建國

民中小學普通教室、維護國民中小學學童安全與加強衛生保健、充實國民中小學圖書館（室）及專科教室等。該年中央並補助八．六億元供增建及修建廁所。

3. 增設高中高職：為解決國中畢業生升學問題，當時已徵收第一、二期都市計畫「文高」用地十七處，用以增設啟智學校五所及高中五所、高職四校。

4. 消除二部制教學，七十八學年度全省有七個縣市兩千零五十二個班級實施二部制教學，七十八年度起中央將解決二部制教學列入「發展與改進國民教育第二期計畫」，以謀求全面解決。

（四）發展特殊教育

省府已設立兩所省立啟智學校，及另三所啟智學校籌備處，長程目標則是全省二十一縣市普遍設置啟智學校，全面照顧中重度智能不足學生。並在國民中小學規劃增設特殊教育班，另依需要增設資優及特殊才能教育班，及鼓勵辦學績優之私立中小學設置特殊才能教育班，以連貫資優學生升學管道。

（五）充實體育設施

配合國家體育建設中程計畫補助興建鄉鎮運動公園二十七座，充實四百七十五個社區運動場所及增添設備。另計畫在八十一至八十六年度，辦理綜合球場八百座，經費由省全額負擔；興建體育館、游泳池八十座，經費由中央、省及縣三對等分擔。

（六）增建旅遊設施：主要建設計畫

1. 台灣省新風景區開發建設綱要計畫，北海岸、觀音山、八卦山、茂林四處，總經費十四億元。
2. 西部濱海縱貫公路遊憩系統開發計畫，桃園縣蘆竹等二十七處，總經費二十億元。

3. 第三號省道縱貫公路遊憩系統開發建設計畫，台北縣三峽等十八處遊憩區與高雄縣內門等七處中途服務區，總經費十九億元。
4. 台灣省溫泉風景區開發建設綱要計畫，宜蘭縣礁溪、新竹縣清泉、台南縣關子嶺三處，總經費五億餘元。
5. 冬山河風景區開發建設計畫，總經費九億餘元，由中央、省、縣三對等負擔。
6. 農漁村鄉土旅遊開發計畫：彰化縣芳苑鄉王功漁港休閒農場等三處。

（七）編纂台灣文獻

地方文獻為地方文化之根源，地方文獻工作在地方建設重要性也就不言而喻了。因此，理所當然地，我期盼台灣省文獻委員會能成為國際研究台灣史的重要據點，除了陸續建設台灣歷史文化園區的軟硬體設施外，並督導文獻會更賡續編纂出版《重修台灣省通志》、《台灣近代史》、《台灣先賢先烈專輯》、

《台灣歷史文獻叢刊》等，另為「前事不忘，後事之師」，「往者不可諫，來者猶可追」，及順應民間對二二八事件真相發聵索隱的迫切願望，我特別要求省文獻會將其先後採集之檔案資料、坊間書刊相關記載、採訪所得口述資料編次所成之《二二八事件文獻輯錄》、《二二八事件文獻補錄》，使它成為事件發生四十餘年後政府部門首次輯印相關史料公開發行的專書，可說是公部門研究二二八史料的先河，甚受社會各界的重視與好評。

促進農業「三生」

接著，我談些對省政工作的雜憶與感想。

我於省政府服務期間，依我國政府體制，省政府一方面是執行機關，一方面也是政策制定機關；省政府執行的，是《中華民國憲法》第一〇八條所列「由中央立法並執行之，或交由省縣執行之」中交由省執行及一〇九條所列「由省立法並執行之，或交由縣執行之」中由省執行之事項，而省政府制定政策是一〇九條「由省立法並執行之，或交由縣執行之」之事項。省政府主席的職務，與中央部會首長有所不同，除了前者在省、後者在中央之不同外，前者總攬省政府全盤政務，而後者只負責該部會專責的特定項目的政務。我出任台灣省政府主席，一方面是中央政府任命，另一方面也是通過台灣省議會行使同意權程序的，並且還是通過這項程序的第一人。

在我主持台灣省政期間，省政府的歲出總預算，差不多相當中央政府歲出總預算的一半，前述《憲法》一〇九條「由省立法並執行之，或交由縣執行之」之事項有：省教育、衛生、實業及交通；省財產之經營及處分；省市政；省公營事業；省合作事業；省農林、水利、漁牧及工程；省財政及省稅；省債；省銀行；省警政之實施；省慈善及公益事項；其他依國家法律賦予之事項。所以省政府是總綰全局，執行整個施政的全面，而，省政府所屬機關（構）、學校服務的公教人員總人數達到三十萬七千餘人（據七十九年出版〈中華民國台灣省基本省政資料〉）。這麼一個人數龐大的省政服務團隊，一定需要一些共同信守的工作理念，來引導團隊全體成員從相同的基本出發點起步，並指引大家從事省政建設、增進省民福祉的前進方向，只有這樣，擔任省政服務團隊領隊或工頭角色的省府主席，在面臨時代銳變，問題層出時，才能帶領全省公務同仁，團結一心，眾志成城，克服困難險阻，迎刃解決各種問題，完成省政建設艱巨任務。因此，我自己思考再三，也和在各個不同領域（尤其是一些在政府機關服務、思考問題也比較全面而深入）朋友們一起探討，歸納總結，提綱挈領，而得出以民為主、依法行政、求根務本、創新致遠這四項工作理念。這就是我省政工作理念之緣起。

我經常告訴省府同仁：我們現在服務公職，不是做官，在民主時代我們只能是公僕，是省民的公僕，要為省民服務，為省民造福。中央政府派我來省政府，正是要我來帶領全省公務同仁為省民服務和造福的，省府資源確實很大，但是中央或省議會不是要我來省錢、來存錢的；恰恰相反，因為要為省民服務和造福，所以是要我來用錢、做事的，用錢來為省民謀福利的。政府機關（構）用錢、做事，要遵依相關法令規定、貫徹上級政策、順應民意需求，安排優先順序，以次執行。更何況公共性的投資，有助於整個經濟成長，這就是以民為主。行政機關依法各有相當之行政裁量權，省府主席而下，廳處局署會及縣市各有各自裁量權，但必須依法，不可違法；法律條文規定之窒礙難行、不合時宜、互相牴觸，也許在所難免，可以透過立法程序加以修正。行政命令如有上述情形，則簽報中央政府，逕作適切之修正。但未完成修法以前，仍須依法行政。我在台大時期同事張劍寒教授（李煥院長時期聘為政務委員）常說「法令多如牛毛」。但只有健康的牛其牛毛才會多，如果「法律的毛」不夠多，行政機關執行公務，這也「無法」，那也「無法」，任由公務員裁量的事項太多，人民會無所適從。所以法令多如牛毛是好事，尤其我們發展中國家省級政府，不能不注意這些。再就是求根務本，為民服務，培本扎根，興利除弊，才能獲得民心，務實不虛；反之，作短暫虛幻、「放煙火式」的表面文章，實令人深惡痛絕，徒留罵名。省政建設並非全是張目可視的，相當部分無法一望而見。尤其要扎實踏實地做到、做好，像僻遠深山林裡之野溪整治、管線埋設、汙水下水道、農路興建及維護、弱勢族群與低收入戶生活照顧、傷病的醫療照顧，乃至地方財政的改進等等，都是要加以落實執行而不易看見的事。

建設富麗農村是我對省政建設中所堅持貫徹執行農業發展政策，其各項措施大大促致了城鄉均衡發展的實現。

七十九年六月十九日，我就任之初首度視察農林廳，就以建設「富有的、美麗的農村」，期勉農林廳今後加速促進本省農業生產企業化、農民生活現代化及農村生態自然化，為台灣農村開創富裕又美麗的新境界。省府以往在李登輝先生、邱創煥先生兩位省主席任內，基於階段性需要，為凸顯施政重點，發揮施政宏效，分別提出「培育核心農民」及「發展精緻農業」為口號，我除繼續貫徹這些政策外，為盡農業發展政策之全功，我進而提出促進農業「三生」：促進農民生活、農業生產、農村生態發展的富麗農村。凡此，皆我所縈懷關心。特別是在農業生產企業化方面，如何使與農民攸關密切的組織，包括農會與水利會營運現代化，減輕農民負擔，而增加他們生產力；在精緻農業的技術、產值之基礎上，推行「一鄉鎮一特產」，用比較優勢原理，各地發展各自的特產，避免盲目大量生產相同的產品，彼此削價求售，希望各鄉鎮能生產其最適宜特產，像桃園縣復興鄉水蜜桃、苗栗縣大湖鄉草莓、新竹縣關西鎮仙草、彰化縣田尾鄉花卉、台南縣白河鎮的菱角、台南縣玉井鄉的芒果、高雄縣美濃鎮的白玉蘿蔔、台東縣太麻里的釋迦果等，各有一片天，都可以賣得好價錢，甚至帶動農村旅遊，深受消費者與農戶歡迎與肯定。這可避免因產量過多而惡性競爭，甚至不敷成本，終年空忙徒勞。這中間，省農業試驗所和水產試驗所的工作同仁，專致勤奮，成績斐然，發展很快，我常去給予鼓勵。

由於「一鄉鎮一特產」的推動成功，運銷體系的加強，以及農漁技術的改進，為二〇〇六年以後台灣各地農漁產品如香蕉、柳橙、虱目魚的推銷至對岸，奠定基礎。當年農林廳為建設「富麗農村」所提的具體措施如下：在農業生產企業化方面：研提〈台灣省地區農業發展方案〉報請中央政府納入〈農業綜合調整方案〉，予以經費支持，分六年實施。在農民生活現代化方面：繼續辦理〈農宅及農村環境改善計畫〉，加強農村公共設施；以及分區舉辦「鄉土文化季」系列活動。在農村生態自然化方面：除依〈台灣地區自然生態保育方案〉〈現階段自然文化景觀及野生動植物保育綱領〉、〈加強自然生態保育工作五年計畫〉逐年辦理，並籌設台灣省特有生物研究保育中心。對於建設富麗農村政策，我覺得省府同仁執行貫徹得很好，相當成功，我心存感激。媒體界的朋友常以我任內的「富麗農村政策」與李登輝主席時期的「八萬農業大軍」相提，顯示該政策深入人心，也受農業界歡迎，讓他們留下深刻印象。

推展省道建設

經濟建設是省政建設重要的一環，拓展交通網路則是經濟建設中占相當比重的一塊，也是省政建設的重要項目之一。我以前在交通部服務過，於部內任期完成台灣北部區域第二高速公路之規劃設計，也執行很多不同的交通建設計畫。八十一年九月，當行政院要核准對均衡城鄉發展有極大助益的台灣省十二條東西向快速公路的興建工程計畫前，「北二高」已由中央負責施工，行政院郝院長找我研商，這十二條東西向快速公路全部經費可由中央補助，但希望由省府全權負責施工，庶能分工合作。我對此一計畫實已思考多年，限於財力未能行動，當下就積極的回應，我當然遵照院長的指示即日開始辦理。後來，行政院核准此項工程的興建，同意補助全部經費一千九百八十五億元，並明定為省道建設，由省府全權負責施工。因此，九月二十一日，我指示交通處與住宅及都市發展局：本案為本省當前最重大的交通建設之一，十二條東西向快速道路中，八條由省公路局負責，另四條由省住都局負責，以封閉式建設為原則，俾發揮快速公路之功能。各有關單位應加速會同各縣市政府取得用地，以利工程順利施工。我並特別指示：本案經費既經中央核定，即不可能再增加，而省財政亦無力辦理追加，因此工期應特別注意掌握，順利完工。本案十二條快速公路總長三百四十公里，自八十一年度起分年辦理。而今這十二條快速道路，打通了西部重要縣市山、海鄉鎮之間的快速聯繫，促進區域發展，增加了台灣的縱深空間，發揮了預期交通、經濟效應。郝院長於一〇九年春以一〇一歲高齡辭世，我特別追憶十二條東西向快速道路是其任內規劃支持，我及省府同仁全力執行。台灣自南北高速公路的先後闢建，再到全省東西向快速道路完成，儼然如人體的血管，動脈、靜脈暢通，這對國家經濟建設發展，功不可沒。

行政中立，藍綠無差別待遇

我主持省政建設，除了已反覆申述的一些工作理念之外，還有一個希望能做到廓然大公、井然有序平衡的施政績效。我在中興新村時，對中央政策絕對配合，非常尊重行政院，郝院長每次在行政院院會上所作的指示，我一定在省府委員會議上鄭重其事宣讀傳達，希望讓每一位廳處局署會的首長，乃至全體省屬工作同仁都能周知並切實遵奉。對於地方上各縣市提出的需求，我一貫地不問縣市首長所屬的黨派別，因為縣市提出的需求，不是為其縣市首長的所屬黨派提出，而是為人民提出的，例如民進黨籍屏東縣蘇貞昌（一九四七年生）縣長、民進黨籍宜蘭縣游錫堃（一九四八年生）縣長等，我對他們完全一視同仁。

我對所屬縣市的無差別待遇，正是行政中立的正確做法，卻使得極少數的黨內同志感到不解和不滿，還曾一狀告到黨中央。但我始終堅持：人民就是人民，政府是人民大家共同的，民主時代要以民為主，因此不能為了縣市長所屬黨派不同而對絕大多數人民給予差別待遇。何況，有的縣市長雖然所屬黨派與我不同，但他們所屬的縣市所產生的省議員、立法委員、縣市議員、鄉鎮市長及鄉鎮市民代表、村里、鄰長，以及省民，卻大部分與我同一政黨呢！以屏東縣而言，如：選定為第二個階段生活圈運輸系統的規劃地點之一、位於車城鄉的國立海洋生物博物館、新建縣政大樓、牡丹水庫、治山防洪計畫、興建東港漁港產業道路及佳冬錟塭村卸貨機、海堤整建等工程計畫（沿海地層下陷地區防治海水倒灌改善措施、沿山公路興建）等；以宜蘭縣而言，如：治山防洪治理工作、冬山河整治工程、區運工程不足經費一・四億餘元，我請財政廳協助縣府解決、宜蘭市

任省主席期間至新竹視察。

擔任省主席（左四）時巡視地方風災，建設廳長許文志（左二）、交通處長陳世圯（左三）、省議員游錫堃（左五）、省政府委員楊寶發（左七）陪同。

都市計畫第十二及八十一號道路儘速開工改善、輔導縣市文化中心設置台灣戲劇館、規劃興建生活圈道路系統、羅東運動場、烏石港完工等等；以上屏東及宜蘭二縣地方地方建設，省府皆一視同仁，補助巨額經費，全力協助，共赴事功，其他地方也不例外。

我已說過奉命主持省政，我的工作不是替國家來省錢，而是替國家為人民用錢，當然錢要好好地用，用在刀口上，一定要收到預期效果，不能絲毫隨便浪費。省政建設經費有一部分是用來補助縣市的，也有一些工程計畫要委託縣市政府負責施工的。所以，縣市長的角色很重要。執行能力強弱不同，施政成果差別就很大。我跟所有鄉親一樣地熱愛故鄉台南市。約略的說，在我的公職生涯中，曾當六年交通部長、三年台灣省主席、五年行政院長，任期中還算是滿長的，期間掌控的行政資源很豐富。有些鄉親感於那些年台南無甚建設，發展不如理想，也就批評我長年在外當官，卻沒什麼照顧到家鄉台南。每逢選舉，就有人會傳播這些話，以不利於我的得票，我個人的工作理念，也是我的從政理念和行政專業素養是：以民為主，依法行政。而我的個性是為所當為，做該做的事；因此，總以為做了就好，不必向人邀功討好，不必「討人情」。凡事盡其在我，俯仰無愧，斯可矣！何須一天到晚東「解釋」、西「說明」，多費口舌及筆墨呢？

但在此我要不禁多寫兩句，來「爆」一些事實。一般長年在外的遊子，總會特別思鄉念舊，能夠的話，皆願為家鄉和家鄉的父老兄弟盡點心、做點事，我也不例外。與我不同政黨的縣市長執政縣市，我都能一視同仁，大力支持其辦理地方建設，何至於不「照顧」同黨市長執政的家鄉台南市呢？事實是：包括台灣歷史博物館、安平港、台南社會教育館，以及鐵路地下化、運動園區、世界貿易中心、經國園區、環保公園、台南科學園區、兩條東西向快速道路在內這些具有相當規模的建設項目的規劃，我都答應由台南市擇地興工辦理，所需經費由省方或中央負責，毫無問題。其間過程，省議員及立委陳榮盛最清楚。可惜的是，後來除了前三項及最後兩項以外，其餘沒有一樣實現。可見縣市政府執行能力的重要了。中央和省對於縣市地方建設雖然補助經費、給予全力支持，但需用土地的依法取得、建設工程的招標到決標、動工到竣工、督工到驗收，在在都是由各該縣市政府依法負責辦理的。需用土地遲遲未能取得，動工遙遙無期，工程計畫流為紙上作業，歲月磋跎，建設腳步停頓不前，伊誰之咎？徒喚奈何！

台灣歷史博物館是少數完成的建設項目之一。台南是台灣的「文化古都」，卻沒有一座相關的博物館，因此我決定動用三十幾億元的經費，在台南興建一座台灣歷史博物館。市政府光是尋找土地就費時三、四年工夫，才找到現址。又有位台南人士向李總統告御狀，說選定的地址在安南區偏遠地方，沒有人會去；還質疑需要花那麼多預算。總而言之，從政一定要大公無私，公正、公平、公開，積極任事，毫無私心、偏心、欺心、疑心。私偏欺疑，怠忽心態，會耽誤好多機會，造成好多無法彌補的遺憾。無能亦然。

成立專責的山胞行政單位

我也想談一下我在省府服務期間推動的山地建設和協助原住民朋友社會發展工作的梗概。省府依據〈台灣省山胞社會發展方案〉訂定八十、八十一年度實施計畫，共投資六十四億元，八十二年度起，配合〈憲法增修條文〉所明訂的對山胞（原住民）保障與扶植精神，策定該方案第二期四年計畫，預計籌措兩百零三億五千餘萬元，以健全原住民社會發展暨經濟建設，期能達到均衡發展的目標，為加強山地鄉及平地原住民鄉鎮公共建設，自八十年度起山地工程建設經費，由原三億五千萬元增至二十一億一千六百萬元。八十一年十二月社會處邀請各有關單位研訂〈台灣省祥和社會加強山胞社會福利實施計畫〉。

此外，七十九年十二月省府增編山地保留地經行政院核定，總面積一萬六千九百零五公頃，省山胞行政局三年內完成分配手續，交由原住民使用。八十年四月，省府委員會議，通過修正〈山胞保留地造林貸款處理要點〉，並要求山胞行政局以編列預算補助方式，補貼原住民申貸貸款利息百分之三中的三分之一，減輕其利息負擔。並將原貸款金額最高每戶二十萬元，提高為一百五十萬元，利率訂為年息百分之三，貸款期限最高二十年。而在同年一月，為加強執行〈輔導山胞生活計畫〉之住宅改善項目，省府決於這年度在全省一百五十九個鄉鎮市區，辦理輔導整建或購買住宅三百九十戶，整修住宅五百二十戶，經費兩千九百八十萬元。二月，山胞行政局根據實地踏勘，全省原住民部落有九個村，受洪水、山崩等嚴重威脅，需立即遷村以策安全，我也立即指示編列十二億元，從速完成遷村作業。三月，我偕同內人方瑀及省府單位主管到基隆八尺門，了解原住民國宅改建情形。我告訴負責同仁，不要因為行政程序耽延工程進度，希望能加快腳步，省、市齊頭並進。十一月，省府興建的第一個都市原住民社區——基隆市八尺門地區海濱國宅新建工程開工了，我和內政部常務次長居伯均等前往參加，並由我主持了開工典禮。八十年四月，基於山地基層建設及配合〈山胞社會發展方案〉的需要，研擬〈山胞社會發展重要建設計畫〉，因整個方案已獲行政院同意，列入國家六年經濟建設內，決自八十一年度開始實施。五月，省府八十年度斥資一千兩百萬元辦理的十處山地鄉部落總長一千四百六十公尺堤防護岸工程，陸續完成，可以保護山地部落居民生命財產安全及公共設施、及田園的完整。

現在再回頭來談一下〈台灣省山胞社會發展方案〉，雖然呈現當代台灣原住民在各個方面都有迅速而重大的發展與進步，但將來歷史學家探討這個階段原住民社會的變遷與發展，相信一定不能不提及此一方案推動執行及其成果。這個方案的內容涵蓋了民、財、建、教、農、林、漁、牧、山坡、林野、社會、社區發展、自然生態、汙染防治，幾乎快涵括了省府各單位的業務項目。由於沒有負全責的主管機關，而是分屬各個不相隸屬的單位，雖然取得一定效果，但也存在可以改進的空間。七十九年七月，我上任伊始，就批示核定，以原來民政廳主管山地業務的第四科為基底，擴編成立台灣省山胞行政局，這是台灣光復以來第一個專責的山胞行政單位，是山胞行政史的新里程碑，也是台灣原住民史上的一件大事，這也為後來行政院原住民委員會奠定了一個基礎。

當時成立山胞行政局的主要目的，就是結束多頭馬車，有了單一專責單位，便是要來更有效地執行〈山胞社會發展方案〉，更落實負責地扶助、照顧需要幫助的原住民朋友，無論是留居部落的，或是旅外甚至遷到都市裡的原住民，輔導他們充實內涵、提升就業或創業的能力，不但脫貧步上小康，進而有能力回饋社會，來共同締造、共同享受至高無上的祥和與康樂。我十分喜愛原住民朋友純真、堅毅的特質，也會特別留意與原住民有關的資訊。全省三〇九個鄉鎮我早已走透透，當然包括所有的二十九個山地鄉和二十二個平地原住民鄉鎮，有的還不止去一兩次。無可諱言，原住民的生活一般是比平地人辛苦些，所以〈山胞社會發展方案〉的確是原住民朋友所需要的，應該更好的執行，實際上嘉惠於原住民。

〈山胞社會發展方案〉的亮眼成績

我很欣慰在有關同仁的努力和原住民朋友配合之下，這項方案很快獲致耀眼的成果。以八十一年度為例，共支用經費三十七億一千兩百餘萬元，成果包括：

（一）保障選出原住民籍民選國民大會代表六人，全國不分區代表一人。

（二）鼓勵原住民接受教育，統計八十年底，原住民接受中等教育者一萬零九百七十八人，大專教育六千四百零三人，國內外深造獲得博士、碩士學位者二十七人。

（三）改善原住民居住地區環境，補助整建或購置住宅五百一十戶，整修住宅一千兩百二十戶。

（四）對遷居都市原住民超過三千人者，成立「山胞生活輔導中心」，輔導照顧及生活，先後有台北、基隆、桃園、新竹、台中、高雄及屏東等縣市成立。

（五）建立山胞人力資料庫十三處，約僱大專畢業原住民二十四人從事生活輔導工作，並選送原住民兩千人參加職業技能訓練及投考軍警學校。

（六）輔導原住民創業貸款，八十一年度共貸放兩百六十二件，貸款金額一億三千兩百四十五萬餘元。

（七）完成山地鄉主要道路九萬三千多公里。

建設水利，滿足民生需求

我在省政府服務時，對於水利工程非常重視，尤其是水庫的興建與維護管理，如淤積泥沙清理，我都隨時關注著。七十九年七月十七日我在省政記者會中就指出：在省政建設中，目前以「水」的問題及「財政收支劃分法」最為重要，也亟待解決。我們知道：台灣地區的年降雨量雖屬豐沛，但在季節與地區間的分配極不均勻，加以河川流短坡陡，流量消退迅速，直接引用河水逕流量及地下水已抽取利用殆盡的情況下，儲存調蓄為解決今後增加供水之主要途徑。依六十九年之數據，以年平均降雨量約兩千五百一十公厘，折合水量約為九百零四億立方

民國八十一年出席鯉魚潭水庫竣工剪綵。

公尺，是年利用之總水量約為一百六十三億立方公尺，占年降雨量百分之十八，其中引用河川逕流量九十億立方公尺，抽取地下水三十六億立方公尺，經由水庫調蓄供應者三十六億立方公尺，後者所占降雨量及總用水量比率極低，但已發揮用水調節之最大功效。台灣水資源浪費的情況愈來愈見嚴重，等到我主持省政時，一般的說法，認為台灣水資源大約只利用其中的百分之二十五，其他的百分之七十五都消退流失、白白浪費掉了，而謀求提高可靠水量，以應日益增多之用水需求，唯有興建水庫調蓄天然流量，促使豐枯期間適當運用，始能有效解決。「而水庫之興建，在於控制洪水，調節枯水，防止災害，適應民生需求，富有多種積極功能。」此所以水利建設為省政建設重要之一環，而水庫建設又為最重要水利建設，而這也是我非常重視水庫建設的原因。

任期內與水庫有關的序時紀事

七十九年八月，省府訂定〈台灣省水庫蓄水範圍管理辦法〉。

十月，我在省府首長會談中指示建設廳及水利局，重視並研究規劃全面清除各地水庫嚴重淤沙問題，必要時可延聘國外工程顧問公司或專家學者進行，務必爭取時效，利用乾涸時機，不可拖延，如此才可事半功倍，有利延長水庫壽命。

十一月，我在聽取建設廳簡報後，認為台灣發展海岸水庫開發水資源為可行，馬上指示該廳及水利局儘速與中央有關單位共同研商海岸水庫之開發。

十二月，水利局表示：由於泥沙淤積等原因，目前台灣省管理的十五座水庫，總蓄水量僅剩百分之五十七，其中以阿公店水庫淤積最嚴重達百分之七十四，下年度起決實施〈西部地區治山防洪計畫〉，分年整治。我認為這是勢在必行的工作，否則再淤積下去，水庫等於死亡喪失了蓄水調節功能。

八十年三月，巡視石岡水壩，聽取簡報，交代訂定防護計畫。

四月，巡視桃園石門水庫乾旱情形，指示該水庫管理局與軍方協調聯繫，必要時實施人造雨。

六月，巡視嘉義仁義潭水庫及台南縣烏山頭水庫蓄水供水情形，指示供水應以民生用水為第一優先；並要求建設廳積極研辦如何減少水庫淤積量，並趁枯旱期間，迅速挖掘清除，以延長水庫壽命，增加水庫蓄水量。截至是月十日，台灣省多目標用水主要水庫蓄水量，占有效容量百分之十三・五，而公共給水水庫蓄水量占有效容量百分之三十六。翌日，我在省議會專案報告台灣省旱災及處理措施表示，為因應持續的亢旱，省府針對六月後夏季用水及灌溉用水的供需，已研擬主要包括曾文水庫（含烏山頭水庫）、石門水庫、白河水庫、明德水庫及德基水庫（含谷關水庫）、大甲溪發電水庫為主的水源調配等兩項措施。省府並決定自十四日起展開白河水庫淤積清除工作，在三週內清除汙泥四萬公噸，稍後也陸續清除阿公店水庫（已淤積一千四百五十五萬立方公尺，占其有效容量百分之七十八）、德元埤（淤積一百七十一萬立方公尺，占其有效容量百分四十四・四）、大埔水庫（淤積三百四十八萬立方公尺，占其有效容量百分四十一・五二）的整治工作。

七月，省府以民國一一〇年用水需求量規劃水資源長期開發計畫。此項長期開發計畫中，除施工中的鯉魚潭、集集、南化、牡丹、七美水庫，及已規劃籌建的大肚攔河堰、美濃水庫外，並將規劃建民、坪林、寶山第二、感恩、崇德水庫，及高屏溪下游攔河堰，士文、瑪家、嘉誠水庫。此外，針對水庫淤積已達一成以上之現象提出改善措施。此項長期開發計畫在當年八月底前提交省府委員會議討論。但我離任後，美濃水庫的興建，地方上有強烈的不同意見，後遭擱置。

八月二日，主持大高雄地區水源的鳳山水庫一千七百五十公厘幹管的通水按鈕典禮。此一輸水幹管長達三千六百公尺，耗資近二億元，可使原來每天一百一十五萬立方公尺的供水量增加十五萬立方公尺，對高雄地區用水大有幫助。

十月，鳳山水庫及澄清水庫水質惡化，我指示省自來水公司以救急的方式改善嚴重汙染。在首長會談中，對曾文水庫辦理集水區治理，使年淤積量比預計減少百分之二十九，表示肯定與嘉許，並指示建設廳及該水庫管理局今後執行集水區治理工程，尤其要注重施工品質，俾發揮更大的集水、蓄水效益。

十一月，就石門水庫水質安全，指示有關單位會同台灣大學教授，針對水庫疑遭藻類汙染再度會勘及採樣化驗，於兩週內彙整所有檢驗報告，公布真相並研商防範對策。

十二月，省府委員會議通過〈台灣省各水庫淤積泥沙清除計畫〉八十一至八十三年度，清除各水庫淤泥一千多萬立方公尺，完成後，估計每年可增加供水量三千多萬立方公尺，所需經費十八億兩千多萬元，報請中央全額補助。

八十一年四月，炎夏將屆，建設廳已就省府所屬三十一座水庫淤積情形完成調查，其中六座水庫已達其蓄水量的百分之四十以上，省府已決定自本年度起，先行清除供水任務較重的十一座水庫。是月，該廳並指出，依據〈台灣地區水庫開發計畫〉，除已於去年動工興建的南投集集共同引水工程外，今後五年預定開發下列水庫：八十一年為澎湖縣後寮水庫，八十二年為彰化縣大度攔河堰、雲林縣海岸水庫，八十三年為新竹寶山第二水庫、高雄縣高屏溪攔河堰、美濃水庫、澎湖縣隘門水庫，八十四年為台中縣建民水庫、澎湖縣烏崁水庫，八十五年為台北縣坪林水庫。以上大部分水庫的開發，均已列入國家建設六年計畫中，依其需求時程分別動工興建。

五月，主持鯉魚潭水庫導水隧道封口儀式，在按鈕後水庫正式開始蓄水。

六月一日，因近日下雨，全省水庫水位高漲，阿公店水庫超滿水位，餘多座水庫水位接近滿庫，建設廳本日宣布：嘉南地區枯旱措施至五月底屆滿，六月份起解除用水限制，一律正常供水，當時全省各主要水庫十二座總蓄水量九億四千七百一十七萬噸，占總有效容量百分之六十六・九，較前一年六月同期二億三千多萬噸高出三倍以上，顯示清淤的功能大為顯現，已可滿足多目標供水。是月二十五日，建設廳指出，目前全省各主要水庫蓄水量，除曾文水庫略低外，其餘各水庫平均蓄水量約占有效容量百分之八十以上，應足可供應二期稻作及公共給水。

十一月，主持鯉魚潭第一期計畫工程竣工典禮。此項計畫分二期實施，水庫總蓄水量一億兩千六百萬立方公尺，第一期工程完成開始營運後，即可供應大台中地區及濱海地區每天二十二萬噸自來水與工業用水；第二期計畫完成後，可增加供水利量為九十萬噸，屆時苗栗、台中、彰化等地區工商業及農業均可普遍受惠。

在當時有一個「台灣地區水資源開發計畫」，以滿足民國一〇一年的需要為目標，要在民國九十年以前投資三千八百一十四億元興建水庫十八座。截至八十一年十二月底，已開工興建者，包括苗栗縣鯉魚潭水庫、屏東縣牡丹水庫、台南縣南化水庫、南投縣集集共同引水計畫；即將開工包括高雄縣美濃水庫及基隆市新山水庫等。其中鯉魚潭水庫是繼續前任主席而在我任內完成的，南化水庫和牡丹水庫則都是我任內一手開工、竣工的。關於南投縣集集共同引水計畫，在此稍作補充。這個計畫早在日據時期就開始研究，因濁水溪雨季洪流極大，當時無法處理，台灣光復後仍在商議中。民國七十三年和七十五年，曾兩度提報中央，客觀技術也日漸成熟，七十九年再反映爭取，終於獲准興建。這項計畫關係本省中部南投、彰化、雲林三個縣一百九十萬民眾的生計，以及地方經濟社會的發展至巨，總工程費計一百八十億五千萬元，是一項重要的工程。計畫區域涵蓋濁水溪中下游流域，地跨上述三縣，面積估達十萬公頃，為彰雲平原的農業精華地帶。工程完工後，對今後濁水溪沿岸居民的用水方式將大大改進，且能調節日月潭發電尾水，並可防止下游沿海地層下陷兼收沿岸防洪功能，又能解決南投高地農業用水問題，還兼具發電與觀光效益。八十年九月十四日，我實地勘察雲林農田水利會林內進水口時，當場宣布集集共同引水計畫於十月份開工興建。十月二十八日，集集共同引水工程，由我親自主持開工典禮。十一月，李總統指示省府研究以濁水溪流域水量支援嘉南水域系統案，我遵即要求建設廳儘速協同雲林、嘉南二水利會爭取時效辦理。原來在濁水溪灌溉水幹線末端有一暗渠，渠中有虹吸管，與烏山頭水庫及濁水溪幹線同時興建完成，目的是使嘉南大圳系統和濁水溪幹線系統的水利互通有無，前此已通水三十六次。稍後，我親自到雲林、嘉義兩縣交界的北港溪南北兩岸，分別巡視濁幹線及北幹線終點，了解正在施工打通「北水南引」虹吸暗渠及導水路疏濬情形。至月底疏濬完成，陸續進行導水測試。八十一年一月五日，正式通水救旱，將濁水溪剩餘的水資源支援嘉南地區灌溉需要。

談過水庫，就來談談漁港的修建。漁港是天然或人工闢建供漁船停泊進出之漁業根據地，亦為其遭遇颱風時避難之所需，包括其水域、陸地及其設施之總合，是海洋漁業生產重要據點，亦為保障漁船財產、漁民生命安全、及促進漁業發展之必要設施。漁港等級及其分類標準，依〈台灣省漁港管理辦法〉，分為第一類至第四類漁港與船澳。八十一年一月，公布〈漁港法〉，同年十一月公布〈漁港法施行細則〉，漁港仍分為第一類至第四類，而廢除船澳。

先是，七十四年一月，行政院農業委員會指示台灣省政府農林廳漁業局研擬〈第二期台灣地區漁港建設方案〉，自七十七年度起實施至八十五年度止，為期九年，總經費一百七十二・四二億元，港灣工程一百五十六・二八億元，陸上公共設施十六・一四億元。主要是烏石、龍洞、海山、彌陀、興海、金樽、大武等港澳興築改善費用及陸上公共設施經費。

我的任期，恰好在本期漁港建設方案執行期間之內，其間重要港澳修建概況如下：

一、**基隆市／正濱漁港**：進行正濱漁港、和平島橋頭小碼頭等修建工程；**大武崙船澳**：將原有漁港及防波海堤間灘地闢建為碼頭區。

二、**宜蘭縣／烏石港漁港**：為解決改善頭城地區漁船避風及停泊問題而興建；**蕃薯寮漁港**：興建防波堤、碼頭及浚挖泊地。

三、**台北縣／野柳漁港**：增建東西防波堤；**東澳船澳**：延建防波堤。

四、**新竹縣／坪頭漁港**：修建防波堤及航道浚挖。

五、**苗栗縣／龍鳳船澳**：陸續增改建，使其規模設施僅次於外埔漁港。

六、**台中縣／梧棲漁港**：增建檢查碼頭，並疏浚航道。

七、**彰化縣／崙尾灣漁港**：在鹿港鎮崙尾灣興建小型船澳，以解決彰化地區漁筏停泊問題。

八、**雲林縣／三條崙漁港**：該漁港擴建。

九、**台南縣／北門漁港**：增建導流堤及航道浚深工程；**鯤鯓漁港**：規劃完成後於七十九年決定闢建。

十、**屏東縣／楓港漁港**：八十年辦理規劃，利用本期漁港建設方案經費進行新建防波堤與碼頭設施。

十一、**高雄縣／旗后漁港**：進行泊地疏浚及碼頭維護工程，供沿近海漁船安全停泊。

十二、**花蓮縣／鹽寮漁港**：位於壽豐鄉，興建護堤、北防波堤、東防波堤。

據統計資料顯示：七十年時，台灣漁港船澳共一百三十六處，而至八十一年時，已增為兩百二十五處，即使扣除福建省金門、連江二縣各一處，仍達兩百二十三處，增加了八十三處。

我在省府服務，省政建設是全方位的，無論橫向與縱向都不能一個人獨攬，橫向必須分工合作，彼此協調；縱向更需要分層負責，上下溝通。我常與省府同仁強調，分工合作和分層負責的目的都是為了更好地辦理省政工作，辦好省政建設與為民服務，所以分工合作的重點，不在分工，而在合作，無論分工粗細，皆要能共同完成任務。分層負責的重點不在分層，而在負責，一定要事事有人負責，人人有權有責，權責相當。

我在省府服務時，省府和省府機關（構）的工作同仁都非常地認真、打拚，我對他們工作的表現，十分欽佩和感謝；省府各廳處局署會的首長，也都相當幹練、負責、勤快，在各自的崗位上，工作經驗豐富，黽勉

民國八十二年二月二十五日，就任行政院長前夕，省府員工於中興新村大道歡送。

從事，共赴事功。省主席對省政工作總綰全局，自無法一切包攬，凡事接管，一定要適切授權下去，分層負責；但身為主席，我必須就一切施政細節在體力精力允許情況下盡量了解，然後掌握其重點、重大的項目，重點督導，餘者適當了解所屬辦理情形，適時給予必要的提示。那時各廳處局署會的首長們，大體也都是這樣處理各自機關所負責的工作。但他們當中，作風也不盡相同，有的比較強勢，要求相對嚴格一些；有的比較平易緩和，處事相對寬容一些。但對我都十分負責，給我很大的協助，令人難忘。我到省府服務，沒帶一個人，只補提了兩、三位省府委員，那是待補的缺。廳處局會的首長很多，無法一一列舉，且就以省府祕書長李厚高（一九二六年生）、民政廳長林豐正（一九四〇年生）和涂德錡（一九三四～二〇一一年）、財政廳長林振國（一九三七年生）、教育廳長陳倬民（一九四四年生）、建設廳長許文志（一九三六年生）、農林廳長孫明賢（一九三七～二〇一八年）、社會處長洪德旋（一九四五年生）、警務處長于春艷（一九二五～二〇一〇）、勞工處長蔡憲六（一九三九年生）、交通處長林思聰（一九二六年生）、新聞處長羅森棟、（一九四二年）、水利局長洪炳麟，這幾位來代表全體首長吧！讓我向他們表達由衷的敬意和謝意。我很尊重他們，他們也很尊重我，並且也很尊重他們的當然也是我的工作同仁們；這些工作同仁們、廳處局會的首長們和我也都能親切相待，融洽相處。從政這麼些年，至少有一件事值得我感到安慰的就是：至今所有跟我一起做過事的工作同仁，沒有一個對我有過負面的批評。

我在省府服務期間，省政府和省議會的關係，可以用「風平浪靜」來形容。依我在中央和省府分別服務過的體驗，我覺得在那個時期，立法院的立法委員們有比較重視意識型態，而省議員們一般都具有濃厚的草根性，因此有比較重視人際感情的傾向。雖然有個別的不同黨派的省議員在議場以各種動作，表達不同的意見，但很多只是純粹的「作秀」，他們隸屬不同的政黨或政治團體，身為民意代表有時不得不作某種表態，以為交代，這是可以理解並以平常心來看待。我與省議員們，不分黨內與黨外，都以交朋友的心情誠懇相待。每次省議會省政總質詢，都能按時完成，從沒有要用到一整個禮拜時間在省議會備詢的。省議會洪木村曾為自來水水費的問題大動作上了桌子，不久私下請我吃飯。無黨籍省議員謝三升，甚至還預約要擔任我競選總統的台南縣競選辦事處主任。這都可以看出他們的「赤子之心」。所以我說當時府會關係是「風平浪靜」。如今一幌已經三十幾年過去了，好多當年的省議員都已與我成了極好的朋友。

民國七十九年十月五日訪問屏東，聽取屏東縣蘇貞昌縣長簡報。

我在台灣省政府服務過二年八個月，對於省政府介在中央與縣市之間承上啟下的關係，及其業務功能的實際運作與成效，有深刻的體會和認識。對於後來推動的台灣省業務功能與組織調整（一般通稱為「精省」工作，我是抱持贊同的態度），細節在國發會討論精省篇章我再補敘。

若要回顧省府期間有否讓我不痛快的事情，我想唯一的一件事就是財政部長王建煊向郝院長提議收編台灣省國稅局一事，此事郝院長事先未與我商量就做了決定，省議會也曾大反彈。儘管如此，我對郝院長還是很尊重，直到他仙逝前，我每年年初一都會向老長官拜年。

八十二年二月四日，行政院郝院長以第二屆立法委員業已選出，為尊

民國八十二年二月六日，於台南市舉辦的嘉年華會，鄉親們高舉布條支持我出任行政院長。

重憲政體制，率全體閣員向李總統提出總辭。是日，李總統開始分批約見二屆立委，徵詢對閣揆人選意見。多數立委表示支持由我組閣。八日，因行政院已提出總辭，所以我與二十二位省府委員依規定，在省府委員會議中分別用印，一併向行政院提出請辭。十日，中國國民黨中常會無異議通過提名我出任行政院長。十九日，立法院進行新閣揆被提名人資格審查。二十三日，立法院行使閣揆同意權投票，同意我出任行政院長。二十五日，我回到省府，接受同仁們溫馨、熱鬧和離情依依的歡送、省府祕書長李厚高代表全體同仁致贈一面鐫有「務本致遠」字樣的紀念牌；南投縣林源朗縣長也送給我一顆巨大的黑膽石，預祝我「連戰連勝」，其盛情美意令我永誌不忘。當我在同仁夾道歡送下步出中興新村的大門離去，心中有說不出感激，我告訴自己：一定不能辜負同仁們和朋友們的期待。我北上接任行政院長，省主席一職暫由省府委員兼民政廳長涂德錡代理。

第七章——執掌閣揆不負眾望

民國八十一年十二月十九日，進行第二屆立法委員選舉，這次選舉最大的意義在於在大陸時期當選的立法委員已經全數退職，新一屆的立法委員全面改選是政府自大陸撤退後，首次舉行，也是回應在野人士所謂「萬年國會」的結束。這是一個政治新局面開始，行政院長應否配合此局勢提出內閣總辭，也成朝野關注焦點。

不過學界及郝院長委託施啟揚副院長所組的專案小組皆傾向認為，行政院長任期應該隨立委同進退，方符合內閣制精神。

這次立委選舉結果，雖然支持郝柏村的王建煊、趙少康、陳癸淼等高票當選，集思會挺李登輝的吳梓、蔡璧煌、林鈺祥等落選，但整體支持國民黨中央的仍居多數，加上民進黨要郝下台的態度明顯，這次新改選的立委席次版圖，國民黨一〇二席，民進黨團加上陳定南五十一席，無黨籍六席，社民黨一席，這應該是讓郝院長決定總辭的關鍵考量因素。那次立委選舉當選證書，破天荒分由台灣省主席我及台北市長黃大洲與高雄市長吳敦義代表中選會轉送，那時敏感的新聞界已經「嗅出」李總統是否有意讓我組閣。

那時李總統與行政院長郝柏村、立法院長梁肅戎、司法院長林洋港、總統府資政李煥、邱創煥等關係不睦，因此郝院長應不應總辭，行政院長應否藉機換人，不同方面有不同考量。其實稍早的一月三十日郝柏村就曾寫專函給李登輝主席，內容強調雖然憲法並無立法院改選行政院長即應請辭規定，以往亦無此慣例，但他認為尊重總統提名權與立法委員同意權的行使，他仍認為應請辭，但這是重大制度問題，他要求由常會做決定。那天在中山樓國民大會開會因公下山的郝院長也委請新聞局長胡志強代為宣布，為配合當前政治情勢，決定不再繼續擔任行政院長之職，並將在近日內透過適當程序，完成總辭。

隔天，我也打破沉默，在中興新村回覆記者詢問時說：「假如李總統盱衡國家未來發展，體察整個民意走向，決定提名我組閣，我將義不容辭盡全力爭取第二屆立委的支持，以報效國家，服務社會。我所以公開表態，當然與高層的『暗示』有關，更何況郝院長已經表態卸任，林洋港院長也已表態爭取，我也不能悶聲不響，違逆支持者的鼓勵。」

二月三日國民黨中常會通過郝柏村請辭，翌日行政院通過郝內閣總辭案。二月四日到七日，李登輝主席密集聽取黨籍立委意見。二月八日邀中常委分兩批到總統府座談，多數中常委皆尊重李總統的提名權，而郝柏村及李煥則提議由林洋港出任，理由是我還年輕，將來還有機會，應該讓林洋港院長先做行政院長。

九日李登輝總統再約見國民黨與民進黨立委黨團成員，正式告知他們將提名我為行政院長，而李總統稍後也將此決定告知了郝柏村與林洋港，國民黨內的行政院長繼任人選大勢底定。

而我在接受提名前，也正式拜會郝院長與林院長，拜會氣氛和諧，也分別得到他們兩人的祝福。

二月十日，國民黨中常會無異議通過李主席提議，由我出任行政院長，而林洋港中常委率先發言表示支持，呼籲常委們協助立委支持由我組閣，郝中常委也跟進表態，整個常會十分的順利通過提名我出任行政院長。

民國八十二年八月中國國民黨第十四次全國黨員代表代會，通過任命李元簇、郝柏村、林洋港、連戰為副主席。會後李登輝主席與新任副主席合影。

我即將接任行政院長，也廣受國際媒體關注，像《紐約時報》形容我是「自由派的政治人物」，同時還下了一個標題「台灣人被提名為行政院長——台灣省主席將成為第一位省籍人士出任此職」。

二月十八日李登輝主席出席在三軍軍官俱樂部舉行的向黨籍立委推薦會，他公開陳述我在外交部長任內推動務實外交有突破性做法，主持省政工作，做到政通人和，足以擔當大任。兩年八個月前，提名連戰為台灣省主席，有人不同意。而我到任後，能和各方打成一片，這並非我軟弱，而是我誠實的行事風格，做多少事，講多少話。

破天荒的資格審查

由於我要出任行政院長時，立法委員已經全面改選，第二屆立委集會前已經達成協議要對行政院長被提名人進行資格審查，這是立法院破天荒的第一次。一九九七年國大修憲時已經刪除立法院對行政院長行使同意權規定，因此我於二月十九日向立法院提出施政意見報告，接受三天三夜的資格審查，也成憲政史上「空前」的一章。

我當時向立法院提出「施政意見報告」，特別提出「弘揚民主憲政、推展務實外交、強化國防力量、快速發展經濟、開展大陸政策、推動國家建設、振興教育文化、改進生活品質、充實社會福利、健全財政金融、提升行政效率」等十一項努力目標。二月二十三日中午，立委進行投票，在一百四十三張有效票中，我獲得一百零九張同意票，三十三張不同意票，

行政院長交接典禮。

我與行政院副院長徐立德及各部會首長在李登輝總統監誓下，宣誓就職。

另外一張廢票，得票率百分之七十六・二二，我成為行憲以來第十四位行政院長。等到第三屆立委集會，我再次獲提名出任行政院長，又接受立委兩天兩夜的資格審查，這也成了歷史絕響。這屆立委改選國民黨席次大幅滑落，政治環境丕變，我資格審查獲得同意票為八十五票。而立法院長、副院長的投票更是驚險萬分，國民黨的劉松藩與民進黨的施明德第一次八十票平手，第二輪劉松藩才以八十二比八十一票，一票勝出。副院長王金平則以八十四票擊敗蔡中涵的七十八票。

二月二十七日在前行政院長、總統府資政俞國華的監交下，我於郝院長手中接下印信，出任行政院長。

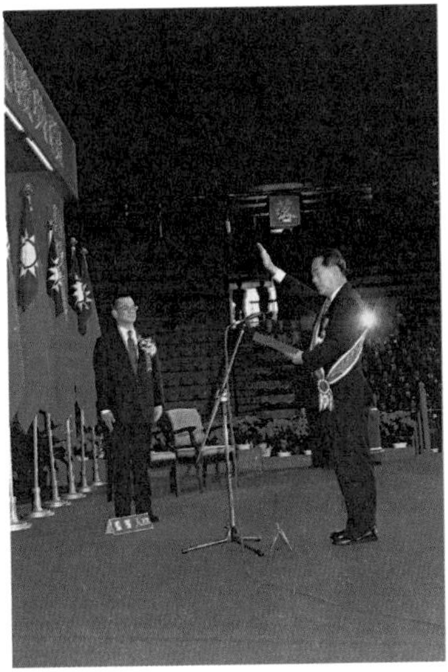
宋楚瑜繼我之後接任第十四屆台灣省政府主席，我親自主持監誓。

與我一起上任的內閣八部二會及政務委員成員有副院長徐立德、祕書長李厚高、政務委員郭婉容、王昭明、蕭萬長、黃昆輝、黃石城、夏漢民、丘宏達，政務委員兼內政部長吳伯雄、政務委員兼外交部長錢復、政務委員兼國防部長孫震、政務委員兼財政部長林振國、政務委員兼教育部長郭為藩、政務委員兼法務部長馬英九、政務委員兼經濟部長江丙坤、政務委員兼交通部長劉兆玄、政務委員兼蒙藏委員會委員長張駿逸、政務委員兼僑務委員會委員長章孝嚴，另外四位省市首長分別任命宋楚瑜擔任台灣省主席、黃大洲為台北市長、吳敦義為高雄市長。其他首長包括政務委員兼經建會主委蕭萬長、國科會主委郭南宏、勞委會主委趙守博、農委會主委孫明賢、公平會主委王志剛、文建會主委申學庸、青輔會主委尹士豪、原子能委員會主委許翼雲、中央銀行總裁謝森中、主計長汪錕、環保署長張隆盛、衛生署長張博雅、退輔會主委周世斌、研考會主委孫德雄、人事行政局長陳庚金、新聞局長胡志強。

民國八十三年十二月省市長民選後，我的內閣進行改組。吳伯雄出任總統府祕書長，內政部長由黃昆輝接任、孫震專任政務委員，國防部長由蔣仲苓接任，蕭萬長則接任大陸委員會主委、徐立德由副院長兼任經建會主委、勞委會主委趙守博接任行政院祕書長、謝深山接任勞委會主委、楊亭雲接任退輔會主委、王仁宏接任研考會主委、鄭淑敏接任文建會主委、李厚高接任蒙藏委員會委員長

我任內的第三波改組則在八十五年五月新任總統、副總統上任。這一波的新人事在政務委員部分馬英九、蔡政文（台大政治系教授）、楊世緘（原經濟部政務次長）、涂德錡（原國民黨組工會主任）、葉金鳳（原陸委會副主委）、內政部長林豐正（原台灣省副省長）、外交部長章孝嚴（原僑委會委員長）、財政部長邱正雄（原中央銀行副總裁）、教育部長吳京（原成功大學校長）、法務部長廖正豪（原調查局長）、經濟部長王志剛（原公平會主委）、交通部長蔡兆陽（原交通部政務次長）、僑委會

委員長祝基瀅（原國民黨副祕書長）、主計長韋端（原副主計長）、新聞局長蘇起（原陸委會副主委）、環保署長蔡勳雄（原經建會副主委）、陸委會主委張京育（在蕭萬長辭職當選立委後於八十五年二月繼續留任）、經建會主委江丙坤、青輔會主委吳挽瀾、國科會主委劉兆玄、研考會主委黃大洲（原經建會委員）、公平交易委員會主委趙揚清（原財政部國庫署長）、農委會主委邱茂英（原台灣省農林廳長）、文建會主委林澄枝（原國民黨婦工會主任）、原子能委員會主委胡錦標、公共工程委員會主委歐晉德（原工程會副主委）、原住民委員會主委華加志。至於我的副祕書長先後由張哲琛、張昌邦出任，張哲琛後來也出任人事行政局長。

後來我任內因為發生口蹄疫事件及白曉燕命案也進行局部改組，內政部長由葉金鳳出任、彭作奎出任農委會主委、新聞局長由李大維接任、馬英九請辭的政務委員由行政院祕書長趙守博兼任。

邁向高額大眾消費時代

我回顧行政院時期的團隊人選，可以說是一時之選，陣容相當堅強，能力也夠，在我信任授權下，他們都為國家擘劃執行了許多重要政策。

在我接任行政院長時，國家正面臨轉型之際，我不由得想起在美留學時，曾經接觸過美國知名經濟學者羅斯托（Walt Whitman Rostow）的經濟成長階段論（Rostow's stages of growth），他於一九六〇年曾假設經濟成長有五個階段：一是傳統社會（The traditional society），經濟幾乎完全是第一產業農業部門，技術有限，缺乏經濟流動性，重視穩定而輕忽變革，因此經濟成長受到限制，多為非中央集權的國家體制；二為起飛創造前提條件（The preconditions for take-off）：對於原材料的需求，引起了經濟變革，農業開始商業化，用於出口。改造自然環境的投資（例如灌溉、運河、港口）以擴大產量。因而技術進步，社會結構改變，社會個體發生流動；三為起飛（The take off），城鎮化、工業化技術不斷更新，第二產業工業、商品部門占經濟比重逐漸擴大，紡織和服裝等輕工業，通常為最先起飛的行業；四趨向成熟（The drive to maturity）：產業開始多元化，多個行業發展，新行業快速扎根。製造業從投資資本貨物轉向耐久財及國內消費能力提升，交通基礎設施迅速發展。大規模投資在社會基礎建設如學校、醫院等；第五階段就是高額大眾消費時代（The age of mass consumption），工業部門主導整個經濟活動，農業所占比重大幅降低，追求高價值消費品（如汽車），消費者有足夠所得購置其他商品，購買力強。人口從農村流動到城市，形成城市社會，人們認為處在一個經濟安全和高消費的社會中，在超額消費外並追求生活品質。

無疑的，台灣當時的經濟成長已從第四階段過渡成長到第五階段。無獨有偶，我也記得美國另一位經濟學者馬斯洛（Abraham Harold Maslow）曾提出需求理論，未開發國家追求的是低層需求，例如基本生理需求、安全需求、愛與歸屬。而開發中國家或進入已開發國家則追求高層需求，包括被尊重的需求，例如自由、民主、法治、人權以及個人的自我實現。我雖然從政前學的是政治學，但是對於這兩位重要經濟學者的理論，我則印象深刻。自己既然出任國家最高行政首長，如何大步推動國家的民主化、自由化、高品質化與國際化，就成我肩頭的使命。

我接任行政院長即對外宣示未來施政整體藍圖，政治上要建立一個以全民自由意志為基礎的民主社會；在經濟上從過去傳統的農業社會轉型為以開發科技為主，富有創造力的工業先進國家；在社會上要形成多元發展而相容的祥和社會。

我上任前郝前院長任內曾提出「六年國建」計畫，很多項目也無疑是國家那個成長階段重要的經濟基礎建設所需。但客觀環境隨時演變，主政者不能不予注意。

我國政府自六十年代起隨同經濟快速成長，每年中央政府預算執行結果，都能產生歲計賸餘，做為支應各項重大建設的財源，所以政府財政是

民國八十四年三月，台灣省長宋楚瑜、國防部蔣仲苓部長、交通部劉兆玄部長陪同我出席東西向快速公路東石嘉義線動土儀式。

民國八十二年六月十二日巡視北二高橋樑隧道工程情形。

十分健全的。但到了七十年代，賦稅受到經濟成長減緩及政府採取多項租稅減免措施的影響，收入成長趨緩。再加上郝院長推動的「六年國建計畫」支出大幅增加，當時就有意見質疑認為此計畫投資規模過大，會危及政府財務健全。中央政府累積債務由七十九年度一千五百六十六億元，至八十三年度就急遽擴增至一兆一千九百六十九億元，增加了七倍之多。所以我接任後提出檢討，固然國家的基礎建設要繼續推動，但是也不能造成中央財政的惡化，因此我對主計處、經建會、財政部等各單位作出指示檢討「六年國建計畫」，將其規模濃縮改提出「十二項建設計畫」，原已編列的重大交通建設辦理預算追減，此為創舉。另外，我也要求推動財政改革措施，修訂「財政收支劃分法」及緊縮預算。自此中央財政狀況逐年改善，到八十七年度時中央政府的決算又開始產生歲計賸餘了。但是諸如十二條東西向道路陸續開闢、推動劃時代的全民健保及都市更新計畫範疇中國軍老舊眷村改建以及包括推動電信自由化等亞太營運中心計畫依序推動，這是我任期內經建計畫的代表作。

我在二月二十七日上任時，任命蕭萬長先生為經建會主委，並希望經建會能在我任內提出高層次的目標，做為經濟建設的施政重點。當時我認為，台灣的經濟要繼續往前發展，必須要建立一個開放的投資環境，因此自由化、國際化仍是我們追求經濟發展的目標。

經建會將「振興經濟方案」草案報到行政院後，我也立即裁示於八十二年七月一日推動實施。當時政策的背景為，以自由化為目標並配合我國加入關稅暨貿易總協定（GATT）及世界貿易組織（WTO）的決策，加快經濟自由化與國際化的腳步，建立開放性的投資環境。讓國家的主要生產要素，包括土地、資本、人力資源及智慧財產，均能夠通過市場有效運作發揮自動調控機制，達到產業結構靈活應變，不斷提升的目標。為了達到振興經濟方案目標，除了降低關稅、撤銷非關稅貿易障礙，分階段的放寬外匯管制以及建立資訊化社會所需的法制環境外，首先要將金融業、工商服務業與運輸倉儲業等優先檢討改善，加速推動服務業的自由化與國際化。換言之，我希望政府相關部門排除投資障礙，輔導產業升級，發展高科技產業，我也要求加速執行公營事業民營化的腳步，希望藉由民間旺盛的活力，投入經濟建設。

當時具體的進展有：

一、在金融保險及證券業方面：放寬外國銀行證券商與保險公司等設立及業務限制，同時大幅放寬外國人投資國內證券市場經營期貨，以及開放美國以外國家的保險公司來台營業。

二、電信通訊方面：通過電信三法成立中華電信公司，開放無線電傳呼、行動電話及數據通訊等業務。

三、運輸倉儲方面：成立高雄港管理委員會、積極推動港埠自由化民營化。設置空運快遞貨物專櫃（美國公司UPS在中正機場設立快遞貨物專櫃），放寬外國人在國內經營航空公司限制。

四、完成海關通關自動化電子資料交換系統。

五、選定中華電信率先完成公營事業民營化，以全民釋股方式帶動風潮。

過去我國公營事業受到審計、人事、預決算等，層層法令束縛，無法提升經營效率，在國際化自由化的世界潮流下，很難有繼續發展空間。政府推動公營事業民營化，可藉由釋出官股收回資金經由開發基金投資於各項重大建設及高科技產業。

涵蓋九大類的十二項建設

接下來我要回顧任內推動十二項建設的具體內容包括：一、國中與國小教育設施的整建。二、遊憩系統、都會公園及體育設施的興建。三、充實省（市）、縣（市）、鄉鎮及社區文化軟、硬體的設施。四、新市鎮開發與國宅的興建。五、公共大眾運輸之改進、生活圈道路系統及停車場的全面興建。六、工商綜合區的建設。七、加速垃圾焚化爐、衛生掩埋場的興建。八、加強水資源的開發與管理。九、南北高速鐵路的建設。十、高雄都會區捷運系統及台中、台南市區鐵路地下化的建設。十一、第二條高速公路後續及東西向快速道路建設。十二、規劃中部橫貫快速道路的興建。

十二項建設涵蓋交通、文教、水利、環保、住宅等三十八個子計畫依功能分為文教、觀光遊憩、都市及住宅、鐵路、公路、捷運、環保、水資源、商業等九大類。

我為了確實掌握十二項建設的推動，指派副院長和不管部政務委員下鄉親自督導。有鑑於政府財力日漸困窘，因此我也推動落實民間參與公共建設計畫，在民國八十三年底更完成「獎勵民間參與交通建設條例」的立法。有了這個法的依據，我們也開始引進國外推動多年的「建造—營運—移轉」（BOT）的模式，當時我們政策決定高速鐵路、中正機場至台北的捷運、高雄捷運、月

在交通部劉兆玄部長（左一）、國道工程局歐晉德局長（左二）、研考會主委孫得雄（左四）陪同下巡視交通工程。

眉大型育樂區，皆採由民間投資方式進行。這些重大工程雖然已經陸續完成使用，不過在我卸任後，若干民間投資重大交通工程的進度碰到瓶頸與一些奇怪問題，最後像高鐵、高捷、桃園機場捷運最後還是政府出面解決問題，始得營運。

在我擔任行政院長時期，台灣的經濟成長率始終能夠維持百分之六的目標，比其他國家有過之無不及，這應與振興經濟方案推動有關。振興經濟方案在民國八十二年七月推動，針對土地、技術及人力、金融、兩岸經貿關係等方面，進行各項調整及改進措施，以改善國內投資環境，刺激民間投資。

根據當年經濟部的統計，超過二億元以上的重大民間製造業投資案，民國八十二年完成的有九百五十四億元，到民國八十五年已完成兩千零九十八億元，四年間累積完成的投資額達到六千三百億元。此一成果顯示當年民間投資意願蓬勃，對經濟充滿信心。不像晚近十年，經濟成長要保

一、保二都困難，甚至還有負成長的情形，顯示台灣經濟發展碰到瓶頸。

民國八十二年三月四日，我在接任行政院長後的第二次行政院會上，我提出「行政革新」方案，我當時的想法認為，二十世紀末「大有為」政府的觀念已經受到挑戰，未來的政府應該朝「小而強」的觀念轉型，哪些該由政府繼續服務，哪些是該改由民間發揮即可，尤其要提供「顧客導向」的優質服務。

我認為，要建立現代化的政府，行政效率極端重要。該鬆綁要鬆綁，能委託民間執行的業務，政府該放手就不要插手。

我指示研考會提出行政革新方案，以建立廉能政府為總目標。並將「廉能」、「效能」、「便民」做為具體追求的分項目。八十二年八月行政院院會通過「行政革新方案」，內容包括加重貪瀆罪的罰則、精簡政府機關員額、推動公文處理電腦化暨基層戶政作業電腦化等。

為回應立法院的質詢，我也首次推動一系列陽光立法，包括送審「公職人員財產申報法」，於八十二年六月十五日完成立法，並自同年九月一日開始實施，在我上任第一年就首創「公務員財產申報制度」，是我國第一個陽光法案，從總統到地方基層的稅務、關務等約兩萬多名公職人員必須依法申報財產、並強制信託，這是民主廉能政治劃時代的里程碑，也為長久以來民間社會、行業深惡痛絕的「送紅包」文化起了嚇阻作用。同時我們也研究陸續制定「遊說法」、「政治獻金法」的可能性。當民主政治發展到有「金權政治」、「不當利益輸送」的弊端時，這些立法是需要的。但徒法不足以自行，公務人員的自律清廉以及政風的監督、司法的獨立都很重要，否則還是有漏網之魚。

為增進政府效率，我任內也提倡電子化政府，辦公室自動化也加快腳步。例如我們推動行政業務電腦化，實施跨機關資訊作業連線，像台北市與高雄市的戶政機關電腦化，優先成為示範。而今國人到各地戶政事務所申辦簽報戶口等作業，就無需再跑兩地，節省人力物力，這個便民措施，人人皆有感。

當然我也知道行政效率提升並非立竿就可見影，這涉及公務機關文化的轉變，我因此要求「行政革新是一項沒完沒了的工作」，這一二十年下來，各級行政機關已經完全放下過去「高高在上」的姿態，便民服務已經深入公務人員的心理。

在我任內我一直關心國家競爭力提升的問題，甚至我還禮聘哈佛大學著名管理學大師波特到行政院專程為閣員開課，波特強烈建議台灣發展的亞太營運中心可以集中建設發展全台為「科技島」的目標，這也是我們可以努力的方向。

當時知名的瑞士洛桑管理學院（IMD）每年都會公布世界競爭力報告，甚受各國關注。我國的競爭力在被評估四十八個國家中，從民國八十三年的第十八名攀升至民國八十四年十一名（評比細目包括經濟表現、政府效能、企業效能及基礎建設，評比基礎為各主要國家前一年施政績效為準）。在我主政的第二年，我國競爭力就進步至第十一名。但我於八十六年八月卸任，那年的成績卻衰退至二十三名，但再隔一年我國成績又向前邁進至十六名。到馬英九總統國民黨主政時期，二〇一三年我國的競爭力又跳躍至全球排名第十一名，當時受評的主要國家已增至六十個國家，之後又增加到六十二國，迄今國內不管是哪一黨主政，國際競爭力的評比仍然被朝野與輿論界重視，做為政府施政與民間表現的重要數據。

我於民國八十五年六月八日以副總統兼行政院長身分召開記者會，以「攀登全球競爭力的高峰」為題，對國人說明「跨世紀的承諾與做法」，我對國人宣示今後政府施政目標，需以競爭力為革新主軸，並希望我國的競爭力能以進入全球排名第五名為努力目標。

七月四日，行政院也成立「行政院提升國家競爭力行動小組」，通過行動綱領，由我親自出任總召集人，小組下設總體經濟、國際化與企管、財政金融、基礎建設、生活品質、人力科技與兩岸關係七組，分由主管機關負責推動相關工作。

而我們也邀請民間一起參與提升競爭力工作，八十六年的十月七日，企業界也成立「中華民國國家競爭力策進會」。

我應邀致詞時特別指出，提升國家競爭力是全面性的工作，包括政府與民眾、中央與地方、行政、立法與司法、企業與勞工，因此必須全體一起共同努力推動，國家競爭力才能提升。

雖然這個評比目標挑戰艱難，未能如願在二十一世紀前交出更好的佳績，但至少政府與民間都有了競爭力的概念，這對國家的進步發展還是有無形的收穫。

全民健保，台灣之光

在行政院長任內的政策推動中我覺得值得一提的是，推動「全民健康保險法」立法完成，民國八十四年元月「健保局」掛牌成立；三月一日

「全民健康保險」如期展開。

民國七十五年我國經濟快速發展，國民所得大幅提高，俞國華院長在立法院宣示政府將推動實施全民健保，並以民國八十九年為實施目標年；緊接著經建會就成立了「全民健康保險研究計畫專案小組」，規劃全民健保的制度與藍圖，當時要有穩健的財務制度也是考慮重點。到了民國七十八年二月，俞院長為順應輿情，又將全民健保的實施目標年提早到民國八十四年。到郝柏村院長任內則要求提前於八十三年實施。我於民國八十二年接任後則戮力以赴，希望實現國民黨政府主政最重要的社會福利制度，

民國八十四年元月健保局掛牌成立。

中央健保局成立典禮暨總經理佈達式。

但我知道如期上路，挑戰很大。

我於八十二年九月正式指示成立跨部會的「全民健保推動小組」，由徐立德副院長擔任召集人積極推動，進行訂定及修正各相關法規，「全民健康保險條例」草案於八十三年七月十八日終在立法院三讀通過，當時共審查七個版本，歷經兩天一夜的馬拉松表決審查，終於在十八日凌晨六點十七分三讀通過，行政院與衛生署的同仁們徹夜在立法院鎮守溝通等待，最後皇天不負苦心人，有了法源後，全民健保才得於八十四年三月一日正式開辦。全民健保為強制性保險其財務責任獨立自主。另成立「中央健康保險局」負責執行與推動相關業務，全民健保的實施可說是政府近幾十年來最重大及最成功的施政，舉世稱羨。根據一〇六年最新民調顯示，國人對於整體全民健保的滿意度達百分之八十五·五，再創歷史新高。前一次歷史高點，是民國九十九年的百分之八十五·二[1]。

全民健保推動二十餘年來，是國人最受肯定的公共政策，多少困難的家庭，因為有了健保，而得到妥善照顧，這個制度也照顧到每一位國人，成為外國政府取經的對象，當年與我一起推動此項政策的徐立德、郭婉容、趙守博、張博雅、石曜堂、葉金川、楊漢淥等人，應該與有榮焉。

全民健保在世界各國成功的案例不高，甚至美國前總統柯林頓的健保改革計畫也在國會觸礁。在我出任院長前，推動全民健保已經歷經三任院長，可見阻力重重。尤其我在推動時，民進黨則強調國家財政將隨之崩盤，一些國民黨立委還擔心是選舉票房毒藥而大加反對，但是我不計阻力，不打退堂鼓，鍥而不捨的對立委們溝通，堅持如期在民國八十四年推動，也為台灣的社會福利制度寫下重要的一頁。

在民國八十一年底時，政府已經陸續開辦勞保、公保、農保及低收入戶健康保險等十三項相關健保制度，全國已有百分之五十四・一的人享有健保照顧。根據統計，當時還有九百多萬人口未加入健保，其年齡層又以十四歲以下孩童以及六十歲以上老人居多。我認為這些人都是社會上最需要照顧的一群，我也常聽講有人因家人罹患重症，但因沒有健保而傾家蕩產。因此我也毅然決然決定，應該實現社會的公平正義，讓這一群為數不少的待照顧者能早日入保。

不過健保要成功，財務規劃是重點。當時已實施的勞保、農保醫療浪費時有所聞，例如「小病看大醫院」、「一人入保，全家看病」。

根據統計，在九十四年底，公保虧損四百零六億元；農保累計虧損到六百八十六億。至於勞保，雖然帳面沒有虧損，但應提撥老年給付準備金至八十三年底，應付兩千零七十二億元，但是當時的勞保基金僅存一百四十七億，扣除職業災害的給付，相差將近一千億元。

面對這樣龐大的財務缺口，我向立法院提出一個觀念：當社會進步到今天的階段，政府有責任要將醫療照顧，推展到其他尚未納入任何保險制度的民眾，同時未來的健保費率應該合理化，避免財務出現赤字，後繼無力。我想到無論公保、農保、勞保多虧損嚴重，且由政府編列預算來彌補，即由全體納稅義務人共同承擔，這對九百多萬未納保，且以老人、兒童居多的確是不公平的。所以為追求公平正義，同時為求全民健保這一條路能走得久遠，我認為要建立自助人助的醫療保險制度，必須由政府、雇主與人民三方面共同負擔。

如此一來，有關保費分擔比例，企業家、勞工、醫療界與被保險人就因此開始角力不斷，立法過程極為複雜，可謂經歷驚濤駭浪，不同的利益衝突總要調和，找出折衷點，最後總算朝野折衝，完成立法。雖然協調無法讓人人滿意，但民主政治就是妥協政治，這個政治現實也需面對。

全民健保實施半年後，八十四年九月我到立法院進行施政報告時，曾向立法院說明健保推動的最新情況。至今，已有一千九百一十四萬人納入保障體系，占台灣地區民眾（軍人不計）的百分之九十四；已繳保費之人數占應繳保費人數百分之九十七；每月領取醫療給付的人次，平均計門診為一千九百萬人次，住診為二十萬人次，已支付的醫療費用至九月初為止達六百零三億元，已顯現全民健保嘉惠民眾的功能。更值得一提的是，原來無力負擔龐大醫療費的重大傷病者，因健保而享受免費醫療的達十九萬九百八十二人，其中需積極或長期治療之癌症患者有七萬一千六百零四人，足見全民健保確是一項福民利民措施。

我回憶當年曾在總統官邸有過高層協調會議，部分國民黨立委堅稱若全民健保開辦，年底的立委選舉就完蛋了，衛生署代表官員也建議可再展延時間，以使籌備作業更順利。但我有不同看法，若再展延下去，阻力只會更大。因此在我的堅持及李總統的同意下，全民健保總算如期上路。記得在二月二十五日我於行政院聽取張博雅署長的簡報，他們的部屬傾向再延後半年再開辦。但我認為再拖下去，就有政治變數，事緩未必則圓，因此我最後拍板決定，仍如期於三月一日開辦。事後，首任的全民健康保險處長葉金川曾有回憶文章透露「我在健保局聽到此噩耗，非常無奈跟自己說：『我們都還在找人、健保卡仍未印製、健保資訊系統也還沒準備好，什麼都沒有，要怎麼開辦？』」[2]但張署長與葉金川等人還是硬著頭皮，迅速展開溝通協調，總算在四天後，中央健康保險局籌備處掛牌上路。若當年我不如此強勢拍板，時間再往後拖延，碰上選舉的因素，全民健保的推動是否就產生變數，那真的就很難講，這就是考驗身為決策者為所當為的擔當責任。

李前總統過世後，其任內的國安會前副祕書長張榮豐在二〇二〇年七月三十一日的媒體上（蘋果日報）發表追憶文章上提及，李總統說他下一批客人是醫界代表，李提及「我等下會勸醫界犧牲一點，幫助政府建立全民健保，這樣台灣社會才能安定，我相信台灣醫生都很有愛心……。」事實上，李前總統也多次跟我提及，全民健保的重要性，以及他多次與醫療有關行業代表疏通，因此我是很感激，李前總統在全民健保政策推動上，對於我的信任與相挺。

我回想當年的立法過程，如果全民健保政策失敗，我是要負全責的。所幸，此一政策實施至今，德澤萬民，且受肯定，這是我行政院長任內推動國家重要社會福利政策的里程碑。

我卸任多年後，衛生署曾為宣導健保的成就，說明「台灣健保，俗擱大碗」，當時他們宣導說，全民健保可以說是另一個台灣之光，「保費低、給付多、管理成本低、看病無障礙」，是各國欽羨的制度，更為台灣人民的守護神。不過，世界上沒有一個制度是完美無缺的，而今健保制度已進入第二代，健保卡也全部成為ＩＣ卡，管理進入電子化，有關醫療浪費的檢討以及如何讓健保永續經營下去，這是全民的責任，民眾、雇主與醫療院所及政府各方都要一起繼續努力。

二〇二〇年全世界爆發新冠肺炎肆虐，全球災情慘重，而台灣在防疫措施初期獲各國肯定之際，中國國民黨革命實踐研究院新任院長羅智強曾在媒體投書為文說新冠肺炎傳染印證國民黨執政時期對台灣的貢獻，呼籲國人享受健保同時，也要給當年的俞國華、郝柏村、連戰三位行政院長，一個遲來的公道。文章說：「台灣人真的很幸運，人人享受低廉、完善的全民健保制度，也因此能免於疾病肆虐。『吃果子拜樹頭』，我們要感謝當初高瞻遠矚，以人民福祉為念的政治人物。先讓我們看看全民健保防護網的成立過程：一九八六年—國民黨的行政院長俞國華宣示二〇〇〇年實施；一九九二年—國民黨的行政院長郝柏村指示提前辦理；一九九四年—國民黨執政時通過《全民健康保險法》；一九九五年—國民黨執政時成立《中央健康保險局》；一九九五年—國民黨的行政院長連戰任內，全民健保提前上路。」[3]

羅智強表示，以當時的時空背景、政治氛圍，國民黨沒有連任、保衛政權的壓力，全民健保適用對象全民一體，不分藍綠或特定團體，上述政治人物堅持的是一個理念與使命，並在行政系統全面配合下，建構了台灣公共衛生基礎建設最重要的一環，新冠肺炎傳染印證了國民黨執政時期對台灣的貢獻。

羅智強這一文章，重點是要告訴大家飲水要思源，而非造神運動，莫忘前人建立的制度才有今天的公共衛生安全。這也讓我想到，國民黨每在選舉時就遭對手抹黑賣台，其實推動全民健保是國民黨持續的政策，在我行政院長任內排除萬難，經過黨內協調，立法院內的說服，才讓全民健保制度提前上路。若我當時稍不堅持，繼續拖延，全民健保恐就不是今天的情況了！美國的例子就是殷鑑。多少旅居國外的僑民，逢到重大疾病時，還是選擇回到台灣看病，就是一個最好的說明。人民的眼睛應該是雪亮的，公道當然自在人心。當然我也知道，當年推動全民健保，也引起一些相關人士的反對，影響了其既得利益，後來我走上兩次參選這條路上，少了這些人的票也很自然，但往事已矣，想到能為全民、多數人的利益謀福祉，我問心無愧。

刻不容緩的眷村改建

眷村改建也是我在行政院長任內推動的重大建設，回想過去的眷村因為破舊無法整建，生活品質低落，再加上有些地段因為都市發展，位處繁華區段，而成都市之瘤。因民國三十八年戰亂，隨政府遷台的軍人、軍眷，他們曾為保衛台澎金馬復興基地的安全，犧牲奉獻，流血流汗。當國家發展到一定程度，政府是應該回饋榮民、軍人，軍眷，改善他們的居住品質。

我曾經多次到眷村探訪，發現很多還是三代同堂，兒女長大成人後，一家七八口擠在一個七、八坪的狹小房舍，這給我很深的感觸，因此在民國八十四年的秋天，我決定要提出「眷村改建條例」來推動此一政策。

當時也有另一個背景是，發展都市更新是當務之急。那時經建會規劃的主要示範更新地點包括：一、台北市淡水河以東、建國北路以西、市民大道兩側。二、台北市南港經貿園區。三、台中火車站特定區。四、高雄

嘉義平實乙村眷村改建國宅新建工程開工破土。

出席壽德新村眷村改建國宅新建工程開工典禮。

多功能經貿園區。五、國軍老舊眷村改建。眷改是都市更新計畫其中的一環，也可以說是個亮點。過去政府在民國七十九年就開始推動國軍老舊眷村改建，到八十四年時，還有四八七個眷村涉及法令、地價、經費、土地權屬及眷戶意願，影響改建進度，造成瓶頸。我當時聽取國防部長蔣仲苓及退輔會主委楊亭雲的簡報後，決定透過立法途徑，加速這四百多處眷村的改建工作。

我當時指示行政院副院長徐立德與經建會副主委蔡勳雄全力配合國防部的規劃，同時我也同意編列特別預算方式來找財源。但是這個立法卻遭在野黨質疑獨厚特定族群，他們甚至認為這項立法是為換取選票。

面對這些質疑，我必須進行社會的勸服工作，以化解阻力。當時經建會給我的分析資料，推動眷村改建，除了可以改善眷戶的居住環境外，也可以解決地方政府的都市之瘤，同時也增加縣市政府免費取得約三百六十五公頃的土地，可以做為學校、公園、道路用地。同時這項政策推動，也可以刺激營建業，帶動經濟成長的「多贏」局面。而且接近六千多億的預算，都是出售高價土地所得，而非挪用其他公共支出，這是公共政策的創舉。

儘管我們做了許多的溝通工作，但民進黨立委仍然堅持反對，「國軍老舊眷村改建條例」草案於八十五年一月十二日在立法院二、三讀時，還演出全武行，由台上打到台下，才艱辛的完成立法。當時我們也採納若干立委的意見，保留一些戶數給中低收入戶居住。

當時為了這項立法，徐立德副院長與蔣仲苓部長徹夜鎮守在議場後端與國民黨團及新黨立委通力合作。我記得半夜通過時，徐立德立即跟我撥了電話。而蔣仲苓也撥電話給侍衛長王詣典，請他天亮後立即報告李總統。

回想這段立法過程，如果當時我們不堅持，鬆懈了意志，四百多處的眷村改建恐將遙遙無期，難上加難了。這個立法通過後，同年十月行政院通過「國軍老舊眷村改建計畫」，預計自八十六年度至九十四年度止，以編列特別預算的方式在全國二十三個縣市規劃興建與改建九萬餘戶住宅。

因為這項立法過程溝通的艱辛，我特別向相關部會首長提到，外界不解眷改並非只對少數人有利，今後必須要用「民眾聽得懂」的話對外溝通，同時對於一般國宅、勞工住宅的推動也要加把勁。

當年我所規劃的都市更新地點，在經過一、二十年後，都已經陸續完成，是北、中、南各都會區新市容的亮點，更給當地地段帶來繁榮的經濟。而完成後的眷村改建，不僅德澤舊眷戶，地方政府與當地居民也同時受惠，市容環境大為改善。整體來說，這個計畫藉由都市更新提高土地價值興建完成後，除配售予原國軍外，多餘住宅則可出售給一般民眾，以上收入足可支應改建成本所需。所以除周轉金外，政府並無實際財務負擔，這個計畫實施結果，可以產生政府、民間暨國軍眷戶共同受益效果，可說是三贏，沒有輸家。

電信三法助市場自由化

此外，我在行政院時期還推動電信自由化，立了電信三法，這也是中華民國電信進步、邁入世界電腦大國的關鍵。我當時把清華大學校長劉兆玄找來出任交通部長，我全力給他支持，他也很賣力推動，電信改革的成就國人是有目共睹的。

記得我在交通部長時，我就曾經想推動車上行動電話，但是當時國防部與內政部卻有不同意見。當時典型的反對意見例如「當我們方便了，犯案的歹徒也一樣方便更可以快速逃脫。」後來我接任行政院長，幾位部長已老成凋零，我也可以無阻力的推動許多過去未及推行的政策。

談到修法，最具體的就是推動「電信三法」的立法，開放電信市場是一塊大餅，電信總局要從球員兼裁判角色，調整為監理者角色，並另外成立國營中華電信公司，這項立法正值立委改選前夕，中華電信三萬六千名員工擔心職場變化也走上街頭請願，推動改革都是不容易的。而今回顧當年在立法院推動立法之艱辛，最後立法完成，允許外資進入市場，行動電話市場除了中華電信外，也陸續有台灣大哥大、亞太等等其他電信公司上市，現在人人幾乎都有一支行動電話，甚至有的到兩三支以上，尤其智慧型手機的發展，為國內創造經濟產值與提供就業機會，創造商機，如今電信通訊傳播事業發展已經進入5G時代，商機更是無計可數。

我記得在交通部時，交通部運輸研究所所長黃嘉禾手下有很多的研究人才，像毛治國、張家祝當時都是傑出的專家。我想推動車上行動手機時，遇到一些老人的阻力，嚴格說我們還停留在手搖與按鍵電話時代，是連馬來西亞都不及。我在民國八十二年於行政院服務時，我就知道美國總統柯林頓一上任就推動發展NII建設（National Information Infrastructure，簡稱NII）。其實更早是一九九一年美國參議員高爾就推動「美國資訊高速公路法案」（High Performance Computing Act Of 1991）。而高爾與柯林頓搭檔競選成功後，美國政府於一九九三年九月實施一項新的高科技計畫「國家資訊基礎設施」（NII），高爾就是這個項目美國政府的負責人。當時很多人對網際網路能起什麼作用並不了解，但美國這項先進的科技建設引起我高度興趣，我當時就找了政務委員夏漢民及楊世緘等人開會，我說美國人已經動起來，我們是不是一起跟進來推動此一建設。其實資策會一九七九年成立時，背負的使命就是推動台灣的資訊科技發展，推動電子化政府也是當時政府的政策。楊世緘那時主要是推動電腦的發展。夏漢民後來奉我之命帶了一批人到美國北卡羅萊納州考察，真是「大開眼界」。該州當時是美國最先進的新通訊實驗場。他們回來告訴我，未來可以進行遠距會議、教學、醫療。他們實地考察，比方一千公里左右的城鄉差距，沒有老師的偏鄉可以教學，沒有醫生的地方也可以問診，董事長、總經理等幹部在不同地方可以一起開會，我立即指示「我們應該要趕快趕上。」我也找了黃嘉禾到行政院問，他告訴我，我們也有能力可以發展。民國八十三年我們開始推動網際網路建設時，國內只有四千多戶上網，但是到了八十五年底就已經有二十五萬戶上網，這個成長是非常迅速的。那一段時間，國內的電腦普及率成數倍的成長，楊世緘告訴我，市場供不應求，成雨後春筍般的成長，市場、民間、公家機構紛紛訂購電腦，進行電腦化。我認為政府預定的發展目標都太保守，民間對電腦的需求是迫切且是躍進成長。

當時我希望這個運動能優先植根於我們的教育，讓新生一代優先有先進電腦技能，希望三年內所有高中、高職都能有網路，五年內國中、國小都能上網路，二十個學生有一架多功能電腦，民國八十六年六月政府各部門之間的網路完成，在二十世紀結束前，我國在都會、鄉村、村里都可以普遍享受便捷資訊服務。那時我們喊出「村村有電腦、里里上網路」，如今這些美夢均早已成真，且發展神速。

而今二十一世紀已經過了五分之一，中華民國台澎金馬地區網際網路使用不僅普遍且便捷，同時我國資訊科技產業在世界上馳名，為國家爭取無比的外匯收入，當年推動網際網路建設的政府公務員，應該可以感到很安慰，我們真可謂為民造福。國民黨執政期間多年推動的電子化政府，在我服務行政院期間開花結果，不僅便民也便官，這樣的雙重效果，完全提高了行政效率，充分反映在戶政、地政、役政、監理作業、貨物通關、醫療的電腦化上，民眾申請文件與洽公快速又便捷，不再有怨聲載道的情形。舉個例子，台北市民申請戶籍謄本，都可以在任何一個戶政事務所辦理，申請作業時間，也可以從幾星期或幾天縮短到幾分鐘，這種便民服務真是不可同日而語。而今各種電子採購、電子支付、電子稅務都得以實現，莫不歸功於早年網際網路建設推動。

因此當我們推動國家網際網路「ＮＩＩ」有成時，我應邀致詞時曾說「當時大家都搞不清楚何謂ＮＩＩ，還在嗯嗯哀哀的。」但是台灣網際網路建設推動的普及率，當時在遠東已經是數一數二，台灣有了「電腦王國」的美譽，絕非天上掉下來。民國八十八年一月二十七日，行政院

NII小組舉辦「三年三百萬網際網路用戶慶祝酒會」，慶賀我國提早達成三年三百萬的目標。三百萬用戶代表有百分之十五的人口，這個上網人口密度使台灣與新加坡並列為亞太地區上網人口比例最高國家，連日本、澳洲都落在我國之後，由於我們布局較早，也成為全球上網人口密度排名第十二的國家，這個成績實屬不易。

在我到行政院服務前，台灣的經濟幾乎同時面臨對外有新台幣升值，內則有環境汙染防治及勞動基準法實施的問題，後來更有亞洲金融風暴來襲，但我們卻能履險如夷，安然度過，並非幸運。有人歸功於我們總體經濟掌控得宜，但也有人認為我們適時推動普及NII，以此進行一場舉國性的企業改造運動，而政府與民間共同使用網際網路，開創了新的競爭優勢使然。後者此論，應該可信，不僅「與有力焉」，且「與有榮焉」！回想當年推動NII建設時，相關部會署都持審慎保守心態，不敢編列更多預算投入，但當年仍交出亮麗耀眼的成績，這對提高國家經濟競爭力奠定深厚堅實的基礎。

回想這一段電信三法的立法及後續建設過程，我們應歸功劉兆玄、夏漢民、楊世緘以及電信局、交通部運研所、電信研究所、新竹工研院許多專家學者的大貢獻。

亞太營運中心計畫壯志未酬

接下來我想談談前面曾提到的發展台灣成為亞太營運中心計畫，這個計畫是新穎、跨時代的雄偉建設，很可惜後來因為李總統戒急用忍政策，最後功敗垂成。據經建會前副主委葉萬安曾向我回憶說，剛退休不久的他於民國八十二年五月初應蕭萬長主委之邀出任經建會顧問，當時經建會同仁就全力研擬「振興經濟方案」，那時葉萬安向蕭萬長建議應把「台灣成為亞太營運中心」做為「振興經濟方案」的最高追求目標，不過事涉大陸政策的變更，當時經建會其他同仁有不同意見，最後把亞太營運中心改列為「振興經濟方案」的中長期目標。但是經建會向我提出報告時，亞太營運中心計畫，不但早已經過多位學者的建議，並已向李總統報告並獲得他的支持，大家都認為二十一世紀即將到來，列為中長期計畫是可惜了，我也認為我的責任是何時好好推出這張「經濟王牌」，讓兩岸經濟合作做到互補雙贏。所以當年七月一日行政院會通過振興經濟方案時，我就拍板裁示：建設台灣成為「亞太營運中心」雖列為中長期追求目標，但事屬跨世紀重要工程，應立即開始進行規劃。兩個月後，九月我就決定針對「發展台灣地區成為亞太營運中心」成立專案小組，由我親自擔任召集人，並指定經建會為幕僚作業，經建會則聘美國麥肯錫顧問公司（McKinsey & Company）進行深入規劃。

亞太營運中心類似的構想，更早期就有徐小波先生鍥而不捨將相關資料寄送給各部會，而徐小波與薛琦教授曾共同研究提出亞太營運中心計畫初稿。陳博志教授也曾專案向我提過簡報。麥肯錫公司的正式規劃書完成并經經建會全體委員的熱烈討論後，於八十三年底完成計畫報送行政院。

記得八十三年十二月三日省市長及省市議員選舉後，為了加速腳步推動亞太營運中心計畫以及全力推動振興經濟方案，我進行了第二次人事改組，安排副院長徐立德兼任經建會主委，蕭萬長出任大陸委員會主委，趙守博接任行政院祕書長。當年蕭萬長在經建會規劃亞太營運中心計畫曾遭到阻力，主要是涉及大陸政策的更動。過去跨部會討論時，常因基於安全考量，推翻大陸政策的開放性。因此徐、蕭二人的人事變動，他們可以在亞太營運中心計畫上有較一致看法，修法阻力可以減少許多。而徐立德也

與交通部長劉兆玄（左一）、財政部長林振國（右一）一起出席亞太營運中心成果發表暨國際空運連線啟用典禮。

向我推薦台大經濟教授薛琦出任經建會副主委專責推動亞太營運中心案。徐立德的投入與薛琦的加入，讓亞太營運中心計畫邁出關鍵的步伐。

民國八十四年一月五日的行政院會正式核定通過推動亞太營運中心，當時引起輿論界熱烈關注，專家學者、企業界及重要媒體社論都一致肯定與支持。我隨即在二月向立法院報告，指出這是一項跨世紀的計畫，以台灣為基地，希望本國或外國企業能以台灣為據點，從事投資並開發亞太地區市場，包括中國大陸及東南亞都是亞太營運中心的範疇。這個構想要塑造台灣具有高度自由化、國際化的總體經濟環境，促使貨品、人員、資金、勞務及資訊等便捷出入流通，吸引跨國企業和我國企業合作，以台灣為投資中國大陸及東南亞的據點。我們的構想是，推動亞太營運中心一方面可以凸顯台灣在亞太經濟整合中扮演關鍵角色，另一方面可以在先進國家與開發中國家間擔負起承先啟後的「中繼者」責任。當時規劃的具體做法可分為兩大部分：

一是**發展專業營運中心**：依據台灣優勢的經濟條件所做的評估，未來台灣最適合發展的是生產製造、貨物及旅客轉運，以及專業服務等三大類的經濟活動。經建會具體規劃把台灣發展為製造、金融、電信、媒體、海運與空運六大專業營運中心。這六大中心的要點如下：

（一）製造中心：以既有製造業基礎，綿密的經貿網路，以智慧型的產業為取向，高附加價值的生產行銷為中心，將台灣建設為「科技島」。

（二）海運中心：利用台灣位處洲際航運網路的要衝地位，提高台灣各個港口的使用率，來支援製造中心的發展，將台灣發展成為區域性產業垂直分工體系的核心。

（三）空運中心：與上述海運中心類似，都是利用我們地理上的優勢，使人員及貨物可以快速流動，發展貨物快遞服務及轉口市場，建立我國區域物流中心的地位，同時更可以繁榮地方，將桃園建設為航空城。

（四）電信中心：提供價格合理與高品質的電信服務，以便利企業在台灣建立區域性或全球性的資訊網路或管理中樞。其中最重要的工作就是推動「國家資訊通信基本建設（簡稱NII）」。

（五）金融中心：運用台灣資金充裕的優勢，發展成為供應亞太國家及企業資金需求的區域性「籌款中心」。

（六）媒體中心：開拓華語影視媒體市場，將台灣建設為製造及供應亞太地區華語電視節目及電影的重要據點。

二是**進行總體經濟的調整**：

1. 為了配合進入世界貿易組織，因此要把台灣升級為自由化、國際化的國際經濟環境，逐步降低關稅，減少非關稅障礙，並擴大開放金融、保險，電信、運輸，以及律師、會計師等服務的國內市場。

2. 減少人員進出的障礙：依國際規範，檢討放寬外國專業技術人員，短期停留及來台工作的限制。

3. 放寬資金進出限制：依「原則自由，例外許可」的精神，修正管理外匯條例，逐步放寬外匯管制。

4. 增進資訊流通的便利：加速政府資訊公開，建立合理健全電波使用分配與監理制度，推廣國際網路，並加速寬頻資訊網路建設。

5. 以「整體立法、個別推動」的方式，推動亞太營運中心相關法律的立法，並協調各部會對行政命令進行增修。

配合自由化的立法工作迫在眉睫，在我任內修法超過七十項，行政命令的修正也超過百項，這都是為符合國際規範的目標，不得不加速進行。

在我的印象裡，當年在俞國華院長任內為配合推動解除戒嚴，政府各部門有過較大規模的修法立法工作，這次為配合自由化、國際化的修法，涉及範圍也較大。因此在工作期程上，我們把亞太營運中心計畫以一九九七及二〇〇〇年為分界點，區分為三個階段進行，並分別訂定階段性目標與執行重點。

一九九五到一九九七年香港地位改變前為第一階段，就以法令制度規章的調整，以及小規模硬體設施的興建或局部改善，做為優先推動事項。這段期間要加速經濟體質的改善，厚植發展營運中心的階段，希望營造氣勢，排除萬難，全力以赴，以期因應香港地位轉變，乃至於我國加入關稅暨貿易總協定、世界貿易組織等雙邊、多邊的協商，以及使我國經濟朝向國際化、自由化邁進等，能收相輔相成、事半功倍的效果。

第二階段，則自一九九七到二〇〇〇年，計畫重點在因應英國將香港歸還大陸統治後的情勢，擴大亞太營運中心的規模，並進行全面性經濟結構調整；第三階段，為自二〇〇〇年後，將配合各項大型硬體建設的完成，以及十二項建設計畫的積極推動，循序擴大營運中心發展的規模與格局，拓展台灣經濟領域。

兩岸的經貿關係，對建設亞太營運中心有不可忽視的影響。亞太營運中心的推動，其實就是悄然循序漸進推動、調整開放的兩岸政策，以謀求穩健地發展。簡單的說就是「行穩致遠」，我們放棄以往畏首畏尾、民間在前政府於後頭追的腳步，改以前瞻、宏觀角度推動兩岸經貿合作，只要是不涉及台灣安全、不違背台灣人民福祉的政策，我們均朝開放立場，這是我拍板推動亞太營運中心的原始初衷。

為了展現推動亞太營運中心的決心，八十四年三月六日經建會成立了亞太營運協調服務中心，我在有民意代表、外國駐華使節及貿易代表、歐僑商會、美僑商會會長等中外貴賓參加的酒會上致詞。我說：協調服務中心正式成立，把我國推動台灣成為亞太營運中心的計畫推向衝刺的階段，這個中心是推動計畫、協調機關、服務廠商的工作。並且要主動積極的促銷，吸引世界各國的知名廠商來參與我們亞太營運中心的工作。

截至當年十月，經濟部工業局就傳來捷報，已有德商拜耳（Bayer AG）、荷商飛利浦（Philips）、美商杜邦（DuPont）在台灣設立營運總部；美國的FedEx也要來設立運轉中心，至此，我審慎樂觀認為此一建設已然成功了一半。十二月我又到萬里翡翠灣福華飯店出席行政院舉辦的「亞太營運中心策勵營」，我期勉各部會同仁要以調整心態、身體力行、充分運用民間市場力量以及市場機能是否活絡做為檢驗自由化的目標。我並同意他們的總結報告代表行政部門呈報總統裁示。

反中加劇兩岸分歧

我在推動境外航運中心的做法，其實起源於孫運璿院長時期，他早就想為台灣爭取到亞太的海空轉運角色。由於政策上還無法推動兩岸直航，因此政策上先推動權宜輪回籍試試水溫。

我民國八十二年二月擔任行政院長，兩個多月後辜汪會談就舉行，為了因應當時的兩岸情勢，我於民國八十三年十二月八日的行政院會上宣示兩岸政策要以經貿為主軸，在國統綱領揭櫫的原則下，遵循市場法則，達到兩岸互利互惠雙贏的目標。

我也曾在接受《紐約時報》訪問時，特別提到兩岸經貿合作，將是如虎添翼的雙贏局面。如以台灣的資金技術人才，利用大陸東南沿海為腹地，這將是一個有遠景的合作市場。

當時推動亞太空運中心計畫，目標是吸引跨國型快遞服務業到桃園中正機場轉運貨物。在激烈競爭中，我們挑選了ＵＰＳ，而讓FedEx飲恨。當然時隔多年後，這兩家知名公司也都投入此一市場，在桃園機場設置重要的轉運據點。

而我任內推動「境外轉運中心」計畫，在中共善意的回應下，兩岸航運團體終於在一九九七年一月在香港會晤，隨後兩岸貨輪開始在廈門、福州與高雄港、基隆港間揚帆，這未嘗不是兩岸打破隔閡的一大突破。在空運部分，我也核定可與澳門當局進行航權談判，同意澳門航空以原班機、更改航班方式續飛北京，這可以說是在國統綱領尚未達到中程階段無法達到開放直航前的彈性變通辦法。

當時我們大膽採取「不通關不入境」方式，將大陸地區輸往第三地區或第三地區輸往大陸地區貨物，在境外轉運中心轉運，這是當年尚未直航前的實驗性做法，同時也有利兩岸經貿往來。在我任內一九九七年四月十九日開始啟動境外轉運中心，單以九十七年六月至九十八年五月，這一年的統計，每月轉運平均成長率百分之十，由於境外轉運中心一年裝卸吞吐量已超過二十萬TEU（Twenty-foot Equivalent Unit，二十呎標準貨櫃），使得高雄港務局一九九七年全年吞吐量大幅增長至五百六十九萬TEU，居世界第三大貨櫃港，因此境外轉運中心對於高雄港的成長發揮了正面的功能。原本我也具體指示可以台中港暨清泉崗機場做為海運與空運的先驅規劃地區，但可惜後來受到「戒急用忍」政策影響，此一論調擔心我們的人才與資金被大陸吸光，台灣產業將空洞化，經濟部被要求訂定一套管制兩岸經貿發展的措施，凡是五千萬以上的案件一律喊卡，而亞太營運中心計畫推動的都是大案，因而亞太營運中心未能竟其功，可說是其來有自。假如亞太營運中心計畫當時順利推動，台灣的經濟何以會喪失原來亞洲四小龍的龍頭地位？而今日鄰邦韓國、日本的經濟地位亦當已為我們所取代了。

亞太營運中心的挫敗，我內心是相當的不捨與難過，我難過的不是這項我們念茲在茲、不斷闡釋宣導將使國家經濟體質脫胎換骨的重大政策或施政中心的挫敗，對個人政績或仕途將會有什麼負面的影響，因為個人榮辱得失不但微不足道，而且都是過眼雲煙、無處可尋，何況推動亞太營運中心計畫，除了前面所說的成果之外，單以六個營運中心製造的商機就已經很多了，增加國內外投資三千八百多億元，絕不是一敗塗地。我們難過的是，當年向全民許諾的願景：「在跨入二十一世紀以後，經濟成長率維持在百分之六點五左右，國民平均所得達到兩萬美元，而進入已開發國家行列」迄今落差仍大，不知何時可以實現。我們尤其不捨的是，這對於台灣兩千三百萬同胞共同的福祉與未來之影響是至深且巨。我深切了解，亞太營運中心是今後解決台灣所面臨的瓶頸問題及提升國家經濟發展的必然方向，就提升經濟而言，這也是我們別無選擇的路。然而我們未能把握這個契機，況又「時難得而易失」，馴致至今問題猶在。

亞太營運中心的停擺，使得兩岸的經貿合作大受打擊，加上近年兩岸情勢倒退與大陸經濟崛起，高雄港已經退居到世界排名第十五名，反觀大陸的上海的洋山港已躍居世界排名之首，而深圳、寧波（舟山港）、香港、廣州、青島、天津等港都已進入名列世界十大排名，十大排名大陸港口就占了七席。此外桃園航空城計畫，到今天還是進展緩慢，兩岸經濟比較，我們自己受到意識型態綑綁，彼長我消，豈不令人搖頭遺憾！這就是政策鎖國之害！我也為行政院長任內未能順利推動亞太營運中心計畫，造成胎死腹中感到痛心扼腕。

而後八年民進黨執政，兩岸關係倒退，兩岸經濟合作可說是錯失寶貴的時機。雖然二〇〇八年國民黨重新執政，馬英九總統任內八年，兩岸的經濟合作重新走回當年我所規劃的兩岸雙贏的亞太營運中心計畫構想，甚至推動了兩岸直航三通、實現當年我們考慮放寬台灣境外金融中心與大陸金融機構業務往來的構想。但畢竟時機已經耽誤甚久，大陸經濟已經飛躍成長，兩岸經濟量體差距愈來愈大。

美麗壯觀的一〇一大廈，原設計為亞太營運中心的金融中心，我個人也為它的土地取得、規劃設計花了不少時間，可惜的是直到今天仍要為它的原始目標繼續努力！等到二〇一六年民進黨再次執政，二〇二〇年蔡政府因操作香港反送中議題，台灣社會充斥反中、仇中氛圍，而在選舉得利，兩岸分歧加劇，加上新冠肺炎疫情衝擊，兩岸形同封鎖，合作機會大為流失，這不僅是台灣的經濟災難，更是兩岸人民的損失，台灣的受害尤深。

在行政院長任內雖然致力改善兩岸關係，但是對於國防安全也不能掉以輕心。我任內為維護台澎金馬等地區安全，依據國軍建軍構想，積極向外洽購美國F-16高性能戰機，所需採購經費共為三千一百億元，自八十二年度至九十年度分九個年度付款。所需經費原規劃係以分年納入國防預算及以融資方式處理。但由於融資部分未列入預算引起是否違法的爭議，我上任後立即指示行政院主計處重加檢討，所需經費均以賒借收入為財源，依付款時程一次編列跨越九個年度之「採購高性能戰機特別預算案」，於八十二年七月完成立法。由於當年高性能戰機的及時採購，提升空軍戰力，避免台海軍力平衡失衡，方能維持台澎金馬地區近二十餘年的安全。

注釋

1 資料來源衛生福利部中央健康保險署106.11.13

2 葉雅馨等編著（2020年07月）。《那些年那些事：張博雅任衛生署長的一步一腳印》。

台北：大家健康雜誌。

3 羅智強（2020）。羅智強觀點：世界第一的台灣健保。檢自https://www.storm.mg/article/2486465 (Dec.04, 2022)

第八章

內憂外患下的副總統大任

一九九六年三月台灣首度舉行總統、副總統直接選舉，李登輝先生和我獲得中國國民黨提名參選。由於前一年五月美國參眾兩院分別以壓倒性票數通過提案，要求柯林頓總統同意李登輝總統以「以私人身分」訪問母校康乃爾大學，引起中共方面不滿，除了中斷預備進行的海協會會長汪道涵訪台計畫，還在台灣本島附近海域發射飛彈，意圖影響選舉。而在選舉前夕，美國航空母艦尼米茲號（USS Nimitz CVN-68）戰鬥群也刻意通過台灣海峽，受到國際矚目。台海危機爆發時，為安定民心，降低衝擊，讓選舉順利進行，我奉李總統之命於行政院成立專案小組應對，所幸危機安度，總統大選順利完成，我與李登輝先生搭檔競選也拿下過半數當選。

李總統訪問母校之行，係透過國民黨黨營事業管理委員會主委劉泰英，以台灣綜合研究院名義委託美國知名公關公司卡西迪（Cassidy & Associates）在國會長期進行遊說下，終有所成。一九九五年五月二日美國聯邦眾議院以三百九十六票對零票，要求柯林頓總統同意李總統訪問康乃爾大學。同年五月九日，美國聯邦參議院也以九十七票對一票，通過眾院同樣的提案。李總統於同年的六月九日啟程，進行歷史性的訪美行程，廣受中外媒體報導。同年六月十五日，我以行政院長身分也啟程到歐洲奧地利、匈牙利及捷克訪問。就在我啟程後的隔天，中共官媒新華社就刊載大陸國台辦的聲明，抨擊李總統訪美是公然製造兩個中國，因此無限期推遲二次辜汪會談。

在這之後，大陸對台立場轉趨強硬，大陸的導彈部隊先後在民國九十五年七月二十一日至二十六日間，於台灣北方的彭佳嶼附近海域發射了六枚M9型地對地飛彈。八月十五日至二十三日也在彭佳嶼北方一百海里海域、空域進行導彈、火炮實彈演習，總計發射二十餘枚戰術飛彈，同年底大陸方面還在東山島舉行軍事演習，這些軍事行動為平靜已久的台灣海峽掀起波浪，同時也陸續影響了台灣的股市與房屋市場，國家陷入危機之中。

十八套劇本因應兩岸變局

當時維護首度的總統直選順利進行，是政府的最高政策指導原則。九十五年九月間，李總統特別在府內召開會談，聽取國家安全局長殷宗文因應中共可能干擾台灣總統、副總統大選的十八套劇本。這些劇本主要是因應中共採取的心理戰以及軍事演習對台灣人心、股匯市、房地產及民生物資種種可能的衝擊應變措施。

一九九六年二月七日下午五時三十分，李總統再次於總統府召集高層會談，會中做成決定，由行政院成立臨時決策小組，來因應一切可能的兩岸變局。

當時由我擔任召集人，成員還包括總統府祕書長吳伯雄。國家安全會議祕書長丁懋時、行政院副院長徐立德、台灣省長宋楚瑜、內政部長黃昆輝、外交部長錢復、國防部長蔣仲苓、經濟部長江丙坤、財政部長林振國、大陸委員會主委張京育、行政院祕書長趙守博、新聞局長胡志強、國家安全局長殷宗文等，由於當時我已經是候選人，最後階段將視情況請假，因此我特別委請徐立德副院長擔任臨時決策小組的協調工作。

此一小組的任務有四項：一、了解掌握兩岸關係的現況，並決定政府處理的基本做法。二、總統、副總統選舉期間治安工作的掌握與加強。三、針對當前經濟情勢決定必須措施的採行。四、就各方面資訊加以交換、掌握，對重大問題，採取快速反應及必要措施，並向社會大眾妥為說明。

我擔任召集人期間，從二月十二日到選前的三月二十二日止，總計召開九次會議。

當時為尊重立法院民意機關角色，立法院也成立跨黨派的「兩岸情勢因應小組」，由劉松藩院長召集，副召集人為副院長王金平，國民黨、民進黨、新黨、無黨籍分別依比例派二、二、一、一參加。立法院決議，政府的決策小組做成決策前應先向立法院因應小組磋商，並於做成決策後，向立法院小組報告。

當年的春節為了讓國人安心過節，我特別選在春節前夕的二月十四日從基隆搭乘軍艦，夜行前往馬祖前線，事前對媒體保密。在馬防部我對官兵精神講話，國家安全絕不能冀望於敵人的善意回應，更不能寄託在國際友邦的任何干預，只有自己的實力最重要。

當時我揭示的戰略原則為「止戰而不懼戰」、「備戰而不求戰」、「不挑釁、不迴避」，果斷處理可能突發的軍事危機。

事實上，從各項情報蒐集分析，要把「平時當戰時」絕非一句口號，為因應大陸在東南沿海針對性的演習，國防部也成立「永固專案作業小組」，研擬各項對應措施及克制方案。當時決策決定，中共若蓄意發動攻擊或武力侵犯時，將採取自衛性反制措施，以嚇阻大陸方面進一步冒進行動。

我在首次的決策小組會議上，鄭重向國人宣示，維護台海地區和平穩定，確保國家安全及民眾福祉，是政府應負的責任。我也代表政府向中共當局表示最嚴重的抗議與譴責，要求中共當局立即停止影響台海安定的各項軍事行動。

為了安定股市，行政院在春節前夕宣布，將成立股市穩定基金，其他配合措施包括：為穩定金融，由中央銀行適時調整存款準備率及重貼現率；為健全房市，中央銀行再增撥郵政儲金轉存款三百五十億元，協助無自用住宅民眾辦理首次購屋貸款，總共提撥一千一百五十億元；為協助中小企業融資，提高中小企業信用保證基金、設立中小企業互助基金、展延中小企業貸款還本，省屬行庫增撥資金貸予中小企業；檢討工業用地取得、開發、使用、管理等問題，以落實工業區開發管理改進方案。

我們決策小組開會時，最擔心的是中共不用一兵一卒讓我開放型市場的股匯市崩盤，老實說我十分憂慮，我當時曾請益工商界大老辜振甫及學術界重量級學者，他們認為可以仿效國外，成立股市安定基金。那時政府成立的股市穩定基金七人小組分由彰化銀行董事長蔡茂興、郵政總局長許介圭、中央信託局長蔡茂昌、台灣土地銀行總經理何國華、第一銀行總經理陳安治、財政部金融司長鄭濟世、證管會總經理林孝達等人組成，並由蔡茂興擔任召集人。此外，行政院副祕書長張昌邦也破天荒在辦公室裝置了電腦終端機，與證管會的股市資訊聯繫，讓行政院的決策中樞，能第一手了解當日股市變動，以及了解政府的出手到底有無發揮作用。

當時籌措的安定基金總額約有三千億元，子彈算是充裕，隨時待命進場安定股市。當時敲定，新台幣兌美元的匯率要維持二十七・五元兌一美元，股價則至少要維持住四千七百點左右，不能任其無限下跌。

那段危機期間，股價約在四千六百到四千七百之間震盪，股價最低時刻為四千三百點左右，每天股市安定基金平均進場量為台幣五十億到六十億之間，並選擇本益比、經營不錯的上市股票為主，不讓其無理性的下跌。此一護盤結果發揮了意料結果，我在選後接受《財訊》雜誌訪問時，我特別提到「台海三月危機時，對政府有信心的投資人都賺到了錢。」當時我也十分清楚到底哪些人、哪些機構配合了政府決策進場的意願。以郵政儲金為例，當時配合政府政策，就賺了不少錢。

支持者萬頭鑽動，盛況空前。

那年的總統大選，中共的飛彈演習是媒體關注焦點。大選前兩週，新華社對中外宣布，將於三月八日至十五日一連八天，在東海和南海進行地對地導彈演習。中共的飛彈打到北台灣及南台灣基隆、高雄外海，威脅針對性十足。我方情報部門早在新華社發布前幾天就研判準確，因此我在三月三日就開會公開要求中共立即停止這項具有挑釁性的舉措，我也強調，中共此舉明顯企圖影響阻撓中華民國第九任總統、副總統選舉，破壞台海地區安寧，危及區域和平與安定。我並強調，這次大選是具有歷史性的大事，一切仍按照既定計畫進行，如期完成。

在強大的威脅下，首度總統民選活動按照計畫進行。

我和李登輝總統於一九九六年五月二十日上午宣誓就職，正式展開為期四年的任期。

我也說明，台灣民意一再顯示，終止兩岸敵對狀況，在和平基礎上，促進兩岸互利互惠，共同繁榮，才符合兩地同胞共同期望。我強調，中華民國政府已決定在未來期間將凝聚共識，研擬具體可行方案，為兩岸和平發展，為亞太地區的安定與繁榮，做出歷史性貢獻，中共實不應一再片面曲解我方立場，連續採取對兩岸人民情誼有所傷害的舉措，阻礙兩岸交流與統一的進展。

我進一步對中共當局喊話，追求國家統一，堅決反對台獨，乃中華民國政府一貫堅定立場。這次選舉係依據中華民國憲法規定，順應民意和世界潮流的民主作為，選舉結果不會影響我方對兩岸關係的定位，更不會改變我政府追求國家統一的目標。

由於中共方面選擇較九五年更靠近台灣本島的飛彈發射，針對於台灣與金馬外島的航運安全、漁民作業安全及航海、航空安全等，交通部都做出因應，將對岸演習區域列為危險區域，配合調整航路變更。

另外，對於糧食安全庫存，農委會也做了應變，尤其外島的糧食供應，都一併考慮在內。

當時的危機在外交的奧援也十分重要，那時外交部長錢復及次長房金炎、陳錫蕃都緊急約見友邦代表，展開預防性外交，爭取重要國家及組織支持。當時包括美國、加拿大、日本、澳洲、紐西蘭及歐盟都先後發聲，要求中共理性自制，以和平方式解決此危機。

當時美國對於斡旋台海危機出力甚多，尤其美國國防部長佩里（William James Perry）建議獨立號航空母艦（USS Independence CVL-22）向台灣推進，並讓在波斯灣巡弋的尼米茲號航母也兼程趕赴台海，獲得美國國務卿克里斯多福（Warren Minor Christopher）、白宮國家安全顧問雷克（Anthony Lake）的支持，最後獲得柯林頓總統的批准，美方的此一舉措，顯然是向中共傳遞必要時干預的態度。

那段關鍵時刻，國安會祕書長丁懋時以「特使」身分奉派向美方說明我方立場，行前他也特別拜會李總統與我。我向丁懋時說明，我已公開政府立場，台北絕不會挑釁北京，台北會以理性動作因應中共的軍事演習，我們一貫立場是希望兩岸早日和平對談。

而美方的立場，當時則由克里斯多福釋放將「重新檢討一個中國政策」；大陸方面也由副總理兼外長錢其琛表態「中共對台『和平統一、一國兩制』主張沒有改變，希望台灣居民不必擔心中共軍事演習，台灣居民最應擔心的最大危險是台灣確實有人妄圖靠外來勢力，搞台灣獨立。」夾在華府與北京相互的警告之間，當時我們的決策拿捏十分要緊，我們不能成為夾心餅乾，應該要找出符合台灣需要的最大利益。

因此在三月十一日的臨時決策小組會議上，外交部、陸委會、國安局等口徑都趨一致，我們認為對於美國航母的行動不必過於期待，我們也認為美國的軍艦行動並非外力介入，這可以說明當時我們對外立場是小心翼翼，不希望與美附和，過度刺激北京造成冒進。

民國八十五年三月的首度總統、副總統直接民選，所幸平安順利進行。國民黨候選人李登輝、連戰獲得五百八十一萬三千六百九十九票，得票率百分之五十四；民主進步黨彭明敏、謝長廷得票兩百二十七萬四千五百八十六票，得票率百分之二十一・一三；林洋港、郝柏村得票一百六十萬三千七百九十票，得票率百分之十四・九；陳履安、王清峰得票一百零七萬四千零四十四票，得票率百分之九・九八。

民國八十五年四月二十九日上午，李總統針對相關部門於台海危機付出的努力，頒發給我一等卿雲勳章，也給國安局長殷宗文頒發二等卿

民國八十五年四月二十九日，我獲頒一等卿雲勳章。

雲勳章。

勳章證書寫著：「行政院長連戰，氣勢恢弘，才猷卓越，致力憲政革新，力行民主法治，推動全方位施政，建設現代化國家，碩劃閎謨，勳績並懋，特授一等卿雲勳章，用章榮典。」

我在致詞時也很光榮地說，這一刻是個人一生中最崇高的榮耀時刻，多年來深受國家及總統、長官的提攜、指導，近年來政府工作，如有任何成果，都歸功於全體行政人員毫不保留的支持。

續任行政院長

民國八十五年五月二十日，我即將就任副總統前，行政院提出內閣總辭，李總統於五月三十一日於我的辭呈上批示「著毋庸議」，請我續任行政院長。因此我也成為行憲以來繼陳誠、嚴家淦之後，第三位副總統兼行政院長的例子。

當時的民進黨不同意這樣的政治安排，因此聲請大法官會議解釋。同年十二月三十一日司法院大法官會議做成釋字第四一九號解釋，各方對於釋憲文有不同看法，我也因此續任行政院長，直到隔年修憲落實國家發展會議精省決議後，才於九月一日交卸行政院長，由蕭萬長先生接任，我則專任副總統。

民國八十五年二月一日第三屆立法委員就任前，我為尊重新上任的立委所代表的民意，因此於一月二十五日提出行政院總辭。當時立法院改選國民黨席次選得不理想，僅比過半數多三席。而新黨罕見與民進黨合作推動「二月政改」。由於時值總統大選前夕，在那艱險的政治環境，我也有未必續任行政院長的準備，當時像吳伯雄、許水德、蕭萬長都有接任行政院長的條件。但是李總統衡量新立法院的朝野政治實力相當接近，因此屬意我續任行政院長，但是這續任是否只到五月，擔任過渡內閣，李總統一時間並未明講。後來二月一個場合他對立委有明確講到五月新總統就任後，我即將不再擔任行政院長，因此媒體也紛紛揣測何人將接任我。等李總統順利當選，他就必須對此職務做個考慮。某晚，他召集我、吳伯雄、許水德、宋楚瑜等一起開會研商，席間我因為是當事人我並未表示意見，吳伯雄則講尊重總統的提名權，宋楚瑜則建議應該提名能最忠實配合李總統施政理念的人，而擔任國民黨祕書長的許水德則提議由我繼續續任最為合宜。

當時李登輝表示他已公開宣布連戰不再續任，若請我續任，是否有出爾反爾的疑慮。許水德又與李總統建議，不妨聽聽黨籍立委的意見再定奪。後來李登輝主席又分批也聽取中常委的意見，根據黨籍立委與中常委們的意見反映，較多數仍主張我兼任行政院長。我因而決定五月中再次向李總統提出「禮貌性總辭」，而李總統則尊重立委與中常委意見，退回我的辭呈。

我當時二月的總辭，係依據大法官釋字第三八七號解釋，可以說是尊重立法院，基於憲法義務總辭。至於五月我再次提總辭，則是基於對新任總統的尊重，這是基於政治倫理，因此我在五月的辭呈中特別寫明「茲以第九任總統、副總統將於本（八十五年）五月二十日就職，本院在鈞座任期屆滿時自宜隨同改組，特呈請辭去行政院長。」

六月五日國民黨的中常會上，李登輝主席正式對外公布要我續任的理由「連兼院長永平同志為表示對本人新任總統職權之尊重，於本年五月十六日呈請辭職。本人經徵詢黨籍立委同志後，了解國人及各委員對連兼院長政績多加肯定，絕大多數本黨籍委員並均支持其繼續擔任行政院長職務。本人亦認為由連兼院長續任，有助於政局穩定，並可使既定之重大施政持續辦理、貫徹，以確保各種改革及建設之延續性與時效性，裨益國計民生。且連兼院長學彥俱優，為當前推動跨世紀國家建設之最適當人選，連院長所謂辭去行政院長職務一節，本人乃決定著毋庸議。」

「著毋庸議」這四字語出古文，十分拗口。總統府祕書長吳伯雄在常會上還特別提出說明，會後也特例於中央黨部召開記者會，對記者詳細說明李總統慰留理由。

吳伯雄還特別對記者說明，李總統這次的批示並非為行政院長的另一次提名，當然也不涉及咨請立法院行使同意權的問題。而且民國四十九年及民國六十二年二度有陳誠及嚴家淦以副總統兼任行政院長情形為例，當時都未再咨請立法院行使同意權。

當日中常會上中常委辜振甫、王又曾、立法院長劉松藩、考試院長許水德等都起身支持我續任，我也起身表示感謝，並強調對當前政治情勢抱誠惶誠恐心情，李總統在五月二十日的就職演說中，對於國家未來改革方向已有具體的說明，李總統對於國家建設計畫已有明確勾勒，我定將一本初衷，以新決心、新做法開拓國家新時代。

隔天在行政院，我也召開記者會宣示，並以攀登巔峰，提高國家競爭力為今後施政主軸。

六月的立法院先後有不同提案，要求對副總統兼任行政院長要求更清楚的憲法說明。而行政院面對此一政治風暴，也立即成立釋憲小組因應，由前法務部長、政務委員馬英九領軍，成員包括法務部長廖正豪、法務部政務次長林錫湖、法務部常務次長姜豪、行政院法規會主委林巨琅、中研院人文社會科學研究所研究員、中興大學法律系副教授陳春生、知名律師羅明通博士以及行政院一組參議林慈玲、行政院法規會專門委員林淑真、法務部調部辦事檢察官。那半年釋憲期間，可以說是釋憲小組密集開會，行政院也密集與專家學者、媒體溝通請益，那是緊張、難耐的半年。

司法院大法官會議最後於八十五年十二月三十一日做成四一九號解釋令：

（一）副總統得否兼任行政院長，憲法並無明文規定，副總統與行政院長兩者職務性質亦非顯不相容，惟此項兼職如遇總統缺位或不能視事時，將影響憲法所規定繼任或代行職權之設計，與憲法設置副總統及行政院長職位分由不同之人擔任之本旨未盡相符。引發本件解釋之事實，應依上開解釋意旨為適當之處理。

（二）行政院長於新任總統就職時提出總辭，係基於尊重國家元首之禮貌性辭職，並非其憲法上之義務。對於行政院長非憲法上義務之辭職應如何處理，乃總統之裁量權限，為學理上所稱統治行為之一種，非本院應做合憲性審查之事項。

（三）依憲法之規定，向立法院負責者為行政院，立法院除憲法所規定之事項外，並無決議要求總統為一定行為或不為一定行為之權限。故立法院於民國八十五年六月十一日所為「咨請總統儘速重新提名行政院長，並咨請立法院同意」之決議，逾越憲法所定立法院之職權，僅屬建議性質，對於總統並無憲法上之拘束力。

這項解釋文公布後，基本上外界解讀兼職尚非構成違憲；不過對於兼職如遇總統缺位或不能視事時，所發生三位一體的問題則應適當處理。

雖然各方對於合憲或違憲各執一詞，但是當時朝野也已決定合作再一次修憲，國家發展會議堂堂登場，除了做成精省決議外，也取消立法院對行政院長的同意權行使。等到民國八十六年夏季修憲完成，李登輝也同意我於八月請辭。九月一日立法院新會期，李總統依照新的修憲條文發布蕭萬長接任行政院長，即刻生效，成為首位不必經立法院通過即上任的行政院長。而我專任副總統後，有關兼任行政院長的政治爭議得以戛然而止。

而我上述副總統兼任行政院長，以及兩次擔任行政院長接受資格審查及行使同意權之事項，也成憲政上的絕響。

雖然修憲取消了同意權，但也同時賦予立法院的倒閣權與總統解散國會權。

回憶至此，我也要特別提及當年因為以副總統兼任行政院長引起民進黨強烈反對，阻止我到國會殿堂做施政報告，朱高正立委甚至還做秀爬上我坐車踐踏，我也嚴詞應對，並率閣員於立法院退席，臨時改在行政院前廣場向全民報告，當時行政、立法兩院關係陷入僵局，我長達一年多未進入立法院，但各部會與立法院的互動未受影響。當時釋憲爭議難解，兩院僵持實已轉換成兩黨間之僵持，只有我選擇退讓不兼任院長才易化解，何況我擔任行政院長即將超過五年，重要施政順利進展，此時交棒也無遺憾。

國發會凍省決議

一九九六年十二月二十三日，「國家發展會議」召開，這項會議共分憲政體制與政黨政治、兩岸關係與經濟發展三個組，國民黨、民進黨、新黨及無黨籍代表共一百七十人參加。奉總統核定，我以副總統兼行政院長出任召集人，三位副召集人則由蕭萬長、張俊宏及李慶華擔任。籌備委員分別為王志剛、王金平、王效蘭、尤清、田弘茂、江丙坤、吳容明、周陽山、邱義仁、林豐正、徐立德、翁松燃、陳田錨、陳師孟、陳健治、章孝嚴、曹興誠、黃天麟、黃主文、黃俊英、黃昆輝、張京育、辜振甫、劉炳偉、賴士葆、賴浩敏、謝隆盛、謝瑞智、饒穎奇等二十九人。

由於當年五月二十日總統、副總統首度由民選產生就任，針對憲政體制中央與地方關係的分工以及兩岸、經濟發展等國家重要議題，需要凝聚朝野意見，因此國發會才應運而生。

國發會的籌備完全比照一九九〇年曾舉辦過的國是會議，總統府與行政院的重要幕僚全力參與。總統府祕書長黃昆輝擔任執行長，行政院祕書長趙守博、研考會主委黃大洲、總統府副祕書長陳錫蕃、黃正雄出任副執行長。

在會議的籌備過程，我特別裁示也經籌備委員議決通過，國發會召開期間的討論意見分為「共同意見」與「其他意見」兩種。共同意見也就是與會三黨及社會人士的共識，它具有政治約束力，在會後必須執行。我以這種「求同存異」的方式，算是首創解決棘手政治改革議題討論模式。否則都是各說各話，沒有共識，即使議決也難以執行，那這個會豈不成了空會。

但在涉及政府體制的討論中，有關凍結台灣省長、台灣省議員兩項選舉及廢止鄉鎮市長選舉的議題，光在國民黨內部就有不同聲音。

為此，國民黨李登輝主席特別於十二月十八日於台北賓館召開黨內高層會議，希望整合意見。會中特別安排蔡政文及田弘茂就「精簡政府層級」、「中央政府體制改革」提出報告。

這場會議中，包括立法院長劉松藩、國民黨祕書長吳伯雄及高雄市長吳敦義等對停辦鄉鎮長選舉持反對或保留的意見。

對於精簡政府層級，立委黃主文認為，基於提高行政效率、國家競爭力，以及台灣省面積與中華民國有效統治範圍重疊百分之九十八，人口亦高占百分之八十的前提下，省政府的層級應該精簡。

台灣省長宋楚瑜則認為凍結省級選舉比省府虛級化的訴求要來得好。

他也反覆說明台灣省政府的行政效率不錯，如果要精簡省府層級不能拿行政效率為理由。如果要精簡省府層級，所要涉及的法令規章制度及省府人事要如何處理，應該要好好想一想。

由於宋楚瑜對於凍結省級選舉有強烈不滿意見，因此李登輝還約他在十二月二十二日深談，但顯然這樣的互動，並沒有說服送宋楚瑜。導致國發會後，宋楚瑜下定決心在十二月三十一日的省議會大會上公開宣布請辭。

其實有關精省的決策，凍結省級選舉，省政府部分功能調整由中央與地方縣市政府吸納，完全是基於回應工商百業數十年來的提議，工商界不希望政府的公文從鄉鎮到縣市，再到省政府，最後再請示中央，等公文流程回來，一般都要等上幾個月，因此著眼是行政效率。但宋楚瑜的想法則認為是針對他而來，這也成了國民黨後來分裂的背景。

其實當時我所了解黨的高層布局想法，精省決策的推動，一定要等到宋楚瑜的省長與省議員的任期結束後才會推動。宋楚瑜若與黨的決策配合，以其歷練，難道日後沒有一片天嗎？後來他請辭後到美國舊金山探親度假，並提出「請辭待命」說法，等他返國也曾到我家裡來深談，但我已無法挽留他的請辭之意。後來他的省長委由涂德錡代理。後來我與李總統商量，推動精省工作委由幹練的行政院祕書長趙守博出任，後續的精省作業相當繁複。

在國發會上，我特別提出國發會具體的目的是如何在和平安定的大環境下，繼續不斷的厲行民主、提升效率，促進繁榮，發展我們的國家。會上，與會代表發言盈庭，我則傾聽，很少發表個人看法，尊重大家的發言。

其中憲政體制與政黨政治議題分組在討論政府層級精簡及廢除省長、省議員兩項選舉成為媒體矚目焦點。民進黨代表都以提高行政效率及避免發生蘇聯的「葉爾欽效應」為由主張廢省。新黨代表則多主張「一省多市」，縮減台灣省管轄面積，增設院轄市。國民黨代表的意見則很多元，高雄市長吳敦義希望廢省後，澈底解決一些存在省、市的問題，像市港未能合一，市內學產地未能合理歸市。趙守博、陳田錨、饒穎奇則共同認為不必廢省，在國家統一前，先行凍結憲法及憲法增修條文省級自治選舉條文之效力，即省長、省議會不辦選舉，並逐漸將現行四級政府型態予以簡化。蔡政文與黃德福則建議中央委辦省府業務可以回歸中央，省府業務盡量下放地方，同時研究凍結憲法有關省級自治選舉規定。台灣省議員張福興則以省議會代表身分反對「廢省」及「省虛級化」。

原本一直缺席與會的宋楚瑜則在十二月二十七日才到會，他不接受將國家競爭力落後理由，全然歸咎於台灣省的存在或省政府與省議會的存在。他端出十二月二十八日李登輝於台北賓館的高層會議結論「維持政局安定民主及提升效率原則」，有關省府層級問題應「研究省及各級政府業務功能之調整或簡化，現階段不宜討論廢省或省虛級化問題」，以此為共同意見。

最後大會在聽取政黨代表發言後，於總結報告時做出合理劃分中央與地方權限與健全地方自治的共同意見，清楚建議「調整精簡省府之功能業務組織，並成立委員會完成規劃及執行，同時自下屆起凍結省自治選舉，取消鄉鎮市級選舉，鄉鎮市長改依法派任。」

憲政體制組中得到的共同意見則有，對於中央政府體制改革也確立了總統任命行政院長，不需經立法院同意。總統於必要時得解散立法院，而行政院長亦得咨請總統解散立法院，但需有必要之規範或限制。立法院得對行政院長提出不信任案。審計權改隸立法院。對總統、副總統之彈劾權需符合憲法嚴格程序，並改由立法院行使。立法院各委員會建立聽證制度及調閱權之法制化。

在兩岸關係組中，共得到三十六項共同意見，確認一九一二年起中華民國即唯一主權國家，自一九四九年中共政府建立後，兩岸即成為兩個對等政治實體。但由於兩岸關係錯綜複雜，且各等對於其未來發展方向仍有不同意見，因此必須以最大的耐心與智慧尋求共識。而目前以台灣優先的原則下，堅決維護台澎金馬兩千一百餘萬同胞之安全福祉。

其他要點包括，積極推動辜汪會談、建構台港新關係及解決兩岸加入世界貿易組織之相關問題、繼續推動境外航運中心，兩岸三通應依安全與互惠原則，在時機成熟時經由協商解決。有關對外關係與兩岸互動，確認中華民國為一主權國家，為求生存發展，必須積極推動對外關係，拓展國際活動空間。台灣不是「中華人民共和國」的一部分，反對以「一國兩制」處理兩岸問題；現階段繼續積極推動加入世界貿易組織、國際貨幣基金、世界銀行等國際組織，加入聯合國為一長期奮鬥目標，應依國際情勢變化，靈活因應，積極推動。

在經濟發展組中得到的共同意見則包括：中央政府總預算應於九十年度達成收支平衡目標；明訂立法及行政機關如有提出增加支出之重大法

（方）案時，必須同時規劃適當（或替代）財源，並訂入法律條文中；調整確定政府在社會福利制度中所扮演角色，社會保險（含全民健保）應規劃改採民營方式；推動兩稅合一，消除重複課稅，提高地方財政自主，適度開放博弈之娛樂觀光事業，規劃開徵社會安全捐（或稅），以充裕財源。又如改進立法效率，以一年一百項法案為目標；課以民營化執行單位五年內完成之責任與壓力。

上述重要的改革意見，國民黨與民進黨代表及雙方立法院黨團代表等曾有過馬拉松式的協商，才得到具體的共同意見，期間也尊重新黨的意見。

對於這項會議成就，李登輝總統在閉幕晚宴上致詞說，這是中華民國開國以來，討論類似內容，歷史上最成功的一項會議。

我則說會議所達成的共識，將成為我國推動第二階段的憲政改革，促進經濟持續發展，以及維持兩岸關係和諧發展的主要推進力。

國發會是凝聚朝野主要政治力量的共識，雖然難免還有基本歧異存在，但是對於國家未來二、三十年的發展方向則意見日漸集中。國發會後，許多涉及國民大會、立法院及行政院三者的職權，需要透過修憲加以解決。

於是國民黨中央成立了修憲策劃小組，由我召集，討論。我的腹案是中華民國憲法在五十多年前於南京訂定，但一九四九年後中央政府就搬遷來台，因此當初所頒訂的憲法無法在台灣全部實施，考慮到政治現實，現行憲法既非總統制，也非內閣制，因此國民黨對中央政府的體制走向，研究走雙首長制，這是比較接近法國的制度，這樣的改變，不致對現有制度衝擊太大。

因此行政院長任命雖不再由立委行使同意權，但賦予行政院及立法院各有提請總統解散國會權及不信任投票制度，這就是化解萬一將來總統、行政院長或國會多數黨將來分屬不同黨而出現僵局時，有一政治解套方案。

而對於未來總統當選，國民黨一度堅持要採絕對多數制，但民進黨的陳水扁則堅持相對多數。沒想到二〇〇〇年大選，國民黨因為分裂，陳水扁竟以百分之三十九相對多數，當選了總統，組織少數政府，造成國家政治不穩定。

我當時主張要絕對多數，就是擔心多組候選人出現，如果選出的當選票數太低，會有民意代表性的問題，結果幾年後就被我不幸言中。

對於這一次的修憲，國民黨內部對於反對凍省及鄉鎮長改官派有一股力量集結。而民進黨則希望一鼓作氣停止國大代表、省長、省議員、鄉鎮長、鄉鎮市民代表五項選舉。因此情勢錯綜複雜，詭譎多變。

但我當時堅持，要落實國發會的憲改共識，必須是整套，而不能挑三揀四，像民進黨不接受中央民意代表選舉採單一選區與比例代表制兩者混合的兩票制，國民黨後來在輔選系統的壓力下，也不接受鄉鎮市長立即停選。

朝野雙方由於對修憲堅持己見，幾乎談不下去。後來我在黨內修憲策劃小組會議上強調「修憲要遵照國發會整套的憲改共識，不能讓民進黨只挑他們想要的。如果只為求全，東一點、西一點讓步，已經產生很多問題，無法對外交代，我也無法負起責任，政治不是只有一味的讓步。」

因此我告訴國民黨談判代表蕭萬長，如果民進黨過於堅持，也不必讓步，大不了這次就不修憲。果真後來在國賓飯店的第五回合談判就談不下去，蕭萬長也立即掛電話給我。

我當時心裡想，如果民進黨只要廢除五項選舉，不要單一選區兩票制，國民黨對於精簡省府組織等議題也可緩議。

因此朝野的協商為此關閉近兩週，民進黨也開始放話說我是改革阻力，甚至造謠整個憲改架構是為我將來競選「量身裁衣」。

我當時聽了這些說法，一笑置之，民進黨最後還是重新打開談判之門，最後修憲通過的條文重點包括：行政院長由總統提名，毋須經過立法院同意，但賦予立法院倒閣權與總統解散國會權。立法院得經立法委員三分之一以上連署，對行政院長提出不信任案。不信任案提出七十二小時後，應於四十八小時內以記名投票表決之。如經全體立法委員二分之一以上贊成，行政院長應於十日內提出辭職，並得同時呈請總統解散立法院；不信任案如未獲通過，一年內不得對同一行政院長再提不信任案。總統於立法院通過對行政院長之不信任案後十日內，經諮詢立法院長後，得宣告解散立法院。

另外對於凍結省長、省議員選舉及省府功能調整，憲法也做了如下修訂：省設省政府，置委員九人，其中一人為主席，均由行政院長提請總統任命之。省設省諮議會，置省諮議會議員若干人，由行政院長提請總統任命之。第十屆台灣省議會議員及台灣省省長選舉，自第十屆台灣省議會議員及第一屆台灣省省長任期之屆滿日起停辦。台灣省議會議員及台灣省省長選舉停止辦理後，台灣省政府功能、業務、組織之調整，得以法律為特別規定。

另外，為讓省議員有轉換跑道機會，立委總額也自第四屆起增為兩百二十五人，依下列規定選出，自由地區直轄市、縣市一百六十八人，每縣市至少一人；自由地區平地原住民及山地原住民各四人，僑居國外國民八人，全國不分區四十一人。

至於鄉鎮市長、鄉鎮市民代表與國民大會代表則仍然維持現制選舉，未予更動。

這些重要的修憲條文，在實施一段時間後，後來在我接任國民黨主席時，時任民進黨主席的林義雄堅持推動國會減半，要求減至一百五十人，我說一百五不好吧，最後減至一百一十三人。而國民大會代表選舉也於修憲後停止，國大若干職權移轉給立法院。但過去李總統任內曾到國民大會報告，並接受國代的質詢。國大裁撤後，在政黨兩次輪替期間，朝野黨團都曾提出邀請總統到立法院進行國情報告的提案，但對於總統應否接受質詢，或是一問一答，朝野意見差距很大，邀請始終未能成行，這是令人遺憾的。因為總統民選後，職權擴大，卻未接受任何民意機關監督，這是國家憲政發展的憾事。依據中華民國憲法增修條文第四條第三項規定，「立法院於每年集會時，得聽取總統國情報告。」而立法院職權行使法也規定「立法院得經全體立法委員四分之一以上提議，院會決議後，由程序委員會排定議程，就國家安全大政方針，聽取總統國情報告。總統就其職權相關之國家大政方針，得咨請立法院同意後，至立法院進行國情報告。」立法院職權行使法另規定「立法委員於國情報告完畢後，得就報告不明瞭處，提出問題。……就前項委員發言，經總統同意時，得綜合再做補充報告。」

白案遭同僚落井下石

但離開行政院前，社會爆發白曉燕命案，由於其母親白冰冰為知名藝人，此一社會新聞持續發燒，加上逃犯陳進興挾持南非武官，更讓新聞難以退燒。由於民進黨以治安敗壞為題，要求行政院改組，並發起群眾運動示威遊行，當時也有首長建議，讓負責治安的內政部長林豐正及警政署長姚高橋迅速下台負起責任，或許可解危機。但我則認為，任何西方民主國家都會發生駭人聽聞的綁架撕票案，這些社會刑案在他國媒體都只是社會新聞而已，但從未聽聞要上綱到要行政院長（總理）下台，這是民進黨借題發揮。因此第一時間，即使林豐正要請辭，我並未答應。多年後，還有政界友人說「連院長你當年就是對部屬太厚道，才讓新聞一直持續下去，換他人的做法，早就棄車保帥。」

後來白案新聞愈炒愈熱，連我的政務委員馬英九也要提出辭呈。我記得有一天早上副祕書長張哲琛到我辦公室，我要他下樓看馬英九有來上班嗎？張哲琛稍後回覆說「沒有」，我才告訴張哲琛，馬英九剛遞了辭呈。當時社會的氛圍被炒作得非常厲害，就好像後來馬英九總統任內軍中發生的洪仲丘命案一樣的社會氛圍。我當時是對馬英九請辭的這個政治動作不快，讓我有被「落井下石」之感，即使徐立德副院長銜我之命去馬英九家，要其打消辭意，但是馬英九堅持不肯回來上班。後來逼得內閣也進行改組，我讓葉金鳳接替林豐正出任內政部長。這也是我在行政院期間一段較為不快的回憶！

但我也回想到自己於民國八十二年接任行政院長時，前一年也就是民國八十一年，平均每人國民所得為九千七百九十二美元，但我主政的第一年我國國民所得就破萬美元達一萬零一百九十七美元，到我民國八十六年交棒時，已達到一萬兩千七百零七美元。回想民國四十年，政府遷台未久，當年的國民所得只有一百三十七美元，而我們國民所得逐年跨越成長，我擔任行政院長期間，那近五年經濟成長率平均在百分之六，這都是國民黨政府以接力賽的精神勵精圖治、全民共同努力衝刺所達到的目標，我在離開行政院時對此深感安慰。不過原本我們希望進入二十一世紀時國民每人平均所得就能提升到兩萬美元，但是後來政黨輪替、加上國內政治惡鬥，這個目標不僅延遲，連離南韓都有一段距離，我們怎能不心痛！以國際貨幣基金二〇一八年的統計，新加坡已達五萬八千七百七十美元，香港則有五萬零三百一十美元，南韓為三萬零六百美元，台灣則僅有兩萬五千三百六十美元。從二〇〇〇年迄今，台灣在亞洲四小龍的國民所得排名皆殿後，我們又怎能不痛定思痛，急起直追呢？

九二一大地震

九二一大地震已經過了二十載，當年我在副總統任內，同時也是中國國民黨的總統候選人，肩負救災重建的政策督導責任。當年的地動山搖，造成無數國人家庭破碎，道路、橋梁、學校、大樓破損倒塌無數，我全心投入救災重建的督導工作，感到心力俱疲。但是最大的安慰則是眼見「一方有難，八方救援」的大愛，從世界各地、台灣各角落湧現，這也是辛苦之餘，見證人性光輝善良的一面。尤其國軍部隊全力的配合，是最有效率的人力運用，我對國防部、陸軍總部等多位將領的奉獻，國軍官兵夜以繼日的投入，迅速打掃災區環境，在最短期限協助搶通道路橋梁，表示由衷的感謝。

民國八十八年九月二十一日凌晨一時四十七分，台灣爆發芮氏規模七・三級的超級強震，這起源於中部山區的逆斷層型地震，造成台灣全島長達一〇二秒的嚴重搖晃。災區從北到南，包括台北市、台北縣、新竹市、苗栗縣、台中縣、台中市、彰化縣、南投縣、雲林縣、嘉義縣、台南縣。尤其以中部地區南投、台中兩縣市衝擊最大。這是上個世紀台灣人共同見證的大創傷。這場大地震總計死亡兩千四百一十五名，失蹤二十九名，負傷一萬一千三百零五名，房屋全倒五萬一千七百一十一棟，半倒五萬三千七百六十八棟（含不少各級學校校舍）真可以說是受災慘重，個人財產與公共損失更是無計其數，超過三千六百億以上。

當時我奉李登輝總統之命，主持災後重建的政策督導會報，彙整中央各部會的力量，首創以一個部會資源支援一個受災鄉鎮的災民安置及重建工作，過程艱辛，也為政府今後面對巨型天然災害的救災行動豎立一個標準作業程序（SOP）。當時行政院副院長劉兆玄和台灣省主席趙守博、經建會主委江丙坤常駐台中、南投等災區，他們幾位都是幹才，每一個部會也指派一位次長常駐災區，協調整合救災的所有事宜，他們並以很快的時間把救災重建碰到的問題列出問答題（Q&A），這種建置因應是重大救災行動的第一次。此一模式相信後來也給大陸帶來思考，汶川大地震發生後，他們也以非災區省份資源支援認養一個縣的救災重建工作，做的很有效率。

面對此重大天然災害，政府成立中央震災督導小組，由我負責召集。

而後，為悼念地震逝去的民眾與警惕自然災害的威脅，政府後來也決定把九二一這天訂為「國家防災日」，以惕未來，希望加強全民的防災、減災常識，未來災害來臨時，能將損失降至最低。

記得九二一大地震搖晃時，我剛入睡不久，也被搖醒，當時的搖晃十分嚴重，我心頭感覺不妙，果然未久陸續接獲最新訊息，知道災情十分嚴重。經漏夜聯繫，終於等到天破曉，軍機可以無虞飛行，我與行政院長蕭萬長立即分別趕往南投、台中、彰化等重災區，李登輝總統稍後也親自到災區了解。政府高層火速展開搶救行動，動員整合部會及民間力量支援災區縣市。

那天清晨一早抵達松山軍用機場，軍用直升機已經待命起飛。飛機的引擎聲響非常的大，必須戴上耳機防噪罩，在機上交談，幾乎要喊破喉嚨才能溝通。在有限的機位，我們也安排了中時、聯合及中央社三名媒體記者隨行，希望他們能在第一時間見證政府的救災行動。當飛機飛到中部山區，俯瞰九份二山，山體都已經走山，一片片光凸凸的山體，顯示大、小樹都已經連根拔走。直升機抵達埔里國中操場，我隨後進入埔里市區了解災情，眼見處處都是倒塌的房子，斷垣殘壁，一整排的房子邊間幾乎都全倒，不管政府機關或民房，無一倖免，大家驚魂未定。到了埔里基督教醫院，在腳踏車與機車棚下躺著都是罹難的不幸災民，有的用白布裹著，有的來不及沒有任何的覆蓋，慘不忍睹。醫院不斷有運送死傷民眾的各種車輛抵達，此一場景儼然就是電影中的戰爭浩劫場面，讓人鼻酸也怵目驚心。

原本我搭乘的直升機準備起飛赴下一個目的地，但是由於南投對外聯絡的道路橋梁中斷，我得知有緊急的病患急需轉送台中榮總，我立即決定把直升機轉為醫療急用。此刻，在埔里國中的校園中，慈濟功德會的會員們，已經起灶生火，為災民們準備午餐果腹，這一幕令人感動。我與隨行的官員們在教室裡，也臨時吃了碗泡麵，還不時有餘震搖晃，等直升機回來多次後，我接近傍晚時才轉往彰化等地勘查災情。

九二一當天行政院立即成立「重大地震中央處理中心」，並於南投縣成立「中央防災中心前進指揮所」。九月二十三日李總統指示於南投中興新村成立「九二一地震救災督導中心」，並指示由我召集。我們在第三次的會議決定，呈請總統頒布緊急命令，來因應緊急的救急行動。

緊急命令是行憲以來的第四次，命令施行期間自八十八年九月二十五日至八十九年三月二十四日止，由李登輝總統頒布，行政院長蕭萬長副署。此項命令並於八十八年九月二十八日送交立法院表

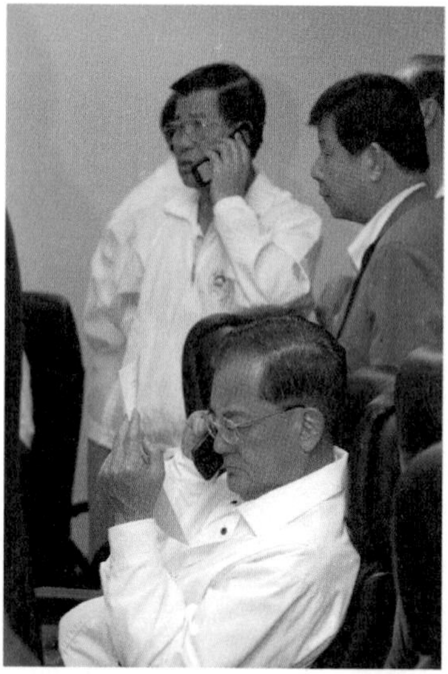

九二一大地震造成彰化以北幾乎全部停電，我和行政院長蕭萬長於二十一日凌晨前往中央防災中心聽取報告，聽取電話中持續傳出的災情。（中央社提供）

決追認通過。

當時我主持的督導會議上，與會的部會與災區縣市首長大家都認為，災區民眾生命、身體及財產蒙受重大損失，影響民生至巨，災害救助、災民安置及災後重建，刻不容緩，因此九月二十四日就火速由行政院院會決議，呈請總統根據中華民國憲法增修條文第二條第三項規定，發布緊急命令如下：

一、中央政府為籌措災區重建之財源，應縮減暫可緩支經費，對各級政府之預算得為必要之變更，調節收支移緩救急，並在新台幣八百億元限額內發行公債或借款，由行政院依救災、重建計畫統籌支用，並得由中央各機關逕行執行，前項

九月二十八日，巡視南投國姓鄉九二一災區。

措施不受預算法及公共債務法之限制，但仍應於事後補辦預算。

二、中央銀行得提撥專款，供銀行辦理災民重建家園所需長期低利、無息緊急融資，其融資作業由中央銀行予以規定，並管理之。

三、各級政府機關為災後安置需要，得借用公有非公用財產，其借用期間由借用機關與管理機關議定，不受國有財產法第四十條及地方財產管理規則關於借用期間之限制各級政府機關管理之公有公用財產，適於供災後安置需要者，應即變更為非公用財產，並依前項規定辦理。

四、政府為安置受災戶，興建臨時住宅並進行災區重建，得簡化行政程序，不受都市計畫法、區域計畫法、環境影響評估法、水土保持法、建築法、土地法及國有財產法等有關規定之限制。

五、中央政府未執行災區交通及公共工程之搶修及重建工作，凡經過都市計畫區山坡地、森林、河川及國家公園等範圍得簡化行政程序，不受各該相關法令及環保法令有關規定之限制。

六、災民因本次災害申請補發證照書件或辦理繼承登記，得免繳各項規費，並由主管機關簡化作業規定。

七、中央政府為迅速執行救災、安置及重建工作，得徵用水權，並得向民間徵用空地、空屋、救災器具及車、船、航空器，不受相關法令之限制。

八、中央政府為維護災區秩序及迅速辦理救災、安置、重建工作，得調派國軍執行。

九、政府為救災、防疫、安置及重建工作之迅速有效執行，得指定災區之特定區域實施管制，必要時並得強制撤離居民。

十、受災戶之役男得依規定征服國民兵役。

十一、因本次災害而有妨害救災、囤積居奇、哄抬物價之行為者，處一年以上七年以下有期徒刑，得併科新台幣五百萬元以下罰金。

以詐欺、侵占、竊盜、恐嚇、搶奪、強盜或其他不正當之方法，取得賑災款項、物品或災民之財物者，按刑法或特別刑法之規定，加重其刑至二分之一。

前二項之未遂犯罰之。

十二、本命令施行期間自發布日起至民國八十九年三月二十四日止。此令。

簡言之，緊急命令就是太上法令，當時我裁示救災重建要依認定從寬、手續從簡、貸款從優、追究責任從嚴、從速（追究大樓偷工減料黑心包商）四大原則。因此在蕭萬長院長的從速配合下，行政院總動員，行政院法規會配合主計處、財政部、中央銀行、國防部、交通部、內政部、教育部、法務部、經建會、經濟部，幾乎所有部會都殫精竭慮在最短時間把緊急命令的範疇給羅列出來。我們也很感謝朝野放棄對立，合力快速通過緊急命令，讓救災財源、政府資源能做最有效率的運用。

而也因為這項緊急命令的實施，以及後來將這法令規範重點納入災害防救法，因此二〇〇九年八月八日馬英九總統任內碰到莫拉克強烈颱風侵襲時，就沒有再頒發緊急命令。

跨國界愛心紛至沓來

九二一地震後的兩天，九二二、九二三政府各部門全力啟動救災重建計畫，民間自動自發的愛心捐助蜂擁而到，世界各國的援助與關心也接踵而至。

我在災區省府招待所荷園前後約住了六十幾天，頭幾天四級、五級、六級的地震，幾乎天天都有，白天到各地巡視災區，眼見高速公路、省道、縣道都是延綿不絕的各式車輛載來各種物資，有水、有泡麵、有餅乾、更有棉被等等，這是台灣同胞充分發揮了人飢己飢、人溺己溺的大愛精神。一切為災民，大家不分黨派。抬屍體、挖掘倒塌建築物、整個災區的善後、搭建臨時倍力橋，我們的義務役軍人子弟，都不過是二十歲上下的年紀，他們正值青春年華卻碰到有史以來罕見的大地震，在長官的帶領下，全力救災，這一幕幕都深印在我的腦海中，我還特別給他們一一握手，表示慰勉。記得當時屍袋不夠，急需屍體的冷凍櫃，我當時想到和長榮公司張榮發董事長求援，他也很慷慨答應，把所有的冷凍車廂停業，送到災區，供喪家使用，以備後續的驗屍及治喪事宜。記得當時還有其他規模較小的冷凍櫃業者，我們也到處都連續拜託，他們也十分配合。

愛心不分國界，外交部也沒閒下來，外長胡志強統計，有八十三國政府透過各種管道，向我們政府及人民表達關切與慰問，更有二十國、三十八個國外緊急搜救隊（含兩個醫療團隊）加入援助。其中最早抵達的是美國、日本及新加坡的團隊，其中日本紅十字會捐助十二億台幣，占國外捐款六成。其他如以色列、約旦、瑞典、馬來西亞、土耳其、西班牙、墨西哥，也都捐助不少物資。

由於多數捐助國與我無邦交，但他們的空中運輸工具都須緊急降落台中空軍清泉崗基地，尤其像俄羅斯的飛機到來，我特別在主持的會議中明確作了裁示，讓外交部與國防部都有依據執行。例如，美國來了兩架空軍C-5銀河式運輸機，俄羅斯也派遣七十名救援小組，搭乘另有十名機員的軍用伊留申-76專機運送重型車三輛和三十噸搜救裝備，於九月二十二日下午就飛抵清泉崗，並立即進駐東勢王朝大樓救災，這也是第一次有俄國的軍機降落台灣，尤其俄羅斯沿海省省長還送來一船的原木材，送到南投災區，更是受到中外媒體關注。當時俄羅斯的救災人員都穿著皮衣到場，他們運用自己的救災工具，趕赴王朝大樓挖掘搶救壓在下面的死傷民眾，雖然語言不通，但是專業救災的行動，令人刮目相看。過去由於長期的反共抗俄政策，我們國家少與俄羅斯打交道，這次他們展現的友誼，令人激賞，也改變了國人對俄羅斯的既存立場。後來災後一年，我在國民黨主席任內，曾專程請他們再來台灣，再次表達我們的感謝。

日本參議員矢野哲朗代表日本政府及民間捐贈臨時住宅及救助金等物資給台灣，日方是透過我的親家陳清忠聯繫下，把阪神大地震的組合屋海運來台，第一批就在台中東勢災區組合。

記得陳清忠告訴我這件事時，我說這是好事，因此我指派一位救災重建會的祕書偕同陳清忠立即飛往大阪。我的親家在日本有位要好的朋友叫做林正彥，他與已經連任四任的日本兵庫縣的知事貝原俊名是非常要好的朋友。地震發生後，陳清忠就與林正彥聯繫，問阪神大地震後，日本有無多餘的組合屋可支援台灣災民居住。在這位林先生的引薦下，陳清忠和貝原俊名知事立即碰面，他表示此事可行，但需報請外務省同意。因此一些友台參眾議員也協助出力，不過當時土耳其也剛發生大地震，因此兩千戶組合屋也就均分援助了我們與土耳其。日本當時沒有要我們出一分錢，甚至單方面負責了所有的海運運費，不需我們再出費用，組合屋在神戶裝船，海運經由韓國釜山，第三天就轉運到台中港，我們也立即分配運往東勢組合。日本人這次的善心義舉，讓我印象深刻。而日本三一一大地震時，台灣人與中華民國政府也回饋做了大量捐贈，當時我們的援助是占外國的第一位，因此日本人民對台灣也非常有好感，之後到台灣的觀光客也倍增。

陳清忠事後告訴我，日方協助組合屋的代表們回國前，他特別宴請他們，席間作陪的經建會主委江丙坤特別問起日方的朋友，為何日本的搜救隊制服身上都繡上名字，背後還有兵庫縣等字，日方朋友說「穿上它，全世界都可看得到。」以前說為善不欲人知，但兵庫縣的搜救隊制服改變了我們的想法，也讓我方的搜救隊伍制服有了啟發。

災民居住與安置首當其衝

在中興新村的幾次救災會議上，我也就災民的反映做了迅速回應處置。災民安置與房屋貸款，我裁示由中央銀行提供一千億元，每人貸款三百萬、年息百分之三、二十年償還期限方案，一百五十萬元以內免繳利息——這項措施主要是回應集集鎮長林明溱（第十一任南投縣長）的建議。當我宣布此一政策決定時，在場的地方人士與台灣省政府委員們都鼓掌表示歡迎；此外，災民自行租賃房屋，政府補助每人每月三千元，以實際住戶數為準，由村里長開具證明或依戶口名簿為準。並可委託鄉鎮公所租屋。

另一方面，行政院長蕭萬長也緊急決定在受災嚴重的七個縣市，選擇十四個國宅社區，共四千四百四十六戶國宅，以公告出售價格的七成售予災戶。固定年息百分之三，期限二十年，災戶只要自備十萬元就可以住進去。這項優惠災民的措施，則是台中市長張溫鷹的提議，我要行政院公共工程委員會主委蔡兆陽研議，也立即作了正面回應。

當時災區民眾所反映的一些急需幫助的事項，我都必須當下做出裁示：

一、現有農貸、勞貸及公教房貸困難，相關房貸還息期限展延五年。

二、對於公共通訊及生活需求，我當場要求經濟部督導災區供水最好在三、四天內恢復供應，電信總局於一兩天內，於災區每一村里架設免費電話，為期四個月或半年，讓民眾對外聯繫方便。

三、災區治安巡邏要再加強，交通整頓與用水用電的恢復時間要再縮短。

四、驗屍工作要加強，對於地方首長反映部分檢察官有官僚氣息，法務部應對派駐豐原、東勢地區的檢察官加以調查。

五、物資捐獻來自四面八方，愛心令人感動。部分物資太充裕，但醫療、帳篷、睡袋及照明設備仍缺乏，至於其他捐贈建議改採現金，並配合縣市政府來做。

我在災後立即進駐災區，因此可以第一手消息聽到災民與地方首長、民代的建議。

首先，我要求國防部、衛生署協助清理環境、消毒防疫等工作，有公共安全之虞的危險建築物拆除，請國防部協助。

第二，工兵部隊對於災區小型縣道、鄉道破損路面，協助復建。

第三、請公共工程委員會及國防部協調北高兩市及未受災縣市建設工程單位，支援災區的公共工程復建工作，每一縣市負責兩個鄉鎮。

第四、請內政部調集保警與警專學生，到災區進行各項需求調查。保一與保四總隊進駐南投縣維持治安，台中縣如有必要可比照。

第五、災區出現孤苦無依的孤兒與老人，內政部應動員全國社政單位調查，妥為照顧。

第六、災區國小、國中、高中、高職學校，對於學生教育問題，是否透過寄讀等方式，延續教育，避免學生家長擔心，教育單位應妥為安排。

第七、若干民眾反映，身上的身分證、健保卡等證件需要緊急換發，以利就業、就醫等，內政部與中央健保局與相關縣政府要解決。

有關災民住的問題是須立即做安排，我們也開會決定，在震後的一個月後第二階段，將補助房屋租金或提供有眷臨時房屋，四人每戶以八坪為原則，單身臨時房屋每人以二坪計算，以兩百人為一組合區。這項計畫是依據社會救助辦法，安置地區以災情嚴重的台中縣（市）與南投縣為主，包括南投縣埔里鎮、中寮鄉、南投市、草屯鎮、國姓鄉、竹山鎮、名間鄉、鹿谷鄉、仁愛鄉及台中縣東勢鎮、新社區、石岡鄉、太平市、大里市，其餘地區則依實際需求提供。

由於地震後上萬災民均臨時安置在學校、營區或帳棚，為解決他們住的問題，在我主持的會議後，行政院也於九月二十七日成立「九二一災後重建推動委員會」，由行政院長蕭萬長擔任主委、劉兆玄副院長擔任副主委兼執行長，經建會主委江丙坤及台灣省主席趙守博擔任副執行長。當時政府和民間合力組建組合屋，像慈濟功德會於中興新村捐助的大愛村組合屋，他們從設計到組裝都由他們的會員自力完成，令人敬佩。證嚴法師、佛光山星雲大師、法鼓山聖嚴法師、中台禪寺惟覺大和尚、靈鷲山、行天宮及天主教、基督教、道教、一貫道等宗教界領袖以及紅十字會、中華搜救總隊等都發揮登高一呼的救援行動，展現最高的愛心義舉。

記得當時世界佛光會中華總會副總會長潘維剛立委，在第一時間登高一呼為災情慘重的南投中寮鄉建了一百戶的組合屋，並以我的字號命名為「永平佛光村」，落成時還邀我去剪綵，星雲大師還特別題了「奮起中寮」的石碑，背後還有「願心」祈禱文，記述當時見證中寮災難，以及寄望中寮再起的美好願望。

我也記得日本捐贈的組合屋運到東勢時，這需要國軍部隊配合組建。我親口告訴陸軍總司令陳鎮湘將軍要把握效率，進度不要輸給慈濟、佛光山捐贈大愛村、佛光村等，陳鎮湘回答我「副總統，請放心」，當天國軍工兵們就夜以繼日趕工，最後也趕上和其他宗教團體捐贈的組合屋同日落成，供災民入住。我因此對陳鎮湘及十軍團司令高華柱等留下很好的印象，陳鎮湘退伍後曾被國民黨提名為不分區立委，也擔任過國民黨副主席。而高華柱後來也擔任退輔會主委、國防部長、國安會祕書長等重要職務，繼續為國貢獻。

當時日方捐贈的組合屋只有八坪，國內的宗教團體及企業界捐贈的新蓋組合屋則有十二坪，經過媒體報導比較，東勢災民住的不是新房也較小，但我們對於日常生活條件的電視機、廚房設備都盡心盡力，應有盡有，甚至兩戶共用一部洗衣機，後來東勢災民也感謝日方與政府及民間的協助，讓他們度過難關。

當時整個災區可說是一片廢墟，百廢待舉。組合屋雖然讓災民們有個落腳處，可擋風遮雨。但是畢竟房子小，災民們迫不及待想要搬出重建，或是借助貸款到外租房子，因此很多後續的配合進度，一旦不如意，就引起民怨，公務員也成責難對象，公僕難為可見一斑。

災後民怨成眾矢之的

重建的工作需要財源挹注，因此在立法院的支持下，立法院通過的「九二一重建暫行條例」，於二〇〇〇年二月三日正式由李總統頒布施行。行政院也通過設置「九二一震災重建推動委員會」，負責震災重建的協調、審核、決策、推動及監督事宜。

對於災區的災民生活重建（災民各類保險自付保險費的補助、生活整體照顧、原住民災區獨居老人暨身心障礙者居家暨營養餐飲服務）、公共建設（重建受災山區道路坍塌清除、災後橋梁復建、學校復建）、興建住宅社區（築巢專案：協助受災集合住宅更新重建、受損集合住宅修訂補強、災區家屋再造、災區融資造屋方案）以及產業振興（補助農村、原住民聚落重建等）工作都需要政府結合民間的力量，快速推動。

我還記得於救災期間九月二十九日的國民黨中常會上，李登輝主席對於一家電子媒體到災區開叩應節目，嚴厲指責。由於在災區進行現場直播，那種氛圍就有民眾指責政府到底做了些什麼，引起了政府與媒體間的一些緊張關係，政府的救災形象當然受損，很自然也就波及執政黨的選情。坦白說，事隔這麼多年，我體認到媒體於第一時間報導災情與提供政府救災訊息，做為政府與災民間的橋梁角色這是很重要的，進駐災區跑新聞也很辛苦。但是對於一些昧於實際情況，不能實際反應政府已經盡力的部分，有些失之過苛的指責，甚至造成民眾對政府救災之不滿，這是令人遺憾的。

我理解李登輝主席當時講到日本阪神大地震時，日本媒體的表現有秩序，他應該是有感而發。後來國防部的青年日報，特別每天刊登救災行政命令、政策、進度的速報，目的就是撫慰災民，也讓他們清楚了解政府為災民做了什麼，這個溝通是很重要的。

這場大地震的災後重建工作，是繁複緊張又吃力的工作，災民們失去至親、住家也毀，災後重建也需要心理的療癒，加上一些對政府不友善的媒體的挑撥，九二一的災情，對國民黨的總統選情，也是不利的外在因素。我當時也有預感，這樣大的天災地變，後續推動的重建工作將是巨大挑戰，執政黨肯定會成指責抱怨的對象，對我及蕭萬長日後的競選是不祥之兆。

我也曾到日月潭風景區假涵碧樓與在地旅遊業者座談，聽取他們對旅遊振興計畫的需求，我當時要隨行的經建會主委江丙坤好好規劃，這也是他的故鄉，整建過後的日月潭風景區範圍已經比震前擴大到五倍，而且由縣級單位提升為中央單位，目前已成中外觀光客最受歡迎的景點。

那段救災期間，每當日夜於中興新村進出時，都會看到大時鐘的指針正停在一點四十七分鐘，成為永恆的記憶。而政府為紀念九二一大地震帶來的創傷，也分別在霧峰光復國中成立「九二一地震教育園區」，像霧峰光復國中的跑道整個隆起的奇特景象，我至今還印象深刻。另外像九九峰、九份二山國家地震紀念地、草嶺地質公園，政府也都於地震後規劃為九二一地震國家地震紀念地。希望後人警醒地震帶來的傷痛，以及如何做好防震的教育工作。

我也記得當時全國民眾發出愛心捐獻高達三百七十五億元以上，我也不落人後，在家人支持下，做了為數不小的捐獻。當時中央政府收受了一百三十四億成立「九二一震災重建基金會」保管運用。當時這筆民間捐款可以說是創下國際災難民間最高比例的捐贈。那時有相當比例用在校園的重建，民間企業也很多捐助中寮、集集、豐原等鄉鎮中小學的校舍重建，對於校園的規劃都有最新穎的想法，因此災區重建的校園都頗有特色。我也親自出席多場的捐助活動，這也是政府與國人重視災區孩童教育不要中斷的一個具體表示。那時在災區沒日沒夜地奔跑，我很感恩眾多宗教團體及社福團體，以民間的力量大力支援政府的災後重建，同時因為一場大地震讓我們重新思考與大地的關係，如何維護保護好大地的工作，揚棄人定勝天的觀念，並運用科技防災救災，還有人生無常的觀念也深入人心，這些點點滴滴，是我從事公職期間一段極為難忘的回憶。

第九章

臨危受命 接任黨主席

民國八十九年三月十八日總統大選開票結果，民進黨提名的候選人陳水扁因坐收國民黨分裂之利，以百分之三十九的得票當選。這是國民黨遷台之後，第一次交出中央政權，長期執政的國民黨一夕之間，將淪為在野黨，此一政治劇變衝擊不可謂不大。我做為敗選的候選人，內心愧疚不已。當晚我到位在仁愛路上的競選總部承認敗選，感謝所有的競選幹部與支持者外，我也有感而發「來日方長」、「後會有期」。

這一夜是難挨的夜晚，六點多陸續傳來開票結果都不理想，我與搭檔蕭萬長相約去了李登輝總統官邸，表示最深的歉意，辜負了黨及主席的栽培，未能守住政權。

當夜國民黨中央黨部及李登輝官邸被包圍，不少群眾將怒氣指向李登輝。連馬英九勸解也無效，求見李登輝也遭拒，馬還挨了雞蛋攻擊。

隔日的黨中常會，陷入極度的低氣壓，由於抗議群眾包圍黨部外圍，不少與會的中常委都遭羞辱，中常委徐立德甚至遭人身攻擊推倒在地。由於情況不安全，我臨時改到總統府辦公室，並傳真請辭副主席到黨中央。

事後從報導及轉述得知，國民黨政策會副執行長丁守中在會中要求李登輝應為敗選負責下台，黨也應比照民國三十八年撤退來台時，成立黨的改造委員會。

這場常會僅得到成立改造委員會的決議，對於應否請辭黨主席，李登輝當時是希望看守黨務到九月，再召開臨時全代會交棒。但是李登輝的想法並不順遂，群眾包圍國民黨的情勢日趨激烈緊張，在國民黨籍的中生代立委以及媒體推波助瀾下，讓李續任黨主席的情勢愈來愈艱難。

三月二十日在木柵中興山莊召開的「因應立法院新形勢」座談會上，我以負荊請罪之心情向所有黨籍立委致歉請罪，因為個人的努力不夠，造成黨的嚴重挫敗。但是國民黨應該痛定思痛，火速進行黨的改造，且應劍及履及切實執行，失敗後不應敷衍塞責、虛應故事。

那兩天不少行政部門與黨務部門的老幹部紛紛到家或辦公室和我談起

敗選後的黨政形勢，我因此在會上提出一些改造的思維，包括：給予年輕菁英份子的參與、精簡黨務組織、辦理黨員重新登記、政務官離職後應為黨所用、立院黨團應團結一致有效監督民進黨執政、立法院與縣市長選舉接踵而至，應及早規劃等。

我的搭檔蕭萬長也以自己身為行政院長及副總統候選人對大選落敗表示歉意。他保證在五二〇前所有黨籍從政主管都會堅守崗位，做為良好的政治示範。他也相信「未來四年，我們可以證實民進黨做的一定不會比我們好，我們一定要詳加監督。」

三月二十一日，自由時報頭版登出李登輝同意提早交卸黨主席，專心做過渡總統。李登輝心意的轉變，可能與黨籍立委對他續任看法不同所致。當天李登輝總統約我在辦公室見面，他提到黨部前面的群眾鬧得不像話，南部也有群眾想要北上反制，他憂慮這樣對立下去，對國家社會都不好，他問我看法如何，我認為化解對立要愈快愈好。但李後來出回憶錄提及問我是否辭黨主席，當時我回說愈快愈好。但我憶起，當時我未察覺李登輝或許是試探我對他辭黨主席的態度，當時我並未堅決挺他續任，或許就此傳出我對他「逼宮」的說法。

坦白說，我從政後期，李登輝是提攜我，我也對其尊重。也因此競選過程，對手攻擊他，把李連打成一塊，企圖型塑我若當選是換湯不換藥。所以我的競選幕僚早有人建議，若李登輝能提早將主席交棒，或許對打開選情有幫助。但是最後這項提議，並未成為事實。

省籍引發選戰雙重失血

我在競選時充分體會撕裂族群的可怕，民進黨陣營把我打成是外省人，宋楚瑜陣營則說我是台灣人，因此海基會董事長辜振甫生前對我說，兩邊這樣的宣傳，對我是雙重失血，我的這場選戰艱難，可見一斑。

我與李登輝見完面後，總統府祕書室主任蘇志誠打了通電話告訴我李登輝想提前辭去黨主席，我聽了之後也立即掛電李，但他堅持選擇辭職，強調他的辭意已定，不會再改變。

在李登輝堅決請辭後，黨祕書長黃昆輝堅持要與李同進退。而我的請辭副主席公文未獲批，最後我與李登輝商量，在暫行代理黨主席之際，祕書長一職由林豐正接任。

三月二十四日黨的中常會接受李登輝請辭主席，由我代理。我宣布將承擔未來黨的中興大業，推動黨務改造。我強調「不容心血盡成灰，不信民心喚不回」，並與全體黨員共勉「從哪裡跌倒，就從哪裡爬起來」。

李登輝請辭主席這消息發布後，在中央黨部門口包圍抗議的群眾才逐漸撤出。面對此艱難情勢，我仍在副主席辦公室辦公，同時也決定不支薪，座車自己負擔。我以黨的義工自許，希望改造後的國民黨，志同道合者能以道義相結合，和社會服務接軌，讓國民黨的社會形象能夠攀升再起。

我接任代理主席後，馬不停蹄地聽取黨籍立委、國大代表、中央評議委員、中央委員的寶貴意見，也到基層巡迴聽取十五全黨代表的心聲。

國民黨在民國三十九年大陸失守後，曾有一次大規模痛定思痛的改造，當時家父震東先生也是改造委員。孰料五十年後，卻由我親自主持黨的再次改造工作。當時我們列出的改造議題包括：一、如何調整黨的定位、組織架構，以落實黨內民主。二、如何結合民意，主導政策，落實黨的運作。三、如何爭取青年認同，培訓優秀人才。四、如何重塑黨的形象。五、如何調整黨產與黨營事業。

打造監督政府的智庫

接任黨主席後，穩住黨的氣勢，推動改造成為當務之急。我做的一個重大決定就是籌組國家政策研究基金會，網羅經驗豐富的下野政務官，發揮智庫的功能，平日做為加強政策研究，可為國民黨公共政策研究機構與論壇，同時可協助黨籍立委問政，做為主動立法主導政策的後勤單位，也要為中國國民黨的東山再起，做好政策白皮書的準備。

我曾於二〇〇〇年五月下旬實地走訪法國等歐洲國家對於智庫的運作狀況。國民黨由於長期執政，培養了一批又一批的優秀政務人才。政黨輪替後，他們雖然離開政壇，但他們豐富的從政經驗，絕對是監督民進黨執政最有力量的一環。

在我的構想，智庫絕不是「退職政務官的收容所」，而是要結合黨內菁英智慧結晶，發展成為最具影響力的單位。

國家政策基金會的成立，我先把紀念先父的基金會捐助出來，再結合黨的資源，於杭州南路一段原先的中央政策會辦公室成立，徐立德、江丙坤、劉兆玄、蔡勳雄、蔡政文等都發揮了很大功能，推動智庫的成立、運作、發展。

另外，我們也推動黨員重新登記，這次大選不少同志毫無紀律觀念，吃裡扒外，讓忠貞同志痛徹心肺。黨員既然入黨，為的是志同道合，為共同理想而打拚。若志不同道不合，則無需貌合神離，影響黨的團結。重新黨員登記，是重質不重量。過去號稱兩百五十萬黨員是虛胖的神話，我們號召重登記的黨員中，還特別規劃繳納一萬元黨費的終身黨員，迴響不少。不離不棄的黨員對黨的重新再起，仍是滿懷希望。

在組織精簡方面，我們精簡成中央政策會、組織發展委員會、文化傳播委員會以及行政管理委員會，再加上訓練機構國家發展研究院。過去的組工會下轄青年、婦女、海外等八大部，號稱「天龍八部」，在這次精簡後，都成為組發會下的二級部門。

國民黨由於過去家大業大，因此專業黨工的人事開支加上退休金，是項極大開支，因此精簡組織，減少開銷也是勢在必行。

在五月份的總理紀念月會上，我以「從挫折中找尋改造的力量與方向」為題發表專題演講，我檢討說「我們是不是因為長期執政，而使民眾覺得『辦黨務的人』，也『官僚起來』。其實黨務機構絕對不是也不應該是政府機構，黨務工作同仁也萬萬不能有『做官』的感覺。」我透露，在黨的改造工程中，將策劃把黨的某些組織朝向公益性的社團型態發展，要讓黨務工作人員，成為人人受歡迎的社會服務人員。讓民眾覺得國民黨只有「社工」與「志工」。

在五月中中常會通過「從零出發，全面改進」的黨務改造方案中建議，六月召開的全國黨員代表大會接受黨主席應由全體黨員以普通、平等、直接、祕密投票方式產生，並取消中常委指派擔任。國民黨內強化黨內民主的契機已經來臨。相對於其他政黨的主席選舉，有的充斥人頭黨員，派系共治。有的假民主方式，用鼓掌產生黨魁。而改造後的國民黨透過黨員總清查與重新登記後，透過黨內民主產生的權力核心，才能穩固堅實。

在十五屆臨時全國黨代表大會上，我獲得近百分之九十五黨代表的支持，出任黨主席。也正式啟動黨內改革的列車。記得在臨全會閉幕講話時，我呼籲全黨同志，拋開失敗的陰霾，大家挺起胸膛，大步走入基層，擁抱民眾，服務民眾。而臨全會大會宣言，也呼籲海內外所有認同國民黨改革理念的朋友加入奮鬥的行列。

我曾在卸任後參觀過新加坡人民行動黨在社區的服務工作，因此我也深有所感黨務工作應該與民眾生活結合在一起，為他們設身處地著想，不需要一天到晚講一些教條，或只是上政治課。因此在我指示下，中央黨部的地下樓層開辦K書中心，大獲青年學子及其家長們的歡迎及好評。我也依此例舉一反三，要各級黨部服務社團化、公益化，地方民眾有需要卡拉OK、健身或是各種技藝學習、藝文活動需要，各地第一線的黨務幹部，都可靈活運用活動空間，給予民眾方便。

可惜這些公益空間開放，隨著國民黨中央黨部出售，以及民進黨政府的打壓下，很多也告停擺。但國民黨資源大不如前的情況下，黨務工作人員志工化也是必然要走的一條路。

我接任黨主席，國民黨在立法院還是多數黨。因此為了表達對立法院黨團的尊重，六月二十日，我就立即安排到立法院親自出席黨團大會，並開放媒體採訪，這是過去從未有過的例子，以前頂多是祕書長列席。

對於出現少數總統，國會多數黨是在野黨的新政治生態，我認為現行中華民國憲法就是雙首長制，當總統與國會多數黨屬於同一政黨時，政府傾向總統制。但當總統與國會多數黨不同黨時，就傾向內閣制。然而民進黨的總統卻罔顧國民黨是立法院多數黨的政治現實，非要朝總統制方向發展，非但不肯透過政黨協商機制，協商內閣人事，同時還不斷標榜全民政府，刻意淡化政黨政治與責任政治的分野。

因此五二〇陳水扁提名唐飛出任行政院長，他是透過個人徵詢，而非透過政黨協商，因此唐飛雖係國民黨員，但其處境艱難，短短一百多天就卸任。從政黨政治立場，國民黨無法接受拉伕式的政黨合作。最後唐飛以無法接受停建核四為理由，提早請辭。在他卸任時，我特別邀約他到中央黨部十二樓，以盛大的活動給予溫暖。

一例一休造成三輸

國民黨雖已在野，但是基於多數黨的地位，我們在立法院可以「主動立法，主導政策」，繼續推動福國利民的政策。我們就以勞基法三十條修正案為例，完全以國民黨版「勞工每兩週上班八十四小時」通過，這就是國民黨在立法院多數實力，以及具體照顧勞工政策的體現。

勞基法的修正，首創由中央政策會與智庫合作研擬提出，在黨團會議通過後，由前勞委會主委詹火生在常會提出政策背景研析，獲常會採納，於立法院推動通過。這也是國民黨中央與立法院黨團保持密切良性互動的開端。

記得我在主持中常會討論本案時，勞資雙方意見本就南轅北轍，勞資雙方的中常委發言意見拉鋸，因此我在裁示時，原則通過以兩週八十四小時為政黨協商版本，至於對工商界的衝擊，則由政府提出配套措施。沒想到本案在立法院審查時，行政院竟然沒有送出其版本。勞委會主委陳菊甚至對媒體表示，國民黨版本比行政院版本好。二、三讀時，民進黨、親民黨、新黨都一致支持通過。

不過本案通過後，民進黨政府則批評國民黨不照顧企業界，對此立法院長王金平曾發出不平之鳴，因為國民黨為了勞基法維持每週四十八小時工時已經苦撐十八年，甚至這次修法，民進黨政府完全未與立法院協商，怎能一面怪罪立法院。

我記得事後我到高雄市與光陽機車工會代表晤面時，我有感而發說，當我主持中常會聽到前任全國總工會理事長李正宗中常委的一席話，特別有感。李正宗說，公務員隔週週休二日，已經整整實施兩年，因而每次學校老師隔週週休二日時，勞工的小孩因為爸媽上班，就乏人照顧。我因此感慨說，難道人家勞工的小孩就不是小孩，這已經是社會問題，決策者不能坐視。

我認為，為國家經濟永續發展，以及顧及世界縮短工時的潮流，我們不能說增加勞工權利，就會影響台灣的經濟，這是錯誤的結論。其實政府可以透過調整若干國定紀念假日不放假或者給予傳統業者放寬融資等配套措施，來減輕對企業界的衝擊。我的看法，縮短工時的目的，是要提升勞動生產力，以促進勞資雙贏為目標。

目前社會潮流的演變，上班族已經普遍週休二日，但是民進黨蔡英文政府任內推動的一例一休，則是造成政府、企業主、勞工三輸的局面。因此關於勞資關係與加班費的問題，一直是主政者的難題。

雖然國民黨在立法院有主導的力量，不過由於陳水扁不願遵照憲法的雙首長制精神，不願尊重國會多數黨，因此在其任期內，不照憲政軌道運作，行政立法兩院關係長期惡化也是事出有因。

民進黨政府運作三個月後，很不幸爆發八掌溪上四位整治河川的工人等待救援過程，因為政府閆斕瘓無能，導致他們犧牲寶貴生命，民怨沸騰，行政院副院長游錫堃請辭，陳水扁聲望也摔落二十幾個百分點。我對此發表多次談話，希望全體黨員與幹部務必要以民進黨政府中樞神經麻痺現象為警惕，國民黨雖暫時不執政，但為爭取民心，一定要扮演成功、稱職的反對黨，讓民眾為自己的生活福祉，有新的選擇機會。

全民政府的神話

我也深刻的批判所謂的「全民政府、清流共治」根本是虛構的神話，因為在所有民主國家以及憲法理論中，都找不到支撐全民政府的理由。因為在民主的理念中，有所謂的「總意」，因為每一個人所代表都只是個別意志，只有「總意」代表全民意志。但是民主政治要接近「總意」，則必須透過代議制度、政黨政治、責任政治來體現。有很多學者研究過什麼是全民意見，全民共識呢？大家眾說紛紜，最後因而出現「領袖現象」，期望一個不世出的聖人，一個智者，由他來提煉大家的總意，提煉大家的共識。研究社會科學的人都知道，民主與極權是一線之隔，有一位專門研究此一關係的學者塔爾蒙博士（Jacob Talmon）提出結論說，最後就是由一個人的意志，來代表全民的意志。因此我非常不希望在二十一世紀的台灣，還會出現所謂民粹（Populism）來壓制民主機制，用所謂全民政府想法，來破壞民主制度。

我舉法國的雙首長制為例，當時法國總統與國會多數黨並非同一政黨，因此法國為歐盟輪值主席，法國總統席哈克（Jacques Chirac）到德國訪問對歐盟事務發表演講後，法國總理喬斯班（Lionel Jospin）就強調，席哈克的講法只是個人意見，不代表法國政府意見。喬斯班何以會有如此強硬態度，這是因為席哈克的若干言論不在其職權範圍內。

我舉這個例子說明，這就是活生生的憲政慣例，若不願照憲政制度走，只有亂。

恢弘志氣的美加行

我接任黨主席五個多月後，也就是民國八十九年的八月下旬，我首度以中國國民黨黨主席身分到美國西部地區華僑聚居最多的舊金山、洛杉磯以及加拿大的溫哥華三個城市訪問，受到黨員同志與僑胞的熱烈歡迎。

我此行到僑社拜會，向海外忠貞支持中華民國與中國國民黨的僑民報告黨務改造方向，矢志重振黨魂、重振黨的組織、重塑黨的形象、重聚海內外人士的向心，重拾海內外對國民黨的期望，獲得不少共鳴與迴響。海外的僑報等重要傳媒，紛做重要報導，評論國民黨雖遭挫敗，但民氣猶存。

在我出訪前，民進黨的僑委會委員長張富美剛提出僑胞分等論，讓海外僑民憤慨不已。因此，我的美加之行，不僅時機恰當，也對穩住僑社向心，起了重要作用。

我到海外的中華總會館與黨部訪問時，慎重其事由台北攜帶了四塊匾額與僑胞及同志共勉，包括「寰宇同心」、「共策中興」、「光華復旦」、「共挽狂瀾」，這十六字，不僅是共同的期許，也是共同責任的承擔。

百餘年前，國民黨創黨總理孫中山在美國夏威夷檀香山創建興中會，在推翻滿清政府與打倒袁世凱自封皇帝的革命事業上，孫總理曾親自到美加這三個城市爭取奧援。面對這部歷史，我也格外有感。尤其在舊金山華埠，親訪有八十幾年歷史的中國國民黨駐美總支部時，當地黨員都說這是中國國民黨有史以來，第一位黨主席到訪，意義也格外重大。

在國父紀念館內，我仔細觀賞孫中山總理在美國停留期間的照片與墨寶。隨後在兩面國旗與黨旗的引導下，在華埠街頭遊行，所到之處，鑼鼓喧天，吸引不少兩旁的路人與觀光客圍觀，在地華人說，除了雙十國慶與農曆春節外，難得見到此盛況。

我在海外僑社的幾場公開演講提到，曾幾何時黨的主義，被年輕人視為落伍、僵化、空洞、古板，這是我們的疏忽。當年國父領導革命，有多少充滿熱情與理想的青年人，圍繞在總理身旁，大家為的是一股理想，希望中國早日脫離貧窮、愚昧，沒有專制與壓迫，建立一個現代化國家。而國民黨創立以來，歷經國難，有一代代年輕人奮不顧身投入中國國民黨的陣營，大家都是懷著「國家興亡，匹夫有責」的豪氣干雲氣概。我強調「國民黨總統的敗選，並不是別人擊敗我們」，而是我們自己打敗自己。

我也細數國民黨在台灣執政五十餘年的成就，在民國四十年到八十八年，中華民國的經濟成長率在世界排名第一，在交出政權時，外匯存底為世界第三，但如以人口數平均則是世界第一。台灣的土地面積在世界僅占百分之零點零三，人口僅占世界零點四。在此環境下我們卻締造一年三千多億美金的經濟規模，排名世界第十七。我問在場僑胞，這份成績無疑是亮麗的。因此中國國民黨在台灣的執政，我們捫心自問，俯仰無愧於歷史，無愧於國民，無愧於子子孫孫。

對於海外的黨務與僑務工作，我也宣示海外工作有其特殊性與傳統性，因此將來只會增加不會減少，只有強化不會弱化。我特別提到，中國國民黨是一個飲水思源、知恩圖報的政黨，「我們主張凡是認同中華文化的都是同胞」、「凡認同自由民主的都是同志」，唯有「有容乃大」的襟懷，這與民進黨搞僑務的提「華僑三等論」相較下，相信僑胞多能認同。

訪歐美，提高國民黨國際能見度

民國九十年六月，我前往英、法、美三國訪問，先後於英國牛津大學演講、接受法國巴黎大學贈予「國際政治獎」、參加美國企業研究院（America Enterprise Institute，簡稱AEI）於科羅拉多州丹佛市舉行的第二十一屆「世界論壇」會議（World Forum），與美國前總統福特（Gerald Ford）、法國前總統季斯卡（Valéry Giscard d'Estaing）並列為大會貴賓，此行除提高國民黨在國際的能見度外，也回應了國際友人對亞太局勢的關心。

在台灣的國民黨首次交出執政權，一年多來，台灣局勢變化相當大，因此關心兩岸安全與台灣局勢的海外學者，也希望能聆聽我的一些看法。

我分析，民進黨執政一年多來，台灣的各項經濟指標，該高的都巨幅下降，該降的卻攀升，所以出現經濟困境與信心危機，一言以蔽之就是出現少數總統、少數內閣及少數國會的聯合政府，也就是「三重少數政府」。而在國會居於過半席次的多數黨，卻是處於「多數在野」的現象。

在美國丹佛舉行的第二十一屆「世界論壇」會議上，我與美國前總統福特並列為大會貴賓。

這樣一個困境，直接影響到民眾對政府施政的信心，間接也使得原本就沒有處理經濟能力與經驗的民進黨，更難面對過去一年的種種財經困難。

我分析，當前的兩岸局勢，就是一種「零和僵局」。在九二共識議題上，台北變成大門緊閉的一方，民進黨政府上下都提不出完整的大陸政策。這次在牛津大學、巴黎大學或是在AEI世界論壇會議上，外國人最關切的是兩岸關係會否引起亞太局勢緊張，CNN有線電視網也特別對我進行專訪，問我台灣愛國者飛彈的試射，兩岸之間針對性的軍事演習，是否會形成軍備競賽。

我清楚告訴海外學術界甚至包括出席世界論壇的美國副總統錢尼（Richard Cheney）等政界人士說，國民黨在執政與在野期間，一貫主張「民主統一」、「對等談判」、「交流互惠」、「一中各表」，這些主張才能反映台灣大多數人民的心聲。我認為國民黨過去的執政經驗證明，兩岸關係可以更穩定。

我分析，一九九二年達成的九二共識，其要旨應該是雙方同意彼此對一個中國的內涵，可有不同解釋，這也是中共可以接受的，因此「九二共識」成為兩岸對話的敲門磚。台灣如果能夠得到國際更多的認可，這樣台灣與中共坐下來談判，才有可能找到平等的立足點。國民黨一向認為，台灣愈有信心，就愈能追求兩岸和平共存的方案，愈能接受對話談判的挑戰。

對於美國對台灣的政策，我慎重提醒，美國對台政策有其一貫性，美國不可能為台獨而戰，如果台灣在兩岸關係上是挑釁的一方，美國也不可能主動出兵防衛台灣，這是美國對台政策的穩定性。因此不要在兩岸關係上，做出任何誤讀或誤判，以免引起兩岸關係衝突緊張的可能。

我在AEI大會上，應邀以「亞太安全與兩岸關係」發表演講，我提到國民黨的兩岸政策就是把兩岸關係導向良性互動，增進交流協商，維護台海和平。我指出，過去數十年，國民黨主政時期的大陸政策始終與美國歷屆政府保持密切友好關係，這對台海局勢穩定及亞太地區的和平一直有幫助。我這篇演講全文事後也交給美國副總統錢尼參考。

這次於丹佛停留時間，我特別去參觀昔日國父住宿過的布朗皇宮飯店（The Brown Palace Hotel）房間，這個房間已經改為會議室。丹佛與中華民國的淵源是一九一一年十月十日武昌起義時，中國革命黨領袖孫文剛好下榻在當地地標的布朗皇宮飯店三二一號房，中華民國建國後，該飯店也清楚孫中山的政治地位，因此也把這段歷史做了特別保留，包括留下Y.S.Sun（孫逸仙）入住紀錄簽名，成為該飯店的觀光歷史資源。房間內外，都標示了孫中山入住的歷史紀錄。

一百多年前孫中山為革命募款馬不停蹄奔走於海外，當年丹佛盛產金礦，不少華人在此地工作，因此他在洪門致公堂大老黃三德的陪同下，專程從舊金山飛到此地演講，也是為革命募款之需。當年的丹佛日報就刊登了僑社致公堂的廣告，「歡迎孫中山蒞臨丹佛」，並說明孫將演說鼓吹革命。據飯店解說，孫中山是在吃早餐時，看到鄰座客人的報紙有刊登武昌起義成功，才得知此重大訊息，而後孫即往東岸走，遊說美國及西方世界支持革命黨，這段路程包括英國、法國、新加坡等，他於十二月下旬才從香港抵達上海。看了這段歷史，也可了解當年他推動革命，建立民國之不易，尤其是他有國際觀，想到先爭取外國奧援承認國民政府，真是了不起。

這次丹佛之行也碰到民進黨政府的外交部長田弘茂，他邀約我一起打高爾夫，但我婉謝了。

這次訪問，我也在紐約、倫敦、巴黎與僑社領袖與國民黨支持者見面。對於民進黨有意炒作本土化的議題，我強調國民黨要走的是中道路線，走全民的道路，不偏不倚，不走偏鋒。中國國民黨絕不是基於地緣或地域觀念成立的政黨，中國國民黨不是外省黨也不是台灣黨，我們是中華民國的中國國民黨。我說中國國民黨早已是不折不扣、道道地地的本土政黨，講本土就是要深入基層，為民服務。我們不希望推銷本土化而強化族群、激化地域觀念，分化國人的團結。我們尤其不能接受，將本土化視為去中國化，不承認自己是中國人。

我還提出台灣意識絕不等於台獨意識，今天的本土意識必須建立在台灣第一、台灣優先的前提上，中國國民黨要與民進黨一爭長短；在台灣意識上，絕不能放鬆，過去五十幾年，為了保衛台灣而犧牲的人民中，絕大多數是中國國民黨的同志。因此要把國民黨戴上「賣台」的帽子，國民黨絕不接受。一個政黨要發展當然要先立足於台灣，才能進而談到主導民主統一方式來解決中國現階段分治的問題。

全美記者俱樂部發表演講

民國九十一年四月十日，我再度啟程赴美，此行是應我的母校芝加哥大學以及馬里蘭大學和全美記者俱樂部的邀請。

這次為期兩週的訪問，是我卸下公職後，首度訪問華府，也是首次回到芝加哥大學出席董事會。我在全美記者俱樂部公開演講時指出「國民黨將會很快回到駕駛座上，讓台灣重新啟動[1]」，這段報導出現後，也鼓舞提振了海內外無數泛藍軍支持者的士氣。

在與外國記者晤面時，我坦承國民黨雖然輸了上次總統大選，但是環境的改變已經讓台灣出現完全不同的時代需求。台灣現在需要的是經驗，而不是隨興式的決策；台灣需要的是清楚的政策理路，而不是打混仗；更重要的是台灣需要做事的政治家，而不是作秀的演員。

我在芝加哥與華府對僑界講話時，我慷慨激昂的承諾，中國國民黨一定要浴火重生，中興再造。要讓台灣永續生存發展，就必須持續民主的道路。不過，「民主不是民粹，不是保守，不能逆勢操作，甚至反動，而是要繼續推動政黨輪替。」

我在海外大聲疾呼，台灣要走上成熟、健全的民主政治，勢必要經過再一次的政黨輪替，讓取得權力馬上腐化的人，能夠有反省的機會，而讓失敗過的人與政黨經過檢討反省改進，能有再對國家社會奉獻的機會。

芝加哥對我而言，是充滿年輕回憶之處。在一九五九年春天獲得申請入學許可後，我曾在芝大攻讀六年，取得政治學博士學位。畢業前的一九六五年，與方瑀成婚。重返芝加哥大學，往昔美好的追憶歷歷在目。過去我在擔任台灣省主席之後，還回來到芝加哥，但是擔任行政院長及副總統後，就沒那麼方便，「想回來就回來。」民國八十九年十一月初，原本已經應允芝加哥大學董事會之邀，除了首度出席董事會外，同時也準備回來看看此間的老朋友們。但難以預料的是，國內臨時爆發停建核四風暴，政局動盪，我因此臨時決定暫緩來美訪問。因此這次終於能夠成行，在闊別近十年後重返芝加哥，看到許多老朋友、老同志，並跟大家報告台灣的最新近況與展望國民黨的未來，我內心有說不出的高興。

我對台灣政情發展最感到憂心的部分是，自民進黨執政以來，國家認同的危機只有加劇，沒有化解。愛台灣成為一句廉價、空洞的政治語言，甚至成為政治鬥爭的護身符。對於一個創造中華民國的政黨，對於一個恪遵中華民國憲法體制的政黨，中國國民黨對於台灣政局的演變是深以為憂，同時也深感到肩頭責任的重擔。

我強調，身為中國國民黨黨員，永遠都牢牢記住，我們都是總理 孫中山先生三民主義的信徒，中國國民黨永遠站在捍衛中華民國、捍衛中華民國憲法，維護台灣優先的第一線。愛國家、愛民族、愛台灣，不能只是掛在口邊，而必須言行如一，表裡如一。

在台灣內部充斥是非不分、價值混淆的時刻，我承諾中國國民黨將堅持一貫的政治信念與立場，絕不會搖擺不定或見風轉舵，我們會堅持在中華民國憲法的國家定位下，維持國家的尊嚴與認同。台灣是我們目前生存發展的根基，我們一定要植根斯土、深耕基層，增進社會的融合，族群的和諧。唯有唾棄對立、分化與仇恨，台灣才能找回上個世紀奮鬥前進的動力與生機，我們才能找回自信，這是我們一以貫之，深信不疑的信念，這也是一個忠誠的反對黨，必須對歷史、對民族、對國家、對人民該有的交代。

我在返國後的中常會上也再次表明政黨該有的立場，我向所有支持國民黨或是對國民黨有質疑的民眾宣告，「舊」國民黨、曾經讓國民黨烙上黑金標誌的舊國民黨已經隨著政黨輪替被掃進歷史了，那些令國民黨背負黑金形象、威權統治的人、事、物，都已經是過去式了。

我也承諾新世紀、新時代的全新國民黨，會勇敢地清理歷史包袱，更會努力打造符合新世代標準，成為煥然一新，有戰鬥力、有理想性的現代化民主政黨。

台灣受邀白宮晚宴第一人

三年一度的國際民主聯盟（International Democrat Union，IDU）領袖會議於民國九十一年六月九日至十日在美國華府舉行，主辦的美國共和黨挾其執政優勢，不但邀請副總統錢尼親至大會發表演說外，更由布希總統（George Walker Bush）於白宮以國宴款待來自四十餘國會員政黨一百七十餘位代表中的二十餘位政黨領袖，這是IDU成立二十餘年來，最盛大也是層級最高的一次政黨交流會議。

我率同副主席林澄枝出席會議，除了於會上發表演說外，個人也創下中美斷交後，第一位獲邀出席白宮國宴的國內政治領袖。此行獲得《華盛頓郵報》及《中國時報》等中外媒體大篇幅報導，也適時提高國民黨的國際能見度。

這次與會的世界民主國家政黨領袖，包括澳洲總理霍華德（John Howard）、玻利維亞總統基羅加（Jorge Quiroga）、宏都拉斯總統馬杜羅

（Ricardo Maduro）、薩爾瓦多總統佛洛瑞斯（Francisco Flores Pérez）、格瑞那達總理米切爾（Keith Mitchell）及芬蘭副總理伊塔拉（Ville Itälä）及地主美國總統布希、副總統錢尼與美國共和黨主席等，這是難得的外交盛會，對於推展我國的邦誼，以及維繫國民黨的政黨外交工作，可說是難得的一次活動。

因為國民黨長期參與該聯盟的活動，因此林澄枝副主席與中央政策會副執行長鄭逢時，相繼當選聯盟副主席與亞太地區副主席。

中華民國自從退出聯合國後，外交情勢就日趨孤立，甚至美國與中共之間也達成不成文的默契，禁止我外交部長、行政院長與副總統、總統到華府地區訪問。因此我接連以卸任副總統及國民黨主席身分訪問華府，甚至這次還應邀到白宮作客，這是很難得的機會。其間當然有機會與布希總統以及美國國家安全會議等重要官員接觸，難怪在美國頗負盛名的華盛頓郵報會以我受訪華府為焦點報導，並在A版版面登出由法新社所拍攝我一張笑容可掬的照片。

無獨有偶，《中國時報》駐美特派員傅建中也以「躋身國際名流，連戰挑戰自我」為題，引述美國華府郵報的報導說，「連戰是華府與台北斷交後，台灣受邀到白宮的第一人。因為台北的要員自七〇年代開始，從尼克森尋求和中共關係正常化後，白宮的大門就不再為他們開敞。因此報導中指出，連戰藉由出席IDU會議之便，到華府作客並與美國總統握手言歡，確實是中美斷交以來的創舉。可是如果國民黨今天繼續執政，連戰能否以黨主席身分與會，並堂而皇之赴白宮國宴，不無疑問。即使布希目前對台灣友好，恐怕連戰也無法到華府訪問，遑論去白宮吃飯，這也真是應驗一句古話『失之東隅，收之桑榆』。」[2]

傅建中的說明沒錯，如果我仍有官職在身，國民黨此次大會可能就會改指派副主席出席，與會的待遇可能就無法如此高。

IDU這次的政黨領袖會議從很多的細節上，可以看出主辦單位對中華民國與中國國民黨的尊重。

其一，原先大會記者會所提供的會員政黨，中國國民黨以台灣的T字代表，因此我的演講順序，若照英文字母排序應該是倒數第二位。但是正式開會時，卻以中華民國的稱謂安排，以C字排序，因此在各國總統、總理講完話後，就輪由我演講。大會會場的正前方除了擺出中華民國青天白日滿地紅的國旗外，也介紹來自中華民國的中國國民黨。這也說明主辦單位及大會對中國國民黨堅持國名的認同與肯定。

其二，在正式餐會的座席安排，我與英國保守黨領袖史密斯（Iain Duncan Smith）是唯一非執政的政黨領袖排上主桌與其他國家元首、總理平起平坐，這是種尊重。

這次大會上，令我印象深刻的是，美國由於受到去年九一一恐怖攻擊行動的影響，因此對於高層政要的安全維護，密情局做的滴水不漏。所以錢尼到大會發表演講的時間未事先透露，而且來去匆匆。巧得是，我演講過程中，錢尼剛好進場，我因此禮讓錢尼，讓他先講。而錢尼離開會場後，大會主席特別向我公開致歉，但我幽默回以「感謝擁有特權，能有兩次的發言機會。」我這個臨場反應，也獲得與會政黨領袖的掌聲。而在場的台灣電視記者報導說，「連戰安排在錢尼之前講話，錢尼講完後就輪由連戰講話。」這兩種報導都對，這是難得的巧合。

由於這次的政黨領袖會議，國民黨首度以在野身分出席，因此對於分屬中間或中間偏右政黨領袖會議，國民黨自是要把握交流機會，學習其他國家政黨東山再起的經驗。例如美國共和黨在二〇〇〇年總統大選以「富同情心的保守主義」為競選主軸而贏得勝選，終結民主黨八年執政。

由此可知，信奉保守主義的政黨在過去選戰的失敗，輸的不是保守主義的本身，而是輸在選舉語言的運用與傳達。布希總統的資深顧問羅夫（Karl Rove）在歡迎晚宴上分享布希致勝祕訣時說：「我們應該堅持我們的理念及信仰的正確性，我們要做的是如何在未來更有效地將我們堅信的理念及信仰傳達至選民的耳中。」

我在大會專題演講時，提醒不能忽視的兩岸議題，受到與會各國政黨領袖的注意，會後紛紛向代表團索取講稿。尤其美國全國性的電視媒體C-SPAN兩度全程報導大會實況，我以一個東方臉孔能用流利英語演講，也受到注意。因此在大會期間，不少他國代表均上前自然交談。而布希總統於國宴上也相談甚歡。

這次大會特別通過華盛頓宣言，為追求世界自由、和平、繁榮及打擊恐怖主義而努力。至於過去兩、三年間國內盛行引用所謂的「第三條路」、「新中間路線」，這次英國保守黨的專題報告中也獲得大家認同，大家一致認為，堅信中間偏右的保守主義最有利於人類的福祉，中間偏右的保守政黨是堅持公平、正義的政黨，而中間偏左或自稱「第三條路線」之政黨與信徒，則是為選舉而搖擺不定的政黨。

上述共識，「深獲我心」。因為人民需要政治人物清楚的政治路線，而不是空洞的政治口號。所以第三條路在歐洲已經紛紛退潮，就以剛落幕的法國大選，中間偏右政黨大獲全勝，即為實例。

國民黨在野失去執政優勢與資源後，理念相同的國際政黨相互奧援是一友好傳統。藉這次大會的參與，也可為將來重新執政，拓展國際空間奠定良好基礎。而國民黨決心推動年輕化，也應該有計畫栽培青年菁英參與國際政黨組織訓練活動，這對政黨形象提升，乃至培育人才都是必須要走的一條路。

出席連扁會卻遭突襲

民國八十九年十月二十七日上午，我應陳水扁總統之邀，專程到總統府，誠懇向陳總統提出國民黨對國家當前重要問題的立場與建言，孰料陳所謂將重視參考之聲猶言在耳，當我步出總統府後，車還沒返回中央黨部，就傳出行政院剛宣布停建核四的政策。陳水扁與民進黨政府這種喪失誠信的兩面手法，引起社會一片譁然，同時也意外促成中國國民黨、親民黨、新黨三個泛藍政黨領袖在極短時間內晤面，同意推動主流民意對話機制。

而一百二十幾位立委也以陳水扁上任五個多月以來領導無方，剛愎自用，使得百業蕭條，經濟低迷，人民財富急劇縮水，導致民心不安，提出罷免總統案。這可說是因為停建核四，引爆的政治風暴。

陳水扁上任後的一個多月，就倡議要推動政黨圓桌會議。但是由於總統府始終未有具體的準備議題，加上陳在接見日本民主黨議員時稱，不會隨反對黨的腳步起舞。同時執政當局也對在野黨領袖進行政治偵防，政黨圓桌會議也就只聞樓梯響，未見人下來。

當年十月上旬，陳水扁改以一對一方式，邀請國民黨、親民黨、新黨領袖晤談，我當時基於在野黨的言責與為民請命，因此早在九月二十日的中常會上，我就指示蕭萬長副主席主持當前財經問題對策小組，廣邀朝野各界的意見。可以說為了與陳水扁的晤面能有實質意義，國民黨內早就經過一個多月的集思廣益，慎重地針對當前憲政體制、財經、兩岸、司法正義、掃除黑金以及九二一重建等重要問題，提出口頭與書面的建言書。

我所以如此慎重其事、誠心誠意，出發點完全是希望民進黨少數政府能夠察納雅言，以免過去全體國人胼手胝足所創下的榮景，毀於一旦。

對於眾所關心的當前經濟發展困境，我提議政府必須從基礎建設、兩岸政策以及決策機關的整合、產業政策、財政金融等面向來解決。有關核四問題，我認為過去這個議題，已經付出太大社會成本，因此我坦誠建議參考根據民國八十七年全國能源發展會議的結論與共識，由立法院提出能源發展條例，核四續建，等能源替代方案成熟後，看看有多少足夠的替代發電量，再逐步讓核一、核二以及核三廠除役。

此外，在會談中我也建議召開全國產業會議，針對產業的升級、轉型以及有計畫外移探討，這部分獲得陳總統採納。

至於勞資間關心的工時縮減時間表，主因是陳的競選政見承諾要在民國九十一年，也就是二〇〇二年時，將現有工時由現有每週四十八小時縮減至四十小時。至於立法院五月通過的兩週八十四小時案，表決時共有一一五位立委支持，包括國民黨、民進黨以及新黨等其他黨派都支持。現在大家都關心企業出走、關廠以及勞工失業率攀升的問題，因此我建議，如果陳總統能夠放棄公元二〇〇二年實施每週四十小時方案，只要現在的政府願意透過勞資雙方互利雙贏，取得現有兩週八十四小時案延緩兩年實施，這兩年先實施每週四十四小時，國民黨願意配合。

陳總統對於此意見表示政見可以調整，但是解鈴仍需繫鈴人，針對企業界反彈，他將調降工時推給國民黨立法院黨團。不過國民黨堅持的是，縮短工時是世界潮流，國民黨早在民國八十六、七年間，由當時的立委李友吉提案縮減為每週四十四小時，但是後來碰上亞洲金融危機與九二一大地震，修法因而延緩。至於陳水扁原先提的每週四十小時工時案，動作太大，必須有緩衝時間。因此不管是每週四十四小時或四十二小時都是緩衝。盱衡經濟不景氣，企業界的反彈，民進黨政府必須負起責任，先推翻陳水扁的四十小時實施時間表，國民黨的立場是支持漸進式縮減工時，讓勞資雙方雖不滿意但可接受。

陳水扁在會中也提及，希望國民黨明年選舉不要再提黑金背景候選人，以及要求國民黨支持農漁會法反黑條款修正，我則嚴正聲明，國民黨堅決支持政府掃除黑金，打擊犯罪的主張。在六月的國民黨十五屆臨時全國黨員代表大會上，黨章修正就已經通過反黑條款，因此黑金人選是不可能獲提名。至於農漁會法修正，國民黨主張反黑不反專。農漁會有其優良傳統應加以尊重保持，掃黑條文國民黨全力支持。但為顧及農漁會的歷史與運作，國民黨會提修正版本。

另外，我也說明過去主政期間已經在防止貪瀆及掃除黑金等問題提出系列陽光法案，希望政府與立法院加把勁繼續推動政治獻金、遊說法、利益迴避及國會議員倫理法等法案。

關於國統會與跨黨派小組問題，我明確建議陳總統立即召開國統會，我願意代表國民黨出席，至於跨黨派小組的提議，我則不贊成，認為疊床架屋。

但陳水扁立即回嘴，並翻出我寫過的《連戰的主張》第二十五頁為證，並稱是遵照國家發展會議結論。

為此，我也特別說明當初國發會所以會有此結論，乃是因為民進黨始終不派員出席國統會所致，包括陳水扁在台北市長任內獲聘委員也不出席。因此我才向李登輝總統建議，在總統府下設一諮詢小組，以聽取在野黨意見。但是當年的在野黨已經搖身一變為執政黨，時空環境不同，現在在野黨願意出席國統會，陳總統說沒有廢除國統會的問題，但事實上國統會已名存實亡。

至於如何推動兩岸復談問題，我則明白表明，的確是一九九二年時兩岸有共識，否則就無九三年辜汪會談的展開。不過過去幾年，對岸的確曾對此共識反反覆覆。而今對岸既然已經回頭接受此共識，我認為目前的陳總統與民進黨政府就毋須再加以否認或是改口稱無共識。我強調，兩岸始終是制度評比的問題，而非統獨的選項。但我也很遺憾中共領導階層將兩岸問題視為統獨問題，現在的民進黨政府也沒有加以反駁。

對於立法院曾發生所謂華人論以及類似中國人爭議，我對陳水扁說原本不願意再多談，但因為這種爭論會造成情緒不安，最好少談，但最近國會所以會出現如此爭議，主要是因為陳水扁接受德國媒體專訪時，當專訪文章刊出後，新聞局竟然要將自稱是「中國人」一詞，改成「華人」所致。我認為「我是台灣人也是中國人」的說詞才可以促進族群融合，達到和諧感通。我說談到既是中國人，沒有人會愚蠢到「我是中國人」會指自己是「中華人民共和國國民」。

我向陳水扁以將近兩個小時進行晤談，無論是核四解套、縮短工時爭議乃至於財政金融、兩岸議題，都具有前瞻看法、務實步驟。孰料，當我離開總統府後，回到肉眼可見的中央黨部路上，我同車的顧問李建榮就接到記者查證，聲稱「行政院將於十二點三十分召開停建核四案記者會」，記者們要我的評論。

雖然陳水扁事後聲稱，行政院長張俊雄當天中午停建核四的決策他事先不知道，但是輿情已經沸騰，認為陳水扁好意邀國會多數黨領袖聽取能源議題等建議，但客人腳步才剛離開總統府，民進黨政府就把我的建言當耳邊風，不僅是毫無誠信，更是對多數黨刻意的不尊重。

返回中央黨部，我立即要林豐正祕書長當日下午邀請中常委召開臨時中常會，對此政治情勢交換意見。我強調要結合所有可以結合的力量，展現有力的行動反制。會上常委們也一致認為陳水扁原先要邀請蕭萬長代表出席APEC領袖會議已經不適合，原本蕭和我報告時，我還以國家大局為重，同意他出席，但停建核四讓朝野互信完全撕毀。

緊接著我也移樽就教拜訪親民黨主席宋楚瑜及新黨全委會召集人郝龍斌，並達成在十一月初進行主流民意對話。儘管陳水扁與張俊雄在體會民意不可侮的情況下，反轉願意向我致歉，但我也很清楚告訴他們，不管是執政當局有意或是無意的侮辱性安排，我個人並不在意，因此陳水扁也不必致意。我在意的是國家的安定與全民的福祉。我向陳水扁建言時，開章明義跟他說，我提的未必是「好聽的話」，「政黨可以輪替，但國家方向不能迷失。」

後來局勢演變到罷免陳水扁行動在立法院及台灣各地如火如荼展開，雖然最後罷免有其高難度，但是陳水扁及民進黨政府自己點燃的政潮，讓政局更加不安，民心更為浮動而已。

「護憲救台灣，讓全民心安」

民國八十九年十一月十一日，也就是國父孫中山先生一百三十五歲誕辰前夕，中國國民黨、親民黨、新黨三黨負責人在選後首次聚會，針對紊亂政局，提出鏗鏘有力、擲地有聲的護憲救台灣共同聲明。我們也共同聲討陳水扁政府短短五個多月施政就出現十大缺失：輕忽憲法藐視國會，各類產業紛紛出走，股票市場持續低，失業人口頻創新高，社會治安日益敗壞，投資環境急遽惡化，人民痛苦指數驟升，核四決策草率違法，兩岸關係益形嚴峻，救災行動緩慢不彰。

陳水扁及民進黨初次主政，國民黨和平移轉政權。孰料陳水扁大權在握，竟然排斥政黨政治，藐視憲法與國會尊嚴，不僅把他於選前承認的雙首長制棄於一旁不顧，甚至拿出毫無學理與事實根據的「全民政府」為訴求，結果一百三十七天唐飛內閣就被犧牲，匆匆下台，取而代之的張俊雄「少數政府」，更因停止興建核四過程草率粗魯，而被國會視為不歡迎人物，行政院與立法院的互動也因此跌入冰點。

關於停建核四的決策，眾多媒體的內幕報導均指出，十月二十四日星期二晚間，陳總統與張俊雄院長深談後，做成於十月二十七日週五中午停建核四決策。而在二十六日晚間，總統府祕書長游錫堃與陳水扁幕僚馬永成都曾勸阻停建核四的時間點不能在見連主席之後，但陳水扁與張俊雄卻是一意孤行。但陳水扁於二十八日參加台南同鄉會活動時，仍然語氣強硬對停建核四辯護，稱是實踐競選政見，毫無道歉之意。

此刻演變的情勢，我率先發出應該團結可以團結的力量，新黨召集人郝龍斌更建議三黨領導人可以見面，而宋楚瑜也有相同看法。二十九日上午我於家裡邀約林豐正祕書長與文化傳播委員會主委胡志強時，特別指示他倆即刻安排會晤另兩位在野黨主席，林豐正隨即聯繫上宋與郝，當天下午我就拜會宋主席及郝召集人，為三黨日後合作開啟一扇窗。

我與他們見面時都提到「本是同根生」，我要宋楚瑜忘記選舉，一切往前看，這是泛藍政黨跨出合作的良機。

我為三黨歷史性聚會下了如下的注腳：自從陳水扁總統及其少數政

陳水扁政府停建核四，反促成國親新三黨大團結。

府上任以來，踐踏憲法體制，藐視國會尊嚴，排斥政黨合作，也傷害了國家政經各方面的發展，使得國家陷入危機。面對這樣亂象，三黨負責人決定結合在一起，解決困境，開展愛台灣、救台灣的行動；此時此刻，在野黨團結起來，彰顯主流民意，確保全民福祉，力挽狂瀾，以發揮正本清源，安定大局的功能。

民國八十六年修憲制定雙首長制度，就已經考慮到總統與國會多數未必是同一政黨的可能性。李登輝總統與我當選第十任總統、副總統時，獲得百分之五十四選票，而國民黨在立法院仍維持多數，而李也兼任國民黨主席，因此李總統的權限較大，有其政治現實的支撐。反觀陳水扁當選只有百分之三十九的相對多數，其他百分之六十一選民不支持他，而他所屬的民進黨在立法院只有六十七席。在此種政治少數的結構下，他任命唐飛或張俊雄出任行政院長，完全不尊重國會多數意見，不願意有任何形式的政黨協商或徵詢行動，他硬是要把憲政體制朝往總統制運作，這是自不量力，這也就是前民進黨主席施明德及許信良批評總統權限與政黨實力不對等的原因。

我們三位在野黨領袖晤面所達成的第一項共識聲明認為，「中華民國憲法為立國根本，憲政體制必須受到尊重，政治運作必須回歸憲政常軌，我們堅決主張，建立權責相符的責任政治，現行之雙首長制必須落實，行政院長之任命必須尊重國會多數意見，行政院長為國家最高行政機關的原則必須確立，行政院必須向立法院負責。」

對於核四停建，我們的看法是立法院通過預算編列，甚至覆議案也通過，但陳水扁與張俊雄卻不尊重立法院的決議，逕行推翻，這種完全不尊重憲法，不遵守法律的心態行為，造成政局紊亂，因此在野黨才會凝聚基層不滿的民意，擬彈劾行政院長、罷免總統的原因。核四電廠的停建，後經大法官會議解釋，恢復推動，建廠如此反反覆覆，所造成有形、無形的經濟損失是龐大的數字。二〇一八年地方選舉，民間推動進行的「以核養綠」公投，獲得多數公民支持，但是民進黨蔡英文政府仍未尊重，也為台灣今後的能源帶來潛在的危機，實在堪憂。

國民黨黨主席首度黨員直選

建黨進入一〇七年的中國國民黨，於民國九十年三月二十四日，透過第一次黨員直選，選舉我出任黨主席，這是改造後的國民黨民主化過程重要的里程碑，有近六成的黨員出席投票，並以百分之九十七的支持度，支持我出任首位黨員直選的黨主席，這也是給我推動改革的最大後盾。

在國內四個主要政黨間，由黨員直選黨主席，國民黨雖非開風氣之

二〇〇一年我喊出「國民黨要爭氣」，希望能帶領國民黨走出谷底。

先，但歷史超過百年的政黨，加上黨員重新登記後仍擁有近百萬黨員的政黨，願意跨出改革的一步，讓全體黨員經由自由意志一票票選出黨的領導人，這種由下而上的民主改革是正確的改革方向，對於國民黨重整隊伍，提振士氣，事實上是有極大助益的。

一般國內外研究選舉的政治學者都認為，黨內的選舉投票率往往遠低於公職人員選舉。以民主進步黨於民國八十九年進行的黨主席直選，投票率只有一成二。反觀國民黨首次的黨員直選主席就有五成七九的投票率，有五十三萬七千三百七十位黨員在國民黨最低潮、最艱難之際，願意站出來投票，已屬不易。

雖然有外界認為，國民黨主席首次直選是同額競選，因此投票率與得票率意義不大。但反過來說，經過黨務改造、黨員重登記後，積極尋求東山再起的國民黨，在淪為在野後的首次黨主席、黨代表選舉若冷冷清清，黨員參與不足，投票率低落，勢必將遭到嚴重批評或嘲諷。

國民黨黨員重登記有九十五萬黨員參加，為做好黨員今後的服務聯繫工作，我也指示全國兩千位黨務幹部分八梯次到國家發展研究院調訓。

我在參選過程，從台灣頭到台灣尾，幾乎聽到一致的共鳴心聲，他們用閩南語的俗諺稱「新的不來，不知舊的好寶惜。」再加上《中國時報》在大選一週年後所做的民調顯示，多數民意接受「今不如昔」、「新不如舊」。我則是認為，與其思念、懷舊，這些都已經過去，重要的是「懷念不如相見」，不如讓國民黨重新執政，與所有鄉親父老再逗陣，給大家的明天有個光明與希望，這才是國民黨要努力的方向。我認為，中國國民黨與中華民國的關係，只要是國民黨遭遇挫折失敗的時刻，必定是中華民國遭遇險阻困難之際，反觀國民黨重新振作團結奮起，也是中華民國起飛、揚眉吐氣的時刻。

基於一個開國的政黨，中國國民黨與中華民國的情感，不是其他政黨能比擬。因此對國民黨的浴火重生，東山再起，我有特別深重的使命感與決心。眼前如何恢復政權，重新執政，打造台灣，是我與全體黨員同志及支持者所許下的諾言。

重新擦亮國民黨招牌

民國九十年七月二十九日、三十日，中國國民黨在林口體育館召開第十六次全國黨員代表大會，這是國民黨在台灣執政五十餘年後，首次以在野黨地位舉行全會。全體黨代表懍於團結奮發東山再起的決心與體認，因此營造了一次團結、衝刺與年底選舉誓師的成功大會。

我在開幕式上以未看稿方式，花了四十分鐘，發表以「力挽狂瀾，捨

中國國民黨於林口體育館召開第十六次全國黨員代表大會。

我其誰」為題的演講[3]，讓全黨同志重新確認黨的發展路線、奮鬥目標，同時也對黨的凝聚力大為提高。

這次大會前不久，由於黨出於不得已被迫開除屢屢詆毀國民黨的李登輝前主席黨籍，因此媒體與外界揣測大會上是否會出現路線爭鬥，但事實的演變恰好相反，全體黨代表均以團結為重，會上雖有一些針對開除李登輝的零星發言，但整個大會從開幕到閉會，一氣呵成，團結和諧，一掃過去幾屆全會給人鬥爭的印象，算是成功的黨代表大會。

國民黨現在改變在哪裡，甚至還有人影射我是否偏離李登輝路線，我未來領導的國民黨路線為何？我清楚告訴大家「一個全民而民主的政黨，只有黨的總體發展方向，哪有個人路線。」

中國國民黨的理念已經明確標舉在黨章中，「中國國民黨為民主的、公義的、創新的全民政黨，本黨基於三民主義的理念，不僅要全力建設台灣地區為人本、安全、優質的社會，更要逐步實現中華民國成為自由、民主、均富和統一的國家。」

在國民黨的改革成就，我以淺顯易懂的三個方向說明國民黨的「變」：

第一，今天的中國國民黨是以民主來結合黨意與民意的現代民主政黨，黨主席由黨員一票票選出，立委、縣市長的提名，也依照黨員投票及民意調查結果的民主機制產生。

第二，今天的中國國民黨是以服務扎根基層的政黨，全體黨員都是志願服務大隊隊員，站在社會服務第一線，苦民所苦，樂民所樂。

第三，今天的中國國民黨也是與黑金勢力一刀兩斷政黨，從立委與縣市長的提名名單即可得到證明。

與黑金劃清界線，是改造後國民黨最大的堅持，黨章修正中納入「排黑」、「排黃」條款，過去出現形象有爭議的民意代表，主因是三審尚未定讞。但國民黨為展現決心，寧可短少席次，毅然割捨，未予提名，這就是壯士斷腕的決心與魄力。

我在大會閉幕時，也公開號召所有認同改革後國民黨理念的朋友們，早一日回到黨的大家庭一起奮鬥。我強調，只要大家團結在黨的理念旗幟下，就一定可以重新擦亮中國國民黨的金字招牌，只要我們將曾經無法釋懷的遺憾、難過，轉化為行動與力量，大家同心同德，中國國民黨一定可以東山再起，重新執政，讓台灣這片寶島，重新照耀青天白日的光芒。

倡議政黨協商會議

民進黨政府上任後，由於經濟情勢惡化，因此不到一年的時間就先後召開全國知識經濟會議、全國經濟會議、全國科技會議、全國工業發展會議和全國行政會議，由於都是體制外的會議，結論都大同小異，因而輿論批評質疑是「以會養會」。但國民黨基於經濟情勢的確惡化嚴重，國會的多數黨不能置身事外，加上陳水扁總統要親自召開經濟發展諮詢會議，我因此同意配合，在籌備之初，即決定以全黨人才、政策經驗，毫不藏私地提供建言給政府做決策參考。因此無論從推派立法院副院長饒穎奇、立法委員及專家學者出任諮詢委員，隨後黨副主席蕭萬長、王金平、中央評議委員會主席團主席辜振甫也都應聘為經發會副主任委員，至於國民黨的智庫以及江丙坤、王志剛、邱正雄、蘇起、韋端、蔣家興等前任政務官，更以專業成為國民黨出席代表的背後智囊。

經發會在籌備時期，我就倡議應該召開政黨協商會議，這是有其必要性與迫切性。因為經濟疲軟，各項經濟指標持續向下探底，國人對經發會寄望殷切，希望透過朝野以及專業人士參與，凝聚成的三百多項共識，即刻化為行動，很多事需要立法院修法配合。民主政治就是政黨政治，也是責任政治。因此我基於經發會的結論不能再拖延，而且須有效貫徹，透過政黨的協商，無疑是條比較平順的道路。

事實上，政黨協商會議所包含的範疇也高過政黨領袖會議，因為透過國會常態的協商機制，再增加祕書長與黨主席的層級協商，這是政黨政治出現良性互動的開始。

民國九十年八月總統府召開「經濟發展諮詢委員會議」，陳水扁在閉會致詞上特別提到「如果沒有朝野政黨的鼎力相助、充分配合，經發會就難以達成今日的成果。未來經發會的共識一落實，也一定要經過立法院的朝野協商溝通，所以對於經發會後召開的「政黨協商會議」或「政黨領袖高峰會」的構想，他不僅樂觀其成，也希望凝聚朝野共識，團結全民力量。

國民黨在經發會的付出與貢獻，在具體成就上，大會的討論提綱與共同意見，絕大多數都是國民黨智庫在開會前就曾送給總統府、行政院以及各部會參考的主張，因此會後有諮詢委員說，經發會很多的共識，不僅與國民黨建言似曾相識，甚至有些結論的文字幾乎是雷同。因此陳水扁在會後，也不得公正客觀評價感謝在野黨的配合支持，尤其是國民黨的努力。

這次經發會所討論的問題，大致可分為三類，兩岸經貿、產業發展以及財政金融等。我認為有十大問題需要火速推動，包括鬆綁戒急用忍、開放三通、促進產業技術升級及產業結構調整、確保水電供應充足穩定、活用工業用地、協助中小企業提升競爭力、調和環保與產業發展、全盤檢修勞動法規保障勞工權益、加速推動金融改革、推動財稅改革追求預算平衡以及健全股市、債市。

除了上述十個面向外，我也特別點出影響經濟的問題還包括非經濟的因素，執政的政府要坦誠面對，包括尊重憲政體制，落實責任政治；提高施政能力，尊重文官體制；追求兩岸和諧，建立雙贏關係。這三項非經濟因素的改造，也是影響經濟的重要因素。

我也認為，民進黨至今仍以扭扭捏捏態度，面對各種所謂的禁忌、包袱不敢碰，包括不敢放棄台獨主張，不承認憲法雙首長制，不接受九二年一中各表的共識等等。經濟問題是離不開政治的，陳水扁及民進黨不願也不接受民主政治多數決的原則，不宣布接受國會多數黨或多數政黨聯盟組織政府，這不會有助於政局的穩定。

在兩岸問題上，我也堅定重申，有關兩岸通航、兩岸投資保障協定及租稅協定等，都必須透過協商才能落實，因此我也再次呼籲民進黨政府應該依據九二共識「一個中國、各自表述」，及早恢復協商。但這些努力，二〇〇五年已有共識，我訪大陸後，直到二〇〇八年馬英九政府上任，終於恢復協商，兩岸共同達成協議，但時間已經耽擱了七、八年。

我所倡議的政黨協商會議，民國九十年九月十五日在國民黨中央黨部召開，共有四黨兩派（召集人）共同出席，包括民進黨主席謝長廷、親民黨主席宋楚瑜、新黨主席謝啟大、以及無黨聯盟的蔡豪及葉啟田兩位立委以及我代表中國國民黨。會中達成聲明強調，將全力協助落實經發會的共識，促進社會和諧、政策合作，以共同挽救經濟。

我在會上說，這次的會議為政黨合作開一扇門，畢竟我們只有一個台灣，大家共同合作，同舟共濟，互蒙其利，不能合作就同受其害。

在政黨協商會議召開前，美國遭逢恐怖份子無情攻擊的九一一事件，導致牽動國際經濟。我特別提到，台灣經濟已經創下五十年來從未有過的蕭條，偏偏屋漏偏逢連夜雨，九一一恐怖攻擊事件將使台灣第四季經濟景氣復甦泡湯，甚至全年的經濟成長率更將因此下調。此會議後，納莉颱風又重創台灣，給台灣經濟帶來雪上加霜的衝擊。雖然年底就將有縣市長與立委選舉，在政黨激烈競爭前夕，我還願意登高一呼召開政黨協商會議，主要是民生第一，希望不分黨派搶救經濟一線生機。還有經發會畢竟是體制外會議，沒有拘束力，必須經過政府把它形成具體的政策，經過立法院通過相關法案才得以落實。因此透過政黨協商，加速相關修法效率，同時也對今後政府履行承諾加以監督，也是勢在必行。

這次政黨協商會議在最後階段，也邀請了行政院長張俊雄、立法院長王金平列席，並由我以會議主持人代表各政黨（聯盟）將推動經發會的共同結論與共同聲明轉交兩位院長收下，以為今後監督施政與協調配合立法的依據。

此外，在會議共同聲明的文件中，民進黨也罕見配合妥協出現下列的文字「遵循憲政體制，以國家之長治久安為目標，建立穩定之行政與立法關係，放棄無謂之意識型態爭執，尊重行政專業與倫理，落實民主與制衡之精神，以提升人民信心」，「在確保台灣優先與國家安全的前提下，政府應儘速就兩岸加入世界貿易組織後的各項問題與對岸協商；並呼籲兩岸當局依照兩會九二年會談以及九三年辜汪協議達成之成果，儘速化解爭議，恢復兩岸兩會協商機制。」

藍軍攜手排除萬難

我在擔任黨主席任內，曾提名兩次的立法委員選舉，第一次立法院第五屆的選舉由於親民黨拿下四十六席，國民黨席次因而降為六十八席，但是國民黨、親民黨間的合作，推出王金平與江丙坤搭檔角逐立法院龍頭與副院長，所幸都過關，維持藍軍繼續領導立法院的局面。第二次第六屆國親也聯手拿下一百一十五席，這次立法院正副院長選舉改推王金平搭檔鍾榮吉，也順利通過。至少兩次的立委選舉，都擊退了民進黨擬推動的跨黨派國家安定聯盟，說穿了絕大多數的國民黨及親民黨立委，幾乎都未接受威脅利誘，期間整合的甘苦辛酸，沒有行政資源的在野黨能維持藍軍合作，真的做到大局為重。

第四屆立法委員選舉後，民進黨當選八十七席，加上台聯的十三席，已有百席席次。而國民黨當選六十八席，親民黨當選四十六席，加上新黨一席，總共一百一十五席，泛藍的席次已經過半，但當時未必是穩定的多數。

選前選後陳水扁及民進黨政府就用各種政治資源進行拉攏分化，希望搶下國會龍頭寶座。當時黨內也有資深立委要挑戰王金平的院長大位，但是我與多位副主席及黨務主管商量，基於國家安定、國會生態以及王的資歷夠深，很快大家得到共識繼續支持王金平連任。

至於原任的副院長饒穎奇也很認真，資歷也深，但是基於親民黨的席次超過四十席，因此對於副院長的提名，是需要尊重親民黨的意見。

選前民進黨就有意拉攏王金平，希望王金平帶槍投靠，協助民進黨成立至少一百二十席以上的國家安定聯盟，但是王金平堅定地婉拒靠攏民進黨，這也獲得我的信任。

陳水扁拉攏王金平合作，用意就是要擊垮我在黨內的領導威信。但王金平在一次選後的黨內會議上，第一位喊出要鞏固領導中心，當著大家的面表示對黨的忠誠。

王金平為了鞏固連任的足夠票源，因此台聯的十三票他也必須爭取。恰巧李登輝發起的群策會在國賓飯店有聚會，我也告訴王金平說「你還是去參加吧，去了，十三張票不一定拿得到，但若不去，十三張票都沒了」，即使國民黨內很多人不喜李登輝，但為了保護王金平，我也必須務實支持他去開拓票源。

由於國民黨這次的立委選舉席次不理想，因此對於立法院副院長人選，我是朝開放態度。

但我的大前提，絕不能讓王金平與民進黨合作。但是國民黨與親民黨合作是否也有反彈跑票情況，此種情況都要推敲掌握。

二〇〇二年一月十九日的國民黨新科立委立法實務研討會上，我公開對黨籍立委們說，這次的副院長選情很微妙，就算我們自己有人選，也要考量政治現實，國民黨一定會支持一位社會與國家都能接受的人選。

當時陳水扁擬提名游錫堃接任行政院長，當時國內某企業界人士私下告訴我，陳水扁擬挖腳要讓江丙坤出任行政院副院長，宋楚瑜後來也得知同樣訊息。

一月二十日我在黨部約見江丙坤，我挑明講政黨政治的分際，沒有政黨之間的協商，個人入民進黨的政府，就是唐飛模式重演，國民黨不會接受。江丙坤也很爽快回應，說他是忠貞的國民黨員，他是拿中山獎學金到日本留學，改寫了自己及家庭的命運，他絕對會顧到黨的立場。

我對江丙坤的表態很安慰，但見江的隔天，就發生一件讓我不痛快的事。我主導提名為國民黨不分區的原住民立委、前台東縣長陳建年一早跑來告訴林豐正，他接受陳水扁邀請，要出任行政院原住民委員會主委，因此要婉謝我的不分區派任。林豐正告訴我，陳建年要請見。但我很生氣根本不想見他，最後還是很勉強接見了他。陳建年忐忑不安的說明同意接任原民會的考慮，但我很痛心地對他說「你讓我太失望了。」

老實說，當年國民黨內要爭取原住民立委不分區代表也不少，好不容易提名了有縣長資歷的他，竟然陳水扁一招手就跑過去，這和江丙坤相比較，真是不可相提並論。

民進黨政府沒虧待陳建年，後來又提名他女兒陳瑩競選立委，但卻爆發賄選案件，陳建年在立法院備詢時被炮轟，最後只得向當時的行政院長謝長廷請辭下台，這也是不堪的從政紀錄。

而江丙坤由於專業能力、人品都足夠，因此我與宋楚瑜商量後，決定聯手支持他參選立法院副院長，也獲得社會與輿論好評。一月二十八日下午，我與宋楚瑜一起在福華飯店宣布支持江丙坤參選。

我也立即將此決定告訴王金平及饒穎奇。王似乎有不同看法，因為

「王江配」出爐，會帶給王不安。

李登輝與陳水扁對王金平沒有惡意，甚至可說有善意。不過李登輝於選後成立群策會，聲稱要拉攏國民黨本土派與民進黨合作，因此立法院長副院長的改選，情勢詭譎。在親民黨的支持下，國民黨通吃提名，民進黨是否要跟進正、副院長都提名，也費思量。最後民進黨只提名洪奇昌競選副院長，給了王金平最大面子。

為了拿下副院長寶座，陳水扁在總統府親自運作，投票前一天民進黨也在立法院旁的來來飯店開了選舉指揮所，燈火通明。對於原住民立委、對於財務有困難的立委，指使銀行抽銀根，甚至有司法案件的無黨籍立委，也遭威脅，各種難堪難見陽光的手段都使出。

投票當天上午，王金平順利過關，為了輔選江丙坤，國民黨立法院黨團特於中午舉行誓師會議，我親自到場監軍，我說基於政黨合作承諾，親民黨四十六席決議都支持江丙坤，希望國民黨的票要一張不少。我特別強調「當媒體繪聲繪影報導行政部門以司法及金錢要介入選舉，全國人民都睜大眼睛在看，相信大家都有智慧，如何堅定信守政黨立場，不存僥倖之心。」

隨後我也在黨團幹部陪同下，一同到親民黨團及無黨團結聯盟黨團拜會，爭取支持。

過去從未有國民黨主席親自到國會請託投票，這是從未有過的事，但為讓江丙坤選情萬無一失，我這個動作非做不可。

投票開票結果，王金平以兩百一十八高票爭取到跨黨支持，連任立法院長。

而為了避免副院長選舉出現跑票，國民黨黨團決定動用黨紀。副院長第一次開票，江丙坤一百一十二票，洪奇昌一百零八票，兩人都未過半。進入第二輪投票時，我們靈活宣布，向第一輪跑票者喊話，若第二輪投給江丙坤就既往不咎。因此江丙坤第二輪得到一百一十五票過半當選，洪奇昌少掉兩張拿一百零六票。

這樣的投票結果，表示我們完全掌握住跑票的立委，也知道民進黨政府如何抓他們的短處。但第一次跑票等於已給陳水扁面子，第二次回歸國民黨，這也是跑票立委給自己政治立場的交代。

當天江丙坤獲勝時，國親立委在議場歡聲雷動，立委們聯手把江丙坤抬起慶祝，高喊「凍蒜」，這個喜悅得來不易，這個戰果粉碎了陳水扁威脅利誘的「國家安定聯盟」大計。

立法院龍頭與副院長的選舉，民進黨吃了敗仗。但他們並未放棄威脅利誘跨其他黨派立委的作風，在財政劃分法修正時，國民黨團支持台北市長馬英九的修正案，讓地方財政有更大自主權，並獲得立法院多數同意。但是行政院立即提出覆議案，有藍營立委跑票，扳回一城，讓國親聯盟顏面盡失。

原本依立法院的朝野結構，只要國親合作，可以否決覆議案，但此一覆議戰場有利行政院的是，只要反對覆議者無法超過半數的一百一十三票，覆議案即可成功。結果於二〇〇二年二月十九日舉行的覆議投票，贊成行政院覆議案有一百零三票，反對行政院覆議案、維持立法院原決議有一百零九票，雖然民進黨與台聯的合作票數輸給了國親聯盟，但是由於國親部分立委跑票，民進黨終於有了勝算。

事後我們對跑票者例如長億集團代表的楊文欣做出開除黨籍處分。楊之所以配合民進黨立場，是因其企業本身投資開發台中月眉遊樂區，加上中正機場捷運及長生電廠，在在都有求於執政當局，因此民進黨政府對其進行政治遊說，他根本招架無力，我們黨即使對他動之以情，說之以理，也統統無效，這就是民進黨政府利誘威脅的活例子。但時隔多年，長億集團卻都退出月眉遊樂區及中正機場捷運開發，企業經營並未順遂。

農漁會上街大遊行

民進黨政府上任後意欲消滅農漁會信用部，引起全台各地農漁友的大反彈，我本人率領的國民黨則全力支持此一遊行。二〇〇二年十一月二十三日，超過十二萬的農漁民走上街頭，此一遊行最後導致農委會主委范振宗及財政部長李庸三請辭負責，陳水扁最後也收回成命，停止了不當的改革。

二〇〇一年八月十日，政府接管三十六家基層金融機構，其中二十七家為農會信用部、二家為漁會信用部、七家信用合作社，接管後讓予銀行。二〇〇二年七月十二日則是第二波接管七家農會信用部後，也是讓予銀行。第三波則是同年八月十二日，財政部下令對逾放比超過百分之十五以上的信用部展開糾正限制措施，遭受限制的信用部共一百二十家。第四波則是企圖在二〇〇四年底以前，強迫經營良好的信用部投資銀行，修訂農漁會法，訂定落日條款，於當年年底前消滅信用部。但民進黨政府此一舉措，引起農漁會界全面反彈，包括國民黨、親民黨、台聯都不支持陳水扁的政府，但陳水扁則以改革自居，不為所動。但此一遊行展現政治威力後，民進黨的立場最後戛然而止。

對於本案，我於二〇〇二年九月十八日的國民黨中常會上，我便邀請全台的農會總幹事代表表示意見，他們列舉了許多政府如何低估信用部的財產，圖利財團的銀行。

我很快地找出問題核心，農會呆帳所以增加，主因是民進黨政府執政後經濟不景氣，農地價格一落千丈，這個大環境的惡劣，政府不能置身事外，也有部分責任，不能把農漁會信用部都當做商業銀行對待。

我說，政府不是不知道農漁會信用部與銀行並不等同，信用部只有九項業務，但是銀行卻有二十二項業務可以經營。其實像中興銀行呆帳高達八百億元，因此銀行呆帳的比例比信用部高的太多。民進黨政府特別照顧特定財團，反過來卻要找弱勢的農漁會開刀，這是別有居心充滿政治目的假改革。我質疑，為何政府說農漁會三天虧一億元，為何不說銀行三天虧七十億元呢？

當然民進黨把我支持農漁會，渲染說農漁會是國民黨長期樁腳，但我也應戰說，任何政黨只要為民眾打拚，提出福國利民政策，農漁會都是樁腳，有何不可。

因此國民黨對此定調「農漁會信用部不能消滅必須維持」，國民黨也罕見於九一八這天，以我的名義刊登報紙廣告，訴求「農會絕不能被魯莽政府消滅」，我們的七點承諾為：

一、國民黨永遠與農漁會「站同線、站鬥陣」，繼續奮鬥打拚；農漁會必須永續生存、經營。

二、國民黨與立法院黨團立即函請財政部，暫緩實施八月二十五日所提有關限制農漁會業務的行政命令。

三、國民黨將主動修改「金融六法」，農漁會信用部必須維持，絕不容許民進黨政府假借「整頓金融」的名義，以激進的手段消滅。

四、全力要求政府制定農業金融法規，並主導成立全國性的農業銀行。

五、堅決反對民進黨政府以金融重建基金做為圖利財團的工具；在相關配套措施沒有完備之前，不容再增加金融重建基金，停止圖利綠色銀行家。

六、全力支持農漁會自救會所做的共同聲明，並全力聲援自救會所做的抗爭，更不排除和全國農漁民一起走上街頭，力挺到底。

七、鄭重呼籲民進黨政府，專心拚經濟，不要專找弱勢族群開刀，不要繼續漠視農漁民聲音，給全國農漁民明確、具體的回應。

在國民黨力挺農漁會之後，陳水扁也下鄉到台南，除當場對農漁會道歉外，還點名行政院不能理解農業金融與一般金融不同，他當眾說「不知道是沒聽到？還是聽嘸？還是故意？令人痛心。」

此話一說，逼得游錫堃兩度遞出辭呈，表示負起政治責任。游已經是陳水扁任命的第三位行政院長，如果他走人，無意讓外界覺得陳水扁是無識人之明，內閣閣員才會如走馬燈。最後陳水扁親自到游錫堃的官邸懇談慰留，最後才讓游打消辭意，但是農漁會與銀行主管部會的農委會與財政部則是雙雙下台一鞠躬。此一發展，事後我接受媒體訪問說：「上意不明，行政院及部會首長被逼要承擔最後責任，陳總統則逃之夭夭，這算是有公道，有擔當嗎？」

在國民黨與親民黨的堅持下，立法院終於在二〇〇三年夏季召開臨時會，協商通過自救會版的「農業金融法」，設立全國農業金庫。在在野黨對農漁會自救會的強力背書下，民進黨政府不得不低頭，改弦更張。

藍綠激戰「公投綁大選」

民進黨立委蔡同榮在世前努力不懈推動公民投票法的立法工作，即使二〇〇〇年中華民國首度發生政黨輪替由民進黨上台，蔡同榮仍是孤軍奮戰。但二〇〇二年八月三日陳水扁在總統府為世台會東京年會錄製致詞時，第一次提到公投立法重要性與急迫性，並提出「一邊一國」主張，立即引起美國的不悅，台海緊張局勢升高。媒體報導陳水扁提出激進的「一邊一國」論，是因同年七月二十三日諾魯倒向北京建交所致。由於美方事先不知情，陳水扁最後不得不派陸委會主委蔡英文緊急赴美解釋，聲稱公投緊迫只是講防禦性公投。但我卻質疑，現在的戰爭已不是古時候的圍城。如果兵臨城下，才舉辦防禦性公投，這有可能嗎？

由於中共對陳水扁一系列文攻，加上美國的關切，民進黨政府長達一年對公投立法按兵不動。

二〇〇四年二月，連宋全國競選總部籌辦「千萬人心連心」全國路跑活動，呼籲走出歷史陰霾、邁向族群融合。

但是等到二〇〇三年夏季，由於我與宋楚瑜搭配競選已成軍，且民調居高不下，對陳水扁的連任出現不利情勢，因此他意欲推動公投綁二〇〇四年的總統大選，希望公投有利他的連任。

當時民進黨政府積極要運用七月臨時會的時間處理公投法立法，我當時也認為「公投是人民表達政治意見的基本權利，修正過的中華民國憲法也有類似的權力規範，應予以支持，至於公投法具體條文，則可採取開闊的胸襟容納各黨派意見。」

當時朝野協商在臨時會最後一天的七月十日處理公投案，有「蔡公投」之稱的蔡同榮所擬草案中，允許國旗、國歌、領土都可公投。當時國民黨推測陳水扁政府應該不敢支持蔡版的統獨公投，但為逼出民進黨的底線，國民黨與親民黨主張公投法直接逕入二讀。但朝野協商時，民進黨團總召柯建銘出人意表簽下可以統獨公投的結論，國親則不願簽下，導致依據立法院議事規則法案協商不成要等到四個月後才表決。此一發展顯示，民進黨想將公投法再拖四個月，更接近選舉時再處理。

二〇〇三年的九月二十八日，陳水扁利用該黨黨慶活動上，喊出要

「催生新憲」，甚至還有時間表「二〇〇六年公投、二〇〇八年實施」。他們藉著台灣正名遊行、一〇二五公投遊行，目的是要炒熱公投議題。

當時我與國親的幹部商量，國民黨內部民調也有五、六成支持公投立法，因此對於公投議題，國親沒必要迴避。

對於制憲或修憲議題，我於二〇〇三年雙十國慶國親聯盟在嘉義市舉辦的晚會上，我公開拋出如當選後將召開憲政發展會議，並提出修憲的主張包括總統選舉採絕對多數制、女性公職名額比例提高至百分之三十、公民投票權降至十八歲、採行募兵制以及推動不在籍投票等。

這些進步議題，足以和民進黨主張分庭抗禮，不會讓憲政議題給民進黨牽著鼻子走。

十一月十五日我更在台南市的選舉活動上拋出新憲三部曲：

一、二〇〇四年二月一日前，朝野雙方提出新憲的版本。

二、為了產生新憲，二〇〇四年中「公投入憲」，啟動憲法修訂程序。

三、二〇〇四年由立法院提出新憲後，二〇〇五年初交付公民複決。

我當時提出國親版本的新憲十原則，一、維護中華民國為主權獨立的國家。二、建立權責相符的總統。三、公投入憲：未來新憲不用經過任務型國代，而由人民過半數通過。四、總統選舉採絕對多數制。五、單一選區兩票制：國會席次減半、一百五十席或一百席都可以經過協商尋求共識，立委任期調整為四年。六、女性公職名額比例提高至百分之三十。七、公民投票權降至十八歲。八、國防兵役推動募兵制。九、調整中央政府體制，總統制、內閣制或雙首長制，都可以由政黨來協商，有共識就好。十、推動不在籍投票。

我們國親聯盟如此主張，是著眼於競選策略須靈活，陳水扁要飆制憲快車，我們也不示弱，不會陷入被動保守局面。

在十一月二十六日與二十七日公投法立法終於重新回到立法院的政治

舞台，朝野雙方也承受來自美方與大陸方的各種可能壓力。在表決前夕，出現詭異的局面，陸委會主委蔡英文竟然拜會立法院長，希望王金平傳話給國親「希望國親能夠在公投法加入預防性的安全閥條款。」王金平沒有立場來主導哪個黨的立法方向，我則認為民進黨政府如果擔心立法踩到紅線，導致台海局勢生變，負責任的政府應該自己提出才對。哪有國家政策方向現由你拿方向盤，你不負責，反要由後座乘客來抓方向盤的道理。

果不其然，在二十七日的表決戰時，民進黨團逼蔡同榮撤案。但是我們以多數優勢不同意蔡同榮撤案，最後表決蔡版第六條有關國號、國土可公投條文，在一百九十位出席委員中，贊成僅十四人，棄權一百七十五人（其中民進黨委員就八十二人，包括蔡同榮本人）。我們逼民進黨表態，也讓他們露出不敢支持台獨公投的立場。所謂的「一邊一國」只是說一套、做一套，根本是騙選票。

而民進黨為了勸蔡同榮撤案，也妥協更動版本，在可公投事項，增加了制憲議題的創制案及防禦性公投設計。

在這場公投大戰，國親成功讓陳水扁對統獨公投表態，也封殺了諮詢性公投，公投提案權排除政府，改納入人民及立法院。但國親對防禦性公投則放手。

這樣的表決結果，降低了台海局勢的風險，美方也鬆口氣，不擔心台灣單方改變現狀。此時民進黨的態度則是與上述不同，行政院長游錫堃稱是「鳥籠公投」，民進黨團幹事長陳其邁則說「輸到褲子都脫了」。但是陳水扁卻出人意表說「公投法第十七條」，讓總統可以發動防禦性公投，他自認為這是「巧門」，也是鳥籠破洞。

陳水扁及游錫堃對於國親主導通過的公投法極不滿意，最後又執意要提出覆議案，離譜的是不是整部法的覆議案，而是部分條文覆議。這在法界引起爭論，例如蘇永欽教授就基於憲政學理為文批評，立法院未對行政院將公投法部分條文覆議表示異議，是創下惡例。

十二月十九日要對覆議案表決，表決前夕，國親又為了護票滴水不漏費盡九牛二虎之力，民進黨則是再次對人性弱點，想要突破藍軍防線。最後表決結果，在兩百二十三席立委中，兩百一十四人出席，一百一十八票「贊成維持立法院原決議暨反對行政院覆議案」，九十五票「反對立法院原決議暨贊成行政院覆議案」。行政院的覆議案沒被接受，這是行憲後行政院第九個送出的覆議案，但卻是第一次未成功的案例。這次的表決，民進黨與台聯陣營出現跑票，對陳水扁及民進黨政府的顏面也並不好看，反觀國親聯盟則再一次於立法院守住立場。

但是陳水扁雖然在公投法覆議案再輸一城，但是卻未稍減他執意要推動防禦性公投決心，他堅持要在總統大選列車上，加掛公投車廂。這也顯示他個人獨斷專斷性格，他不把美國布希總統的委婉規勸放在眼裡，也對輿論及各界的評言當作耳邊風。這也佐證，他把個人的選舉利益置於國家安全及人民福祉之上。因此他後來遭美方嚴厲批評，及台灣人民唾棄，其來有自。

二〇〇一年的立委與縣市長選舉，國民黨在立委部分戰績不佳，但是縣市長則拿回九席，金門連江兩縣雖遭新黨與親民黨奪去執政權，但是贏回台中縣、台中市、桃園縣等指標大縣，執政人口數也回增。在我擔任黨主席之初，費最多心力就是立法院的政治角力。二〇〇一年立委選舉，國親雖仍維持多數，但民進黨單一政黨於立法院席次最多，面對此形勢，我也公開呼籲陳水扁不要再搞體制外、招降納叛的國安聯盟，國民黨也沒有參加政府的意願。

後來宋楚瑜與我會商後，我們兩人代表國親聯盟願意尊重民進黨主導組閣的權力，但國、親兩黨均不參加任何憲政體制外之國安聯盟或其他類似之執政聯盟，也不主張與支持所屬黨內同志擔任重要內閣職務。

原本我們考慮要嚴明責任政治，因此不主張也不支持所屬黨員參與民進黨政府，這樣的範圍將很廣，這將包括大法官、監察委員及考試委員。但基於上述三種職務均有超出黨派的規定，且陸續產生立委行使同意權的問題，因此國親聯盟也毋須排斥提名，所以最後決定不入閣的主張。

北高市長選舉結果大不同

立委與縣市長選後又將面臨北高兩市長的改選，當時國親聯盟希望兩個直轄市長若能雙雙拿下，將有助於二〇〇四年的總統大選氣勢。在親民黨的禮讓下，國民黨分別提名馬英九競選連任及黃俊英參選高雄市長。

其實黃俊英參選高雄市長的提名曾有波折，一度考慮施明德與張博雅，提他們任一位也是一盤好棋。但是國民黨當時勸說黃俊英出馬時，曾說明若有其他民調機制產生其他更佳人選時，黃應該無條件退出，黃也答應。最後黃俊英的民調攀升，親民黨最後也接受由他代表挑戰謝長廷。曾任高雄市副市長的黃俊英，可惜最後以兩萬多票敗北，但競選過程也給執政優勢的謝長廷莫大的威脅。二〇〇六年黃俊英再度上陣，卻因走路工事件，選舉前一夜被栽贓，情勢逆轉，只以一千一百一十四票失利，非常可惜。後來國民黨改提名他為考試委員，因病早逝。

高雄市長國民黨雖失利，但得到百分之四十六・八二選票，比前一年立委總選票百分之二十三・五八，選票成長不少，顯示高雄市的選民對藍營並非鐵板一塊，對綠營也是一項警訊。

而馬英九的連任之路，則相對順遂，以百分之六十四得票率，贏了民進黨提名的李應元三十八萬多票。馬英九因高票連任，當然也有了更好的政治前途。

為輔選馬英九及黃俊英，那段時間我幾乎成空中飛人，選舉的結果雖不盡如人意，沒有雙贏，但是媒體評論國民黨在台北市狂勝，民進黨在高雄則是險勝，因此對於接下來的總統選舉，選民的動向十分值得注意。

二〇〇三年八月一日的花蓮縣長補舉，也被視為二〇〇四年總統大選前的前哨戰，陳水扁及民進黨政府動用所有的行政資源，要扳倒國親共推的縣長候選人謝深山。

花蓮原任縣長張福興任內病逝，由於所遺任期超過兩年，因此必須改選。花蓮有閩客輪流執政的傳統，客籍的張福興病逝，同屬客籍的前省議員吳國棟本有最好機會，但可惜他因其他個別因素存在，黨必須割愛。幾次勸說都無法勸退，他的堅持參選，對民進黨是機會。

這場選舉藍軍分裂，還有前縣長吳國棟參選，情勢非常艱難。但我與宋楚瑜及國親的輔選團隊夜以繼日，見招拆招。最後謝深山以百分之五十一・三六過半以上得票，擊敗民進黨的游盈隆百分之二十八・九二，吳國棟僅獲得百分之十八・九二。這不僅是謝深山個人光榮勝選，也是國親聯盟合作再次摘下勝利的果實。這場地方選舉的意義，超過他原先的意義，被外界關注成為總統選舉的前哨戰。

民進黨輔選撒大錢於中信飯店大小宴會不斷，民進黨的政務官到花蓮輔選承諾一千七百億元的建設支票，甚至動員外縣市員警封村路，路檢查賄。同時還把七、八月間花蓮原住民豐年祭的殺豬文化視為賄選及劣質文化，這些種種的行徑，反帶來反效果。而國親聯盟的輔選團隊藉這次機會，也算是合作練兵，士氣高昂。

二〇〇三年一開始，國親聯盟為營造我與宋楚瑜的合作，一月二十日國民黨再次發表對興票案的看法，不再上訴。二月十四日我與宋楚瑜共同簽署備忘錄共組國親聯盟，共推一組候選人。接續三月三十日國民黨第十六屆二全大會推選我參選下任總統，並授權我決定搭檔人選。緊接著四月十八日我們兩人宣布搭檔參選，整個藍軍合作的氣勢如虹，八月拿下花蓮縣長補選勝利，是一個很好的起點。

但很可惜的是，二〇〇四年總統大選投票前一天的兩顆子彈事件，給選情帶來逆轉。由於充滿懸疑的槍擊事件，遲遲無法偵破緝凶，因此二〇〇四年底的立委選舉，也就理所當然被視為總統大選的延長賽。

這屆立委選舉我是抱持必勝的決心，如果選輸，我是決定要辭職，讓第一副主席蕭萬長接棒。不料十一月十一日當夜開票結果，國親新泛藍聯盟取下一百一十六席戰果，擊敗泛綠的一百零一席。這場選舉，捲土重來的丁守中、潘維剛、賴士葆、雷倩、洪玉欽等都高票當選，我十分欣慰。

在黨部的記者會完後，支持者仍不願散去，我臨時起意轉到黨部二樓與支持者繼續互動，他們興奮得見我高喊「連總統好」，「組閣」之聲此起彼落。我知道他們忍了九個多月，對三一九槍擊案造成選舉不公的吶喊，也是還正義公道的心聲。但是陳水扁會承認失敗嗎？我想是不會的。

最後中選會公布的選舉結果，中國國民黨當選七十九席，親民黨當選三十四席，新黨當選一席。民進黨當選八十九席，台聯當選十二席，無黨團結聯盟六席，其他無黨派人士十四席。國親新三黨加上以無黨籍當選的張麗善、曹爾忠兩位黨員，泛藍總席次到一百一十六席，若再加上無盟多為理念相近者，藍軍在立法院已達到實質、穩定的多數。

本屆立委國親新泛藍的總得票率為百分之四十六・九七，民進黨與台聯泛綠的得票率為百分之四十三・五七。但是無黨團結聯盟及無黨籍當選有多位是國親禮讓未提名，因此整體而言，泛藍支持者略高於泛綠，這可說是二〇〇四總統大選延長賽的終局之論。

也因為親民黨當選三十四席，因此立法院正副院長選舉，由王金平搭檔親民黨的鍾榮吉順利當選，分別獲得一百二十三票及一百二十二票。至於泛綠陣營推出柯建銘配台聯的黃宗源則僅獲一百零一票及一百零二票。

立委選後第五天，在國民黨中常會上，我表示選舉結果是人民肯定國民黨提出的「走對路，國家才有出路。」我也認為「兩岸關係是台灣發展的契機，是台灣生存發展最關鍵的問題。但民進黨本著『去中國化』的作為和台獨意識，沒有能力解決、改善兩岸關係。如今國會多數已出現，泛藍、尤其是本黨應掌握契機，展示我們的能力和力量，促進兩岸關係發展」。我強調，「兩岸關係最重要的是，如何儘速開始對話。通過對話，討論當前所面對的各項問題，尤其是如何建立兩岸長期和平機制和協議。本黨應突破，否則實非兩岸人民之福。」

以上，就是我親自下令黨內幹部，推動春節台商包機的思想基礎。至於我於稍後的二〇〇五年四月下旬，啟程訪問大陸的和平之旅，與中國共產黨總書記胡錦濤晤面，簽署五項和平願景，則是謀定後動，水到渠成，促進兩岸和平發展的一項歷史進程。

注釋

1 全文請參照本書下冊第五一四頁。
2 李建榮（2003）。《轉變》（頁198）。台北：李建榮。
3 全文請參照本書下冊第五五〇頁。

第十章 民主蒙塵

當子彈劃傷台灣的民主

二〇〇四年的總統大選，在三月二十日投票前一天下午一點四十五分左右，突然發生民進黨總統與副總統候選人陳水扁及呂秀蓮雙雙站在一部民間吉普車上遭到所謂槍擊事件，民進黨政府立即啟動國安機制，限制第二天將執勤的軍警投票，由於真相未明，民進黨全力操作、大肆於鄉間宣傳國民黨結合外部力量進行政治暗殺，給選舉投入變數，最終中選會宣布我與宋楚瑜以兩萬左右差額飲恨。當晚競選幹部與成千上萬支持者都認為槍擊案黑幕重重，要我與宋楚瑜不承認選舉結果，我們因此帶領群眾走上街頭，要求驗票、驗冊、調查三一九槍擊案真相，但是經過了十七年，真相仍未大白，當選正當性遭到質疑的陳水扁雖仍做滿其任期，但並不光彩，甚至卸任後身陷囹圄，有了牢獄之災，仍在忙於訟訴之中。

由於二〇〇〇年國民黨的分裂，因此讓陳水扁得了漁翁之利，僅以百分之三十九選票勝選，甚至民進黨在立法院也屬少數，中華民國第一次出現「少數政府」的局面。甚至因為陳水扁鋌而走險，提出一邊一國路線，導致兩岸兵凶戰危，美國布希總統亦認為台灣是麻煩製造者。在此變局下，泛藍的支持者紛紛給我壓力，要求國民黨與親民黨務須團結，才能重拾政權。因此經過多次的磋商，宋楚瑜終於接受邀請與我搭配競選，甚至國民黨的全國代表大會也提早於二〇〇三年的三月三十一日就於成功大學體育館召開，提名我為總統候選人，但對副總統人選則授權由我徵召。當我與宋楚瑜正式宣布參選後，各家媒體的民調都顯示我們一路領先，甚至有的還一度領先百分之二十以上。

我與宋楚瑜宣布參選後，各家媒體的民調都顯示我們一路領先，大選期間車隊掃街，爭取選民支持。

在距離投票最後三天左右，媒體大肆報導陳由豪到過陳水扁民生東路寓所，給其夫人吳淑珍女士巨額政治獻金案，而被當作證人的沈富雄醫師，雖做各種預測可能，但不利吳淑珍的真相呼之欲出，選前這則新聞持續發酵，一般認為對陳水扁的連任之路，極為不利。

民調處於領先的我們，競選行程按部就班進行。三月十八日晚間我入住高雄，隔日一早我在高雄市街頭掃街拜票，沿途受到支持者的熱烈歡迎。中午搭乘飛機返回台北寓所，稍事休息後，接近兩點左右，電視突然傳出陳水扁與呂秀蓮疑似遭到槍擊、或是為鞭炮所傷，情況混沌未明。我仍按規劃到台北市萬華地區進行最後一個下午的掃街衝刺行程。

但在此同一時間，我的競選總部已經如火如荼召開危機處理會議，競選總幹事馬英九堅決主張停止競選活動，以維繫台北街頭的安全。雖然有其他的幹部持不同看法，但馬英九接連給我打了幾通電話，希望我立即返回競選總部，最後我也接受其建議。

在中央黨部我的辦公室，競選總部主委王金平、總幹事馬英九及重要幹部們群集，他們也緊盯著民進黨及政府的動態。國安會祕書長邱義仁在記者會上宣布總統、副總統遭到槍擊，意識非常清楚，沒有生命危險，仍然能夠指揮國政。記者幾度詢問子彈在哪裡，邱三度回答「子彈在總統身上（後來才知道子彈其實不在陳水扁體內，他的肚皮初步顯示有疑似槍傷）」，電視上他神祕的微笑鏡頭，令人注意。後又有記者追問「既然總統中彈，那他是步行進醫院的嗎」，邱以詭譎的笑容回答「可能嗎」？但後來隔了很久，電視上播出呂秀蓮躺在擔架上被送進台南奇美醫院，而腹部受傷的陳水扁則是右手按著左手手腕，在隨扈簇擁下「走著」進醫院。而行政院長游錫堃則宣布政府為因應國家情勢，啟動國安機制。

因為全程看了邱義仁的記者會，因此國親應變小組也緊急決定，取消所有造勢活動。我的幕僚們在開會時，還建議我與宋楚瑜展現風度能到醫院探視陳、呂二人，為求周延，我請林豐正祕書長先與陳水扁的侍衛長陳再福先電話聯繫，但遭到婉謝。陳侍衛長說，總統在接受醫療，不方便會客。林豐正接著追問有沒有生命危險，有沒有開刀，有無用麻醉劑，侍衛長都說沒有，並要大家放心。而後我的妻子原本也要代表我南下奇美醫院，但是後來有人建議暫緩，因為奇美醫院外有幾百位群眾聚集，如喪考妣般的大聲吼叫，安全難料，已趕往台北松山機場的方瑀，也因此被喚回。

其實在事發第一時間，國安局始終未向我們這一組候選人陣營通報，直到下午三點三十七分，國安局長蔡朝明才打電話給我，大意是說陳水扁可能遭流氓槍傷，他提醒我也要注意自身安全。

我關切的問陳的傷勢「嚴不嚴重、危不危險」，蔡朝明答說，應該不嚴重，他正準備搭機南下，處理掌握整個後續事件的發展。

傍晚五點鐘我在王金平、馬英九及林豐正、蔡鐘雄陪同下臨時在中國國民黨中央黨部一樓記者室召開中外記者會，中外記者雲集關切我們的態度立場。我一開始表明，下午聽到總統遭槍傷，尤其經過總統府宣布後，非常的震驚。我除了要對陳總統、呂副總統表示慰問與祝福早日康復外，我也要譴責任何形式的暴力。我也透露四點四十分左右原本要親自與陳總統通電話問候，但經陳水扁身邊人士轉告，陳總統情況還好，因此兩人並未通上電話。

我進一步提到，我個人已經提早結束掃街拜票的行程，十九日是選戰最後動員的時刻，國親陣營已經在台北市、桃園、台中及高雄等地安排很大的聚會活動，預計將有超過百萬群眾以上的參與。但有鑑於特殊的發展，為了國家的安定與和平，尤其在這麼重要的夜晚，我正式決定，停止所有的大型活動，希望全民能夠冷靜下來。我也呼籲執政黨也能夠及時做出決定，取消大型活動，以確保國家及社會的安定。

我強調，在國家此一關鍵時刻，大家卻沒有進一步完整的了解，所以政府應該對全國人民有一個完整的交代。目前事發已經三個鐘頭，我希望國安單位應該立即公布事實真相，以安定人心，對全國人民要有明確的交代，公布的時機不要超過當晚。

我這樣講，是因為人民有權利知道，在投票前的關鍵時刻，為何會發生這種出人意表的事情。我要求民進黨比照宣布停止競選活動，同時要求國安單位要在晚上十二點前必須公布真相，若兇手、兇槍繼續找不到，這樣的混沌不明，並經對方有系統的全國各地進行汙衊宣傳，槍擊案經過一天發酵，對我們的選情將十分不利。

兩次探視皆遭拒

記者會後，由於從電視上得知陳、呂二人已經搭機返回台北，從可搭飛機來研判，應該沒有生命危險之虞。不過從事發到晚間，沒有人清楚陳呂二人受傷情況是怎麼發生，他們真正傷勢又如何，電視一面倒的播出他們的新聞，這對我們的情勢十分不利。因此到晚間九點多鐘，我與宋楚瑜決定分頭去探視陳、呂二人，我在立法院長王金平、林豐正祕書長與李建榮顧問陪同下，搭車前往陳水扁官邸，記者們都被擋在對街的財政部圍牆邊。由於事先聯繫，我們車子順利進入，但下車後只見國安會祕書長邱義仁迎接，他直說陳水扁已經休息，不便見客，這樣的情況也在我們預料中，我們留下一盒人參就折返競選總部。同樣的，呂秀蓮也婉拒宋楚瑜的探視。

我當天已經兩次要探視陳水扁，但都吃了閉門羹。陳水扁可以自己走路進入醫院，回到台北可以聽取國安局簡報，接見邱義仁，卻婉拒競選對手的探視慰問，近午夜時貌似「痛苦」地上了電視作了簡短的致意，他說：「非常感謝國人同胞的關心，在醫護人員的悉心照顧下，阿扁沒有問題，請大家放心，在事件發生之後，國安單位及政府相關因應機制已經啟動，台灣的安全沒有問題，請大家能夠安心。」呂秀蓮則說：「總統跟她有驚無險，安然無恙。本來總統和副總統就是要為全國同胞擋風擋雨，請各位寬心。」中選會的競選活動時間規定十點截止。但陳、呂二人的電視談話，卻於半夜於全國電子媒體上全力放送，直到第二天投票日上午，很顯然這仍是繼續進行選舉操作，封鎖他「並不嚴重」的病情，在他失蹤的九個多小時，故弄玄虛，讓外界揣測，並任令各地造謠生非。

離開總統官邸，九點多回到競選總部，我再次在中外記者會上說：「明天就是我們選總統的日子，沒有料到今天竟然會發生總統遭受槍擊的事件，我們感到非常的震驚，幸好總統只是輕傷，可以說是不幸中的大幸。對於這樣的暴力事件，我們要給予最嚴厲的譴責。」

我隨即也做了重要的宣布：「今天我們決定停止一切的競選活動，因為我們希望大家都能夠理性而冷靜地面對明天的選舉，讓這一次的選舉能夠平和的落幕，再寫下台灣民主化的新歷史。我也對滿懷熱情想要參加今晚大型活動的民眾表示遺憾，連戰懇請您們將選舉的熱情昇華成對中華民國的愛，對同胞的愛，對這片土地的愛。現在全世界都在看我們如何舉辦這一場選舉，這也是我們台灣人民向全世界證明我們民主素養的時刻。在這投票前夕，連戰懇請所有鄉親，忘掉所有空洞的競選口號，冷卻激情，冷靜而理性地判斷，民主的價值是什麼，哪一位候選人的團隊能真正給台灣和平、繁榮與安定，哪一位候選人的團隊最有人才、最有能力、最有誠信。」

記者們在會上不斷追問槍擊對選舉影響程度，以及槍擊真相的調查，坦白說我心中對選情是感到有股陰影，但我必須斬釘截鐵的說道：「台灣已是一個民主進步的國家，不可能因為暴力就影響選舉，也不可能因此影響兩千三百萬人的命運。」我也在場保證，如果扁政府無法公布調查真相，將來我當選後的新政府，一定會調查到水落石出。

在我們宣布停止競選活動後，一些地方競選幹部卻持不同看法。首先是台南縣的競選總部主委吳清基（後來擔任過教育部長），他立即致電，表示地方人士反映陳水扁當年在競選台南縣長時，就曾經偽稱遭國民黨下毒，無力走動。陳水扁後來躺在擔架上，吊著點滴參加公辦政見會，後來經過國民黨候選人李雅樵當面拆穿，拔下點滴陳水扁立刻生龍活虎的跳起來。吳清基反映地方人士意見，擔心選前遭槍擊又是伎倆。

而我的老部屬，台灣省長趙守博也致電告訴我說，告知員林鎮長涂銓重反映，有一次彰化縣的立委選舉前夕，參選的陳湧源醫師遭到黑道的黑牛槍擊重傷，陳湧源的總部連夜以悲情訴求，陳湧源最後以第一高票當選。涂銓重因為參與過這場選舉，親身經歷，因此要趙守博務必要轉告連戰，絕對不能低估陳水扁聲稱遭槍擊的嚴重後果，建議不要停止競選活動，否則會中計。

而林澄枝副主席也從電視上獲悉停止大型造勢活動感到不妥，她認為應當將上百萬人的各地造勢活動改為祈福晚會，聲勢才不會散掉，有活動才有報導聲量。

疑雲密佈的案發現場

在這個充滿懸疑緊張的夜晚，原本我們所持的立場皆是不質疑槍擊案是否自導自演，均是以君子之心並以大局著想，主動停止所有選前造勢活動，以免升高緊張對立。但是無黨籍立委陳文茜到了總部則主張，應當對媒體質疑槍擊案造假的可能，她在曾經擔任李登輝總統侍衛長的王詣典及競選總部總幹事馬英九陪同下，召開了記者會。質疑的重點包括為何讓總統、副總統同站一部座車，即使扁呂兩人要求，侍衛長也不能同意。特勤中心應該說明，總統如果遭到槍擊，四百多名隨扈在幹什麼，應該說明。政府應該在晚間十二點前公布彈殼和彈頭號碼，還有總統車隊行進路線一定經過事先了解，何以事發後，救人第一的考量，會捨棄只有一點五公里的衛生署台南署立醫院與三點八公里的成大醫院，反而選擇距離最遠的奇美醫院，這都是令人不解之處。

其實這種質疑，也反映不少選民心中的狐疑，我事先並不清楚有這場記者會。但是新聞播出後，競選總部也陸續接到地方一些訊息，反映可能流失一些淺綠或中間選票，甚至有的氣急敗壞說可能對選舉有負面衝擊。而民進黨陣營則借力使力，抨擊這場記者會的指控是沒血沒淚。為此，馬英九連夜又開一場緊急記者會，說明選前發生此事很不幸，大家都希望把傷害降到最低，陳文茜委員的講法，只是就民眾的疑點對外公布而已。陳的質疑僅是個人意見，不代表競選總部立場，但陳絕無惡意。

馬英九也當場宣布提供一千萬獎金，鼓勵民眾提供破案線索，以協助早日緝捕真兇歸案。

三月二十日投票日一早我接受幕僚建議，八點多就前往投票，並在接受訪問時，呼籲支持者不要受到子彈影響，踴躍投下神聖的一票。但是從前一天下午到投票當日，電視媒體反覆播送陳水扁中彈的新聞，以及總統醫療團隊所公布的「鮪魚肚」傷口照片，這種新聞的渲染擴張力，等於在為陳水扁催促同情票，這個情勢對選舉投下不可知的變數。

在開票時，我於家中看各地的開票情況，當我發現藍軍原本占優勢的台中縣和雲林縣，成績不如預期甚至落敗，我的心情十分低落。晚間七點半後不久，我趕到八德路的競選總部，幹部們心情沉重，氣憤填膺，絕大多數都不能接受敗選，甚至認為這是疑點重重的一場選舉。選舉結束的第二天，《聯合報》民意調查發現，總統選舉前一天的兩顆子彈，至少牽動百分之八的選票流動，其中百分之五「由不投或可能投轉為投票」、百分之三「由投轉為不投」，調查推估，投票率因此提高兩個百分點，槍擊事件讓雙方陣營票數差距，一夜之間拉開二十萬票，該項調查認為，有可能是選情逆轉的最重要原因。

事後，我們也掌握了年代電視台與TVBS電視台長期對我們兩組候選人的民調結果，其中在三月十八日時，年代的調查為連宋配還以百分之四十三・五領先陳呂配的百分之三十三；而TVBS則是連宋配以百分之四十四領先陳呂配的百分之三十四。但等到三月十九日晚間六點半至十點半所做的調查，雙方差距接近。年代做出的是連宋配百分之三十八・三，陳呂配則為百分之三十六・七；TVBS做出連宋配百分之三十九，陳呂配百分之三十八。由於根據選罷法規定，選前十天並不能公布民調以防影響選舉投票行為。我們在選舉訴訟進行後，透過管道得知這兩家的民調變化，由此民調變化，可得知被操控的三一九槍擊案，的確影響了選民的最後投票行為。

三二〇開票當晚，組發會主委丁守中反映接到各地方的意見，廢票比率奇高無比，還有各項選務糾紛層出不窮。至於陳水扁選前設計兩項公投，配合他的抽籤號一號，推出所謂「一〇〇」的投票策略，一般認為領公投的票數理論上應該高過綠營得票，但中選會公布的結果，領公投票者只有百分之四十五點二，這也是外界不解之處。包括立委黃德福、黃義交、蘇起等都質疑不能接受選舉結果，蘇起甚至認為後續應該進行選舉訴訟，尤其要對國際發聲，爭取認同。他說依國外的選舉經驗，在野黨受到明顯不公平的待遇時，唯有借助國際力量的聲援，才有反敗為勝的機會。他後來主導智庫出版「子彈門事件」，受到中外媒體重視。他弟弟蘇永欽甚至投書媒體稱，疑點重重下的選舉結果〇·二個百分點、兩萬多票的差距，幾乎比刮鬍刀的刀片都薄。

這時前立委朱高正也趕到說智庫的黃國鐘前立委對選舉訴訟法規有研究，他甚至以公元兩千年美國總統選舉布希與高爾（Al Gore）的佛羅里達州選票爭議，是經過一個月零八天的時間，才告確定。

美國的選罷法，選票差距在百分之一以內，選委會就自動驗票。但是台灣的選罷法則無這項規定，馬英九也建議應該提出選罷法的修正。

由於大家都注意到百分之一差距內自動驗票的論點，因此我綜合大家意見後，大家一致決定不接受這不公平的選舉，我們同時討論到不待中選會正式宣布結果前就宣布此項重要決定。但我也意識到，一旦做成此項決定，勢必對激情的選民牽動效應，因此我也宣布會要求所有支持者冷靜。

「就這樣決定了，」我毫不猶豫起身離座，宋楚瑜與所有與會幹部魚貫而起，我們一起下樓，對在競選總部外的群眾，宣布我們的重大決定。

群情激昂求真相

當我帶領競選團隊走上舞台時，天空開始飄下細雨，當我控訴時，我發現眼前的支持者多紅了眼眶。在鞠躬感謝之後，我多次要求支持者務必要冷靜、理性面對此結果。我話鋒接著一轉「這是一場不公平的選舉，尤其是前一天的槍擊案，執政者始終沒有說明真相，但它對這次選舉的影響是不可言喻，而且是直接的、全面的，在疑雲重重下，讓雙方出現些微差距，對於這場不公平的選舉，我們不能再沉默以對否則將對不起歷史，對不起民主制度，也對不起我們的價值觀，甚至難以向兩千三百萬人民及後世子孫交代。」

我握緊拳頭、斬釘截鐵地宣布：「我們將提出選舉無效之訴，同時要求中選會立即查封所有選票，以便做為未來驗票依據，台灣真正不能輸，就不應該輸在這裡。」

宋楚瑜也附和，對於這場不公平與疑雲重重的選舉，他將帶領親民黨和全體支持連宋的鄉親，全力支持我的決定，他也呼籲民進黨政府，務必對此作出交代。

當我們決定提出選舉訴訟時，現場氣笛聲不斷，群眾情緒沸騰，不斷高喊「驗票」、「驗票」，長達數分鐘不止。

隨後我與競選團隊再次返回總部繼續商議後續準備選舉訴訟，而擠在總部外的群眾則不願離去，情緒高漲的繼續聲討陳水扁陣營，斥其選前操作不明不白的槍擊案，影響結果。

到了九點十五分，中選會也公布兩組候選人的得票數，一號民進黨候選人陳水扁、呂秀蓮得票數六百四十七萬一千九百七十票，得票率百分之五〇・一一。二號國親聯盟候選人連戰、宋楚瑜得票數為六百四十四萬兩千四百五十二票，得票率為百分之四十九・八九；全體投票率為百分之八〇・二八。

至於陳水扁執意推動的兩項公投案，都因未獲過半選民支持，而被否決。第一項「強化國防」投票率只有百分之四十五・一七；第二案「對等談判」也僅有百分之四十五・一二的投票率。

為了準備訴訟，黃國鐘、廖正豪、李復甸、黃珊珊等多位義務律師團也緊急寫訴狀，我與宋楚瑜也指派兩黨祕書長林豐正、蔡鐘雄及多位立委，到台灣高等法院遞出證據保全聲請，丁守中也緊急聯繫連宋二十五個縣市競選總部，同步到當地司法機關提出選舉無效和當選無效之訴。我也指示各地競選總部主委開始蒐集選舉糾紛或爭端的資料。

當選舉結果一出現，我也指派丁懋時與美國在台協會保持熱線聯絡。丁告訴美方官員，這的確是一場爭議很大的選舉，而且票數差距這麼小，尤其暫居落後一方已經提出選舉訴訟，要求全面查封票匭，重新驗票，因此美方對此評論務必要謹慎。當然民進黨政府的外交官員也奉令要美方第一時間拍發賀電，恭賀陳水扁連任。我們陣營以真相未明的槍擊案，民進黨政府據以啟動國安機制，剝奪十萬以上軍警投票權利，加上高達三十三萬張的廢票，以及違法的公投綁大選等諸多理由，希望美方能夠暫緩承認陳水扁當選正當性，這也讓美方注意到此一議題的嚴重性。

在準備訴訟時，得知群眾冒雨在外抗議中，我與宋楚瑜及團隊們也再次下樓與支持者並肩抗議。為了了解外界的動態，我要求李建榮顧問守候在電視機前，若有重大訊息，務必讓我知曉。

美國暫緩發出賀電

等到半夜，李建榮緊急跑到舞台上告訴我，美國國務院終於發表聲明，「美國恭喜台灣人民，在這次民主選舉，踴躍投票，中選會宣布泛綠僅以些微差距獲勝。美國注意到泛藍提出質疑。美國有信心，兩方及支持者都會冷靜，會依據現有的法律機制，解決任何有關選舉的爭執。」舞台上的司儀郭素春也立即拿起麥克風向群眾宣布：「美國認為這場選舉有爭議，暫緩發出賀電。」儘管雨愈下愈大，但群眾聞訊情緒更是高亢，紛紛高喊「選舉無效」、「我們要驗票」。

美方的表態，基本上是有接受我們看法，評論中立客觀，而未比照四年前在第一時間拍發賀電。

由於進入暗夜，競選總部接受馬英九市長及台北市警局的建議，舞台關下燈光，但這反而激起群眾更大的激情，「我們要遊行」的聲音馬上出籠，呼喊聲愈來愈大，我安撫大家「現在已經很晚了，請大家回家，不要再影響總部附近民眾住戶的安寧。」但是群眾不為所動，堅持不走。

我、方瑀及宋楚瑜、陳萬水都與民眾靜坐在一起，但是群眾不滿聲音高漲，他們認為這樣坐下去，根本沒用，陳水扁也不會理會。宋楚瑜與張顯耀等也認為，此一情勢已經退無可退，唯有走上抗爭一途，才有扳回機會。群眾放聲高喊，要求我與宋楚瑜帶隊到總統府前抗議。

在這淒風苦雨的夜晚，我與宋楚瑜在舞台上一一簽下對高院與全國二十五個縣市所在地的地方法院的訴訟委任狀。

二十一日凌晨二時三十分，我們委任的律師群，前往台灣高等法院，以中央選委會為被告，提出選舉無效訴訟；另以陳水扁及呂秀蓮為被告，提出當選無效的訴訟，並基於時效，還提出證據保全聲請。稍後，我們也提出對奇美醫院診治陳、呂二人的醫療紀錄查封。這些動作，都是為了日後驗票之用，避免證據流失，或有其他無法預料的情事發生。

而中央選舉委員會事後所出版的《第11任總統副總統選舉實錄》也對這段過程登載著「本次第十一任總統、副總統選舉結果，以票數接近，差距甚少，致落選的一組候選人，乃向台灣高等法院提出選舉無效和陳呂當選無效二項選舉訴訟，並緊急聲請證據保全，台灣高等法院選舉法庭受理後，裁准對台澎金馬地區二十五個選委會『有關中華民國第十一任總統、副總統選舉所保管的全部選票（含空白選票、有效票、無效票）、選舉人名冊、工作人員名冊』予以查封。本案是我國總統全民直選以來，第一次總統選舉全面查封選票案例[1]。」

但我們也清楚意識到，驗票是一回事，槍擊真相才是真正影響選舉的癥結所在。

整個夜晚，全台各地選委會都被泛藍群眾包圍，甚至高雄和台中等地還有激烈的警民衝突。在這樣充滿不確定的夜晚，對於群眾運動的領導必須要有所拿捏。後來競選總部主委王金平採納絕大多數國親輔選幹部意見，建議我與宋楚瑜領軍，將群眾帶至總統府前抗議，拉高抗爭強度，並爭取國際視聽聲援。

二十一日清晨四時四十五分，親民黨祕書長蔡鐘雄正式上台對群眾宣布，我與宋楚瑜兩位主席將帶領大家前進總統府。

頓時群眾情緒獲得紓解，我與宋楚瑜及競選幹部大步邁開，如潮水般的群眾，一下子就把八德路、建國北路口的拒馬扳開，沿著八德路向西轉忠孝東路，左轉林森南路，再右轉仁愛路，上萬群眾在夜色細雨中一路挺向總統府前。群眾揮舞著我們騎腳踏車的競選旗幟，不時高喊著「選舉不公」與「驗票」的口號，按下抗議的鳴笛，聲聲劃過寧靜的夜晚。

在我們隊伍行進時，大批軍警奉令如臨大敵，在公園路、台北賓館前拉起圍籬拒馬，阻止我們前進，當我們約五點抵達時，國親的公職人員輪流上「和平號」宣傳車，對群眾與中外媒體控訴選舉不公，與我們要求調查槍擊案真相的主張，這也掀起凱達格蘭大道上一個多月抗爭的序幕。

我與宋楚瑜透過國際媒體記者會與專訪傳達我們抗議的具體訴求：

一、立即、公開、集中、全面驗票。

二、成立獨立超然的三一九槍擊事件調查委員會。

三、調查國安機制啟動，造成軍警無法投票是否合憲合法。

當我們在總統府前抗議時，美國在台協會台北辦事處長包道格（Douglas Paal）也緊急說要與我會面，於是我邀了宋楚瑜及丁懋時返回家裡接見他。

包道格代表美方關切群眾抗議的局面與後果，我告訴他們群眾是自動自發的集合。他則反覆強調群眾愈聚愈多，擔心此一事態影響台灣的安定，一發不可收拾。

我則強調，我不相信暴力可以處理任何問題，我也不會鼓吹或是擴大暴力，這些群眾非動員而來，而是仗義執言，要求驗票，要槍擊真相。

我說支持者要求驗票，要求調查真相。

包道格說，陳水扁都已答應，希望群眾能夠散去。

我說我們的要求，迄今沒有得到承諾，沒有回音。

事隔不到一週左右，包道格又再次來看我，稱中選會正式公告後，美方準備給陳水扁發賀電，要我的抗議到此為止。但是陳水扁對驗票遲不答覆，對於組織真相調查也是阻攔，因此三月二十六日下午中選會開會時，國親立委及數百位泛藍民眾在淒風苦雨中衝進中選會，他們手中高舉「民主已死」的標語，要阻止中選會公告當選名單，因此爆發了激烈的衝突。晚間，我也再次到總統府前對抗議民眾發表談話，我抨擊中選會不理會民意代表親自到中選會的提醒，在選舉真相和槍擊事件未明前，就公布大選結果，並逕行以十四票對二票的表決結果，議決在傍晚公告，這是扁政府和行政院，利用行政和政治暴力來「眾暴寡、強凌弱」，壓迫下級機關做出的決定。

景福門前抗議規模升級

緊接著隔日，三月二十七日的抗議群眾激增至五十萬人，媒體報導聲稱是台灣有史以來在景福門前抗議最多的一次。這次大會師訴求的主題是「拚公道，要真相，救民主」。國親的支持者從南到北湧到總統府前，公園路、中山南北路、仁愛路從二二八紀公園、中正紀念堂、台大醫院、中央黨部及外交部頂樓放眼望去，都是烏鴉鴉一片人潮，包括CNN等國際媒體都在第一時間，把這樣壯觀對抗選舉不公的群眾畫面，放送到全世界。不管在台上或是台下，「沒有真相，沒有總統」，響徹雲霄。我上台時強調，在公平正義面前，任何人都要低頭，有尊嚴與理想的人不會低頭在不公不義之前。宋楚瑜則說，如果找回真相，重新選舉，他將不再競選副總統，以示無私。在台北賓館前絕食抗議的前民進黨主席許信良，也拖著纖弱的身子上台對群眾高喊「連宋當選，在我的心目中，連戰就是我們的總統。」他這一席評論，也激起了群眾熱烈的迴響與共鳴。

而知名歌手羅大佑也高聲呼喊：「沒有藍綠只有黑白」。

這場激烈的選舉，民進黨前主席許信良、施明德能跳脫黨派之見，在暗中協助，尤其在槍擊案發生後現身支持抗爭，誠屬不易，我心中是存著感激。

不過這場大規模的抗爭，由於美國的施壓，加上民進黨政府運用我們與馬英九市長見解不同的矛盾，當群眾後來被轉移到中正紀念堂後，媒體焦點改關注到選舉訴訟上，最後街頭抗爭也逐漸無疾而終。即使最後仍有零星抗爭群眾於週末固定到陳水扁官邸散步抗議，但氣勢已散，無濟於事。

而對於成立三一九真相調查委員會，陳水扁從一開始就是拖延不配合，並百般批評。三月二十一日民進黨前主席施明德就主張，發生總統被暗殺事件非同小可，不能不了了之。他建議總統或立法院都應該主動成立「真相調查委員會」，調查總統槍擊事件真相。

迫於各界質疑的壓力，陳水扁於三月二十三日特邀五院院長茶敘，並當眾掀衣揭露其腹部傷口。他說：「我比任何人都希望能夠早日得到真相。所以我絕對歡迎，也非常感謝任何人願意協助這個案子偵辦。」他又說：「我希望能夠趕快偵破這個案子，查明開槍的動機，能夠有助於案情的偵破，我怎麼會反對？包括李昌鈺博士等，包括在野陣營要多少人來參與調查，我都不會反對。」（民國九十三年三月二十四日《聯合報》A3版、《中國時報》A3版）。但事實上後來的發展，與陳水扁的承諾完全是兩回事。

三二七轟轟烈烈的抗爭遊行後，三二八國親兩黨的立法院黨團就擬出建議成立真相調查委員會的提案：本院建請總統依據憲法增修條文第二條第三項的規定，儘速發布緊急命令，處理（一）立即全面集中公開驗票。（二）成立「真相調查委員會」，調查陳總統遭槍擊事件及國安機制啟動，是否妨礙總統大選的公正性，早日化解選舉爭議。

國親黨團希望民進黨團能夠共同簽署這份提案，但是民進黨團卻以不符發布緊急命令為由，加上陳水扁是當事人，而不願簽署，協商破裂。

民進黨及政府相關首長在第一時間都表態反對成立真相調查委員會。民進黨副祕書長李進勇說，朝野互信基礎薄弱，獨立的調查小組要如何組成，調查結果他也懷疑泛藍能否接受。總統府副祕書長黃志芳則指出，相關爭議已在司法程序下，國、親兩黨的主張，有干預司法、違憲之虞。法務部長陳定南進而在三月三十日更以書面資料提供民進黨團參考，他認為特別法一旦制定，將侵犯憲法賦予監察院調查權，也干預憲法保障司法獨立，是雙重違憲行為。陳定南雖振振有詞，但他卻忽略，檢調既然屬於行政權，以台灣司法現況，檢調如何膽敢調查現任總統？

四月三日國親聯盟再次號召五萬群眾於中正紀念堂，公開要求陳水扁總統同意制定特別法，成立三一九槍擊事件的獨立調查委員會，還給人民真相。我也在會中更以尹清楓命案呼籲陳水扁，當年他任立委曾要為尹案成立獨立調查委員會，如今面對危及憲政危機的槍擊案，卻不願成立類似的調查委員會，簡直判若兩人。

四月五日國親兩黨立法院黨團提出「三一九槍擊事件真相調查特別委員會條例草案」，要求設置臨時性的真相調查委員會，由監察院主導，由監察院長擔任召集人，由司法、立法、監察相關機關人士共同組成超然獨立的委員會，公開進行真相的調查與釐清。

但是民進黨團以幹事長蔡煌瑯等為首，揚言反對到底。

四月九日，國親兩黨再度聯手提出「三一九槍擊事件真相調查特別委員會提例草案」及立法院成立「三一九槍擊事件啟動國安機制相關文件調閱委員會」的提案，但民進黨及台聯卻聯手阻擋，要求交付朝野協商。根據立法院的內規，這兩個案等於被冰凍將達四個月後，才能再行處理，民進黨的拖延戰術昭然若揭。

國親兩黨將四一〇集會的主題訂為「公投拼真相」，發動民眾提案連署、成立三一九槍擊案真相調查委員會的公投案。

後來在泛藍的主導下，立法院終於在八月二十四日通過國親版的真調會。

即使真調會有了法源，但民進黨從總統府、行政院到立法院黨團則是全面抵制，策動釋憲與覆議大戰。

八月二十六日行政院會提出「三一九槍擊案真相調查委員會條例」覆議案，決議向立法院提出全案覆議。九月二日經陳水扁核可移請立法院覆議，但九月十四日立法院決議維持原案。

九月十五日，真調會條例法律案尚未公布生效，民進黨及台聯黨立委就以違法違憲為由，迫不及待向司法院聲請釋憲，並要求宣告急速處分，凍結真調會條例，欲迫使真調會無法成立，即使成立也無法運作。

根據真調會所出版的三一九槍擊案調查報告第十三頁起，就詳述真調會的組成及政府部門是如何抵制這項立法院通過的法律案：「九月二十四日總統公布『三一九槍擊事件真相調查特別委員會』（下稱真調會條例），一個專為三一九槍擊事件，被要求超出黨派，依法公正獨立行使職權，對全國人民負責，不受其他機關之監督指揮，亦不受任何干涉的真相調查特別委員會成立。但總統公布此對其本身關係重大之法律案時，一反憲政慣例地批示『總統、副總統於選舉期間同時遭受槍擊，為明事實真相自應調查。政府支持調查，但不應違憲調查。本條例既有重大憲政爭議，宜尋求釋憲或修法解決，以符憲政秩序。』並將加注意見分函五院。同一日行政院長游錫堃在立法院答詢時雖強調三一九真調會條例在總統公告後即成為法律，行政院將在『不違憲』的情況下，依法處理真調會要求配合的事項；但對違憲部分，仍將希望司法院儘速釋憲。依三一九槍擊事件真相調查特別委員會條例第二條之規定，國民黨推薦法醫方中民、調查局前局長王光宇、前監委王清峰、前司法院長施啟揚、前駐美代表陳錫蕃，親民黨推薦前警政署副署長余照堂、前監委翟宗泉、前大法官鄭健才、前國防部副部長陳肇敏，無黨聯盟推薦羅明通律師，民主進步黨及台灣團結聯盟拒絕推薦，對於國親及無黨聯盟推薦之委員，總統亦不任命。嗣經立法院依法籌備於十月四日在該院第十會議室召開首次會議，由委員推薦施啟揚擔任召集委員，真調會正式成立。」

缺乏經費的真調會

真調會成立時，由於余照堂自始未參加，親民黨改推薦前中央警察大學校長陳璧遞補。後來施啟揚召集人又經個人關係，邀請與綠營有淵源的前監委葉耀鵬、前考試委員蔡文斌一起參與調查。

而國親依據設置條例成立真相調查委員會後，行政院更利用所謂「政府抵抗權」全面抵制，不支付經費，妨礙真調會委員檢視物證、調閱資料、訪談相關官員，民進黨政府官員以處處不配合抵制調查，流露出的心態就是不讓真相大白。陳水扁在真調會成立當天接見外賓時，措詞嚴厲的批評真調會可以做盡一切事情，為「荒腔走板、無法無天、令人遺憾」。

九十三年十月六日內政部長蘇嘉全在立法院表示，公務員有抵抗權，可以違抗上級違法違憲的指示。此一說詞前所未見、聞所未聞要行使「政府抵抗權」來對抗立法院通過送請總統公布的法律。

隔日在游錫堃院長的指示下，內政部長蘇嘉全、法務部長陳定南、政務委員許志雄、主計長許璋瑤、發言人陳其邁，假修改真調會條例為名，到真調會拜訪。媒體的報導則稱這是「踢館」，他們態度傲慢不承認施啟揚的召集人及委員身分，陳定南更預告大法官可能作成違憲解釋，真調會應在釋憲前停止運作。會後這群官員就在行政院召開記者會，宣布所屬機關及人員對真調會行使抵抗權。

真調會在缺乏經費情況下，委員自掏腰包承租辦公室，自費到現場查勘，自費前往美國拜訪李昌鈺博士。後來民眾踴躍義購真調會主委施啟揚的著作《源：三十年公職回憶》[2]的方式，艱辛地籌到五百萬的微薄經費，支應真調會的調查工作。

對於諸多官員行使行政抵抗權，監察院於九十四年一月十二日對法務部及內政部提出糾正案，認為真調會條例於未經釋憲機關判定違憲確定前，輕率拒絕向三一九槍擊事件調查特別委員會簡報，內政部蘇部長於立法院院會公開表示有抵抗權等言論，思慮欠周，引喻失義，同屬未當，均核有違失。但是這個處分，來得較晚，已無濟於事，真調會已盡可能在三個月內做能做的調查。

由於真調會條例條文有規定對不配合調查之公務員有罰鍰規定，因此施啟揚召集人也曾以真調會明義出具公文對邱義仁、蘇嘉全、陳定南等三人各處以新台幣三十萬罰鍰，然而他們毫不理會。因此真調會在報告中很感慨地記下：「一個自稱被槍擊的總統，一個標榜『相信台灣，堅持改革』的政黨，不想追真相。政權到手，清白無所謂。歷史，是明天又明天的事。」我看了如此的陳述，也是遺憾萬分。

施啟揚召集人，過去是我們服務公門時的老同事，他願意在退休之後來接任此一燙手山芋，實是對國家民主自由的信奉，對法治的堅持。

在真調會報告出爐時，他很感慨地說：「法律人最大的恥辱，就是為一己或一黨之私而曲解法條操弄法治。」真調會對大法官的智慧與勇氣，本來深具信心。但大法官於九十三年十二月二十五日作出解釋令「將真調會定位為立法院的『特別委員會』，其功能為『協助立法院行使調查權』，並且『本屆委員任期至遲應於明年一月三十一日終止』，也即留會（真調會）不留人」，此一解釋結果事與願違。施啟揚沉痛認為，槍擊案發生後，在外有選舉訴訟，內有信心危機的雙重壓力下，執政當局的基本策略是：全面掩飾真相，並挾著民粹主義，在被迫成立真調會前，即誤導偵查方向，真調會成立後，則更以違法違憲的方式全力封殺調查工作，滴水不漏，密不透風，令人痛心疾首。

真調會委員所以義憤填膺，是因為執政當局「欺人太甚」，明明是當權者封殺真調會運作，卻操弄媒體，反咬真調會是憲政怪獸。是可忍，孰不可忍！夜路走多了不怕遇見鬼嗎？違背法律及良知的事做多了，不怕「天譴」嗎？施啟揚為文的結語是我們相信：法網恢恢，疏而不漏。天理昭昭，護佑台灣。施啟揚不幸於民國一〇八年五月五日病逝，他生前的上述深痛感觸，何嘗不是我內心的感慨，更是眾多對子彈會轉彎的三一九槍擊案質疑者的共同心聲。

二〇〇五年一月十七日真調會提出結論：陳總統腹部的創傷，不是所謂於三月十九日當天下午一時四十五分在台南市金華街三段以扣案的鉛彈頭所造成的。真調會提出四項建議（一）繼續追查全部真相；（二）罷免總統；（三）移送監察院彈劾相關違法失職官員；（四）建置獨立檢察官制度。

該委員會的建議如下：

（一）**繼續追查全部真相**：請立法院從制度面及執行面，使本案全部真相得繼續追查明白，向全民做出完整的交代。

（二）**罷免陳水扁**：陳水扁總統在三一九槍擊事件中，居焦點地位：既自稱問心無愧，面對疑雲漫天，理應積極支持調查真相，還其清白。迨立乃在「真調會條例」立法審議時，竟持反對立法調查之態度。迨立法通過，又要覆議；覆議失敗，又於依憲法第一百七十條，中央法規標準法第四條公布該條例之同時，分函五院示以不得違憲調查之意，且進而公然指斥真調會「無法無天」。視憲法、法律為無物，導出政府對抗法律之荒謬現象，以至真相至今難明，剝奪人民知的權利。實開憲治以來前所未有之奇。總統就職誓詞有云：「余謹以至誠，向全國人民宣誓，余必遵守憲法，盡忠職守，增進人民福利，保衛國家，無負國民付託。如違誓言，願受國家嚴厲之制裁。」試問公布法律之目的本即在實施，既經公布，又干擾其施行，能否算是遵守憲法，盡忠職守？又能否算是無負國民所託？此則應經全民再做一次檢驗，方有最後答案。而檢驗之手段，亦唯有由立法院依「總統副總統選舉罷免法」第七十條宣告成立罷免案，再依同法第七十七條通過罷免，解除其職務，方與「國家嚴厲之制裁」之憲法期待相當。美國水門案尼克森總統，僅因不肯交出錄音帶即被指為掩飾真相，而黯然自動辭職，與此相較，進行罷免程序，雖感社會成本太高，然捨此已別無選擇。

（三）**移送監察院彈劾相關違法失職官員**：行政院院長游錫堃公然違反「憲法增修條文第三條第二項第三款立法院就法律覆議時所為之決議，應即接受」之憲法義務，以行使政府對於法律有抵抗權為藉口，使其所屬各機關及人員對於真調會提出之調查協助及人員借調、經費撥付等要求，一律予以拒絕，且不承認真調會為行使公權力之機關而與之對話協商，坐視調查真相之有效時間流失。其不惜踐踏憲法與法律，以圖達到三一九槍擊案之真相不被調查之目的，膽大妄為，實已使我國為法治國之名蒙羞，應請嚴予彈劾。其餘有關部會首長，只知服從行政院而不知遵守法律者，並請按情節輕重，一併追究之。

至憲法所期待於法律者，法律之內容倘與此期待不盡相符，致生法律與憲法牴觸之問題，而統稱之為違憲之法律；然違憲之程度有深淺，影響有大小，故違憲之法律，並非一律當然自始無效（此點與民法上之無效概念不同）。我國釋憲機關常只對之作「警告性裁判」，命相關機關自行檢討修正；或使之向後失效（包括自解釋文公布日起失效或緩衝期間屆滿時失效）之類，多不勝舉。此種情形，使違憲之法律，在一定時間內依然有效，殆與「惡法亦法」之說，同其意涵。執政團隊具法律修養背景者眾，不可諉為不知。「三一九槍擊事件真相調查特別委員會條例」此次釋憲雖有若干關於權限性之條文，被認為是違憲，但僅宣示：「自本解釋公布之日起失效」，亦即在該日之前仍為有效，關於第二條、第十五條、第十六條之組織性條文，則僅被指出有待改正之處，並未宣示各該條文失效。其餘條文，更均在完全合憲之列。是行政院貿然杯葛真調會，使之自始全面癱瘓，並不能因有此次釋憲結果，而可免責，亦無待言。

（四）**建置獨立檢察官制度：**「三一九槍擊事件真相調查特別委員會條例」賦調查委員以刑事偵查權，借調來會辦事之檢察官，既免受「檢察一體」之牽絆，又得調查委員之合力，為其最後決定之背書，辦案心理壓力因之而分散，其實質意義，實與獨立檢察官之概念相當，而優點或猶過之。不料，五八五號解釋，拔除調查委員之刑事偵查權，甚至借調來會之檢察官，亦失去原有身分依法所得行使之檢察權。此與獨立檢察官之功能設計，已背道而馳。除儘速更行正式立法建置名實相副之獨立檢察官制度外，已別無他法可使人民對於本案真相可能查明之信心恢復。高層政治人物亦將從此更無忌憚，而恣意違法亂紀。至於建置此制度，除參考外國先例外，其基礎在：

1. 於法院組織法第五十八條增設第二項：「獨立檢察官之建置，依特別法之規定。」於刑事訴訟法第三條增設第二項「前項檢察官，包括獨立檢察官」。

2. 制定「獨立檢察官建置條例」，定明立法院為查明極端特殊案件之事實真相，得經院會之決議，選定特定之人（是否為現任檢察官，在所不問，但以素著清望、經驗豐富、立場中立，具有特定專長者為遴選之實質條件），為獨立檢察官，使之行使檢察官之刑事偵查即起訴權，並排除法院組織法官於「檢察一體」規定之適用。至於所謂極端特殊案件之範圍，則採列舉方式（例如總統犯內亂外患罪者；總統副總統選舉時涉及選舉舞弊者；行政院長、副院長、法務部長、內政部長涉案，部會首長或其他政務委員涉及重大牽連複雜之貪汙瀆職者），以免浮濫。

二〇〇六年四月十一日立法院再次通過修正版的真調會，在第二屆真調會王清峰召集人的領導下，鍥而不捨地進行調查，雖然行政機關依然不配合，但委員會於二〇〇六年八月二十二日公布了一百七十八頁的調查報告。報告指出，包括兇嫌陳義雄屍斑位置不符等科學證據，推論槍擊案兇嫌陳義雄應是「非意外落水溺斃，亦非自殺。」疑似被殺後棄置於陳屍水域，完全推翻刑事局的論定，真調會並建議立法院將全案移送最高法院檢察署偵辦[3]。

在同一則報導中，真調會召集人王清峰一口咬定陳義雄是「他殺」，台大法醫研究所教授李俊毅也提到，所謂「屍體會說話」，陳義雄陳屍海中臉朝下、背朝上，屍斑應該出現在臉上、頭部與胸部下方，怎會出現在背部。

報導指出，根據刑事局委請石台平法醫提出的驗屍報告，陳義雄屍斑出現在背部，且未轉移呈現固定屍斑，推測死亡時應呈仰躺姿勢，加上屍體已重度僵硬，應該維持八小時以上，推測死亡時間約在二〇〇四年三月二十八日深夜。不過，李俊毅質疑，當時救生人員發現陳義雄屍體漂浮在海中，但一般溺斃至少要二至三天屍體腫脹才會浮起，石台平為何鑑定陳死亡僅八個多小時？王清峰也說，陳義雄屍體被發現時，其右手往右外方舉起，左手舉起往內，兩腳膝蓋向上彎曲，與溺死者手腳自然垂下不同。

根據自由時報李明賢報導，第二屆真調會提出調查報告，再度指稱三一九槍擊案事件不排除是政治謀殺、選舉花招或簽賭牟利等，過程疑雲重重，特別是元首維安勤務有重大疏失，不排除特勤人員涉案的可能。

這屆真調會於五月成立，並依規定於三個月內提出首份調查報告，調查主要是根據刑事局公開的鑑定報告與實際訪查，整理出近兩百頁的調查報告，內容雖未直接指控槍擊案造假，卻指稱槍擊案「疑點太多、答案太少」。

報告指出，槍擊案發生原因眾說紛紜，但安全維護部門有嚴重疏失，應負起最大責任，包括事前輕忽情資，槍擊發生後，安全人員反應遲鈍，安全指揮體系紊亂，無法掌握狀況，當時的侍衛長陳再福的通聯紀錄，竟有十分零六秒出現空白，還出現前後次序紊亂的情況。

根據二〇〇六年十一月二十二日中央社報導，三一九真調會舉行記者會，公布新出爐的調查報告；調查報告共一百一十四頁，如加上附件共一百三十八頁，調查報告中對三一九槍擊案疑點提出質疑。

真調會十一月二十二日表示，總統府、行政院及所屬機關及人員繼續抵制調查，真調會對不配合調查者依法開罰，分別處以三萬元（新台幣）至十萬元的罰鍰，其中行政院處最高額十萬元。真調會委員李俊毅說明調查報告指出，據刑事局專案報告及不處分起訴書所載，三一九槍擊案現場，兩顆彈殼如外徑分別為八・九〇毫米與九・一〇毫米，但唐守義集團製作的槍管彈室內徑為九毫米，兩顆如此差異的彈殼能否同時在唐守義集團製作的槍管槍枝使用，令人質疑。

他說，經真調會委請相同的工廠，以相同的材料製作相同的模擬槍管（九毫米）與模擬彈殼，進行子彈裝填實驗，外徑九・一〇毫米的彈殼根本無法裝填於九毫米的槍管彈室。專案小組認定三一九槍擊事件是一槍兩彈或兇槍是唐守義集團所製作，應重新檢討。

調查報告也對立法院提出建議，包括請儘速成立「訴願審議委員會」，處理不符罰鍰的訴願案件；要求行政院及所屬機關配合真調會調查，並廢止政院發布的協調聯繫要點；將偵辦三一九槍擊事件違失人員送監察院彈劾；將陳義雄命案移送最高法院檢察署偵辦；繼續追查三一九槍擊事件真相。

民進黨政府任內，讓真調會手無寸鐵，無法達陣完成三一九槍擊案之真相調查。但馬英九二〇〇七年要參選時曾來看我，在我辦公室承諾若當選要重啟偵查，還台灣人民一個公道。很遺憾的是，他當選後的八年日期，還是放任時間消逝，未對本案重啟調查，任令三一九槍擊案之真相仍無法大白。

對於二〇〇四年三月二十七日五十萬集會群眾要求驗票的呼聲，也給陳水扁帶來極大壓力，警方除於當夜強力驅散未散去的群眾外，他也於當晚召開記者會宣布，同意全面驗票。他說，只要國親陣營提出選舉無效或當選無效之訴，他將馬上遞出同意書，國親不必舉證，不必等到法院開庭，便可以雙方合意的方式展開全面驗票。

他的這個決定，距離我們三月二十日深夜提出，以及美方關切，整整延遲了一個禮拜的時間，可以說是破紀錄的群眾示威，讓他最後不得不作此回應，否則他當選的正當性，是始終被懷疑的。在抗爭時，我也不客氣認為他的作為是有「竊國」之嫌。

由於選舉開票後陸續傳出諸多光怪陸離的現象，我對這樣的結果表示痛心與憤怒，因而決定對種種的可能舞弊現象，提出「當選無效之訴」及

「選舉無效之訴」。

我與宋楚瑜商量後，決定委由理慈國際科技法律事務所主持律師李宗德、蔡玉玲等負責籌組律師團，進行這兩場訴訟。

選舉無效之訴，我們控訴的對象是中選會。對於這次的選舉，民進黨挾其行政資源推動「公投綁大選」、到「三張票一起領」、再到「投錯票甌也算有效票」，其種種詭計甚至都算計到投票當日的投票動線。

隨後展開的驗票作業，十分繁瑣，上千位義務律師以及無計其數的熱心黨務工作人員，全面展開清查拜訪，清查在選舉過程中各種不合理的現象。清查結果，二〇〇四年的選務作業可說是錯誤百出，荒誕離奇。《關鍵決策：三一九之後的國民黨決策內幕》一書作者群之一的喬福正在該書中的一〇〇頁、一〇一頁寫到：選舉名冊上已經注明選舉人死亡的事實，選務人員仍允許「選舉人」蓋章領票，並有選務人員蓋章證明；多重障礙及植物人也出現在投開票所，指印領票，管監人員在無人會章的情形下，發放選票；也有服刑之犯人當天出現在戶籍地投票所，事後經查證，並沒有請假外出投票，領票人到底是誰？選務人員又為何同意選舉人用非本人的印章領票；指印為紗布或其他紋路，選務單位辯說是印泥因材質太粗造成的。但那些所謂的「指印」只有格子紋或是波浪紋，完全也沒有指紋，這也要做指印嗎？選務機關提供這樣的印泥，不管是有心還是無心，都無法掩飾違法辦理選務的事實；蓋章領票原為最正規的領票方式，居然也出現各式各樣的奇特現象，包括用史努比章、印背領票；本屆選舉的廢票數竟然高達三十三萬七千餘票，比上屆總統大選高出三倍之多。國親律師團整理歷年大選資料發現，二〇〇〇年選舉的無效票只有十二萬兩千兩百七十八張，這次廢票增加了二十一萬五千零一十九張。就算一九九六年第九屆總統副總統選舉無效票也只有十一萬七千一百六十張，這次的無效票也高出二十二萬張。此一現象，顯然異乎尋常。依照中央選舉委員會的公布顯示，本次選舉雙方得票差距只有兩萬九千五百一十八票，故無效票數的不正常增加，以及不當開啟國安機制限制十萬軍憲警投票，這樣的一來一往，影響選舉結果至明。

國親律師團整理出中選會辦理二〇〇四年總統大選的違法事項包括：

一、辦理違反公投法第十七條第一項規定之公投。公投法第十七條第一項，規定「當國家遭受外力威脅，致國家主權有改變之虞，總統得經行政院院會之決議，就攸關國家安全事項，交付公民投票」，這就是一般通稱的「防禦性公投」。

游錫堃在行政院長任內答覆立委質詢時，曾認定防禦性公投的立法真意，是指發生「類似國家緊急情況」或「已出現針對性飛彈試射」等「立即危險」之情形。而陳水扁行使總統權力交付公投時，一般國民多未意識有立即危險的狀況。因此陳水扁交付的防禦性公投，並不符合公投法第十七條第一項之規定，根本是「違法公投」，中選會違法辦理。

二、違反公投法第十七條第二項之規定。雖然公投法第二十四條規定，中選會舉行公民投票，得與全國性之選舉同日舉行。但十七條第二項也明定，防禦性公投「不適用第二十四條之規定」。也就是很清楚規定，防禦性公投不得與總統大選及其他全國性公投同時舉行。中選會將該違法之公投與這次總統大選合併於同日、同場地舉行，顯然違法。

三、中選會未依公投法第二十條之規定，於立法院已正式就總統交付公投之兩項議題，作成決議予以支持後，立即停止公投程序之進行。且以國家資金及各種資源，幫助陳水扁宣傳其「總統投1，反飛彈投0，護台灣投0」之立場，當然屬於總統副總統選罷法第一〇二條所稱「選舉機關辦理選舉違法」。

由於中選會的違法，將公投與總統大選同日舉行，且未將投開票所分開，因此這次選舉投開票也造成前所未見的混亂，甚至妨害祕密投票、影響選民投票行為，均達到嚴重程度，足以影響選舉結果。

國親聯盟的律師團在努力蒐證下，發現違法「公投綁大選」所造成的選務混亂，至少包括：（一）塗改公投名冊名稱後，做為總統大選之選舉人名冊使用；（二）大選選舉人名冊內夾雜公投名冊部分內容；（三）公投與大選同時開票、唱票、計票；（四）未查扣已領未投票袋之違法情形。

我們的訴訟主張：所謂「選舉結果」亦非僅限於票數差距，尚且及於違法行為對「選舉公正及正確性」所產生之動搖或破壞。故所謂「足以影響選舉結果」，應有二種態樣，其第一態樣為「可以量化為票數計算之影響」，第二態樣為「無法精確量化為票數之計算，但其情節、幅度、或頻率足以對選舉的公正性及正確性產生影響」，本次總統、副總統投票日前一天所發生之三一九槍擊事件、槍擊事件後之謠言散布、啟動國安機制等事件，或造成多數選民自由投票之意志受到妨害，致生第二態樣之「足以影響選舉結果」；或有眾多特定職業選民無法行使投票權，致生第一態樣之「足以影響選舉結果」，且此等事件於選前均曾經媒體公布、討論，而為眾所周知之事實，則被告中選會對此等事實自不得諉為不知，故被告中選會為確保本次選舉結果之正確，自應於事件發生後，依法採取積極之作為。

在《關鍵決策——319之後國民黨決策內幕》[4]這本書中的一〇六頁，曾特別引述國立政治大學選舉研究中心，在九十三年六月「民眾對公民投票看法之研究」的民調結果（有效樣本數一千一百二十八，以百分之九十五的信賴度，最大可能抽樣誤差為正負百分之二點九二），二〇〇四年總統選舉之結果，確實因被告中選會違法合併舉辦總統交付之公投遭到扭曲。

受訪的民眾中，有百分之十三點八是因為公投而投票。受訪者中，承認自己因公投而「不去」票者，比例較低，但也達到百分之四點五。

這顯示公投綁大選不僅使相當多人決定投票，也使相當多人決定不投票。所以二〇〇四年總統副總統選舉「是否投票」的取向，受到違法綁公投的巨大影響。

而且，受訪民眾中，有百分之十九點七因為公投關係支持陳水扁，另有百分之十四點九的受訪者支持連戰。

因此二〇〇四年大選的「投票對象」取向，也顯然受到違法公投影響，且因違法公投對陳水扁候選人所帶來的利益，也高出連戰約百分之五。符合總統、副總統一百零二條「選舉罷免機關辦理選舉、罷免違法足以影響選舉、罷免結果」之規定，當然應以中選會為被告，提起選舉無效之訴。

國安機制非法啟動

國親聯盟的訴狀中也特別指出，「陳水扁與呂秀蓮雖傷勢不重，意識清楚，且手術於當日下午三時即已進行完畢，身體均無大礙，但陳、呂二人卻未公開現身，對於原告等親自探訪亦均拒不接見，僅於當日接近子夜十二時方發表不到一分鐘之簡短錄影談話，導致選民誤會二人傷勢極為嚴重。三一九槍擊事件發生後，由於該事件真相未明，遂使陳呂陣營或親陳呂人士得以利用製造各種足以影響選舉結果之謠言。在中南部甚至有地下廣播電台及陳呂陣營的宣傳車，於各處不實地渲染『槍擊事件幕後係中國大陸為原告而策劃』、『原告與中國大陸掛勾，台灣要滅亡』、『國親結合共產黨槍殺陳水扁』、『目前福建軍區操兵，和連宋在那邊暗盤，暗通款曲』、『連宋他們買了殺手要殺我們總統，萬不離射殺了，台灣就大亂』、『就像李登輝總統所說的，票選台灣人一票或中國人一票』、『如果陳水扁被刺殺，中國就不用攻打台灣，由連宋接掌後當特首』等語。此外，本次選舉中，陳呂競選陣營始終運用台灣人要對抗中國人的族群操弄手法，製作文宣海報影射原告與中共掛勾會出賣台灣，造成嚴重的省籍對立情節，並在三一九槍擊事件後，更進一步的製造槍擊事件與原告及中共有關的謠言，並配合製作『台灣人』對抗『中國人』之文宣，大量印製發送。而中南部地區於三月十九當日下午，各處均出現模仿選票格式，但將陳呂二人及連宋二人之姓名欄，替換成『台灣人』及『中國人』之海報，更足見陳呂競選陣營對此真相不明突發事件之操弄。」

訴狀亦指控「槍擊事件發生後，陳水扁自三月十九日下午二時許醫療手術開始後，意識始終保持清醒，陸續以電話與其夫人吳淑珍、總統府祕書長邱義仁、行政院長游錫堃連絡，並指示邱義仁、游錫堃二人啟動國安機制，惟因所謂之三一九槍擊事件發生時，其真相未明，且無任何事證足以判斷與國家安全有關，總統府在既無必要，又無法源依據之情況下，不當宣布啟動國安機制，足以顯現陳水扁及其競選陣營故意將槍擊事件擴張至國家安全的議題上，用以配合其一貫使用『台灣人要對抗中國人』的競選策略。」

而國安機制非法啟動後，對於軍警人員投票限制所出現的影響，訴狀中也有很清楚的記載：「本次總統大選，國軍部隊為執行『重點戒備』，致有三萬七千八百五十五名軍人被列為戰備留守人員，而無法於投票日行使投票權。除此之外，於正常情形下，非戰備留守兵力之部隊，僅需非常少數之人力擔任行政留守。例如陸軍某旅級單位，第一連擔任戰備留守，則其餘八個連均只需留下少數兵力擔任行政留守，其他人均可休假前往投票。前國防部長湯曜明作證時陳述其於國安機制啟動後，僅以電話下令召回國防部直屬之陸、海、空軍及聯勤、後備、憲兵等六位總司令。表面上，湯曜明所召回之人員僅有六位總司令，但實際上被召回之人數必然遠遠超過此一數目。就確有原得返鄉投票之軍人於宣布啟動國安機制後遭取消休假而無法行使投票權乙事，有證人孔令申出具，並經公證人公證之證明書乙紙足供鈞院參酌。而就三一九槍擊事件及國安機制啟動後，國防部取消或停止非戰備留守人員之休假（即變相增加行政留守人員），使被召回者無法行使投票權。其人數依媒體所報導，總數約為十萬七、八千人，此與國防部參謀本部於九十三年九月二十四日函覆台灣高等法院乙股之公文，九十三年三月二十日國軍之起伙人數甚為接近。該等人數若扣除執行戰備留守之人員三萬七千八百五十五人，尚有約七萬名軍人無法行使憲法所保障之投票權。且該日為例假日，前一日（即十九日）則為正常上班之工作日，以國防部提供之該十九、二十兩天起伙人數數字比較，二十日之起伙人數竟達到十九日之百分之六十，如謂各級軍隊未因國防部藉國安機制之啟動而遭取消休假，其誰能信？另依海巡署向立法院提出之報告，亦說明有三千七百九十五人於三一九槍擊事件及國安機制啟動後無法投票。而內政部警政署副署長劉世林於台灣高等法院乙股作證時復證稱略以：三一九槍擊事件晚上有保一、保四支援各地方警察局，到第二天早上才回去，可能有人因為沒有睡眠的關係，太疲倦的關係，沒有去投票，使得原來預定投票梯次受到影響等語。據此，除國防部因國安機制之啟動而實際使得約七萬名軍人無法行使投票權外，若再加上全國各地因加強戒備而無法投票之憲警人員，則此次因政府違法濫權之命令而不能行使投票權之人數實屬極為眾多。」

對於當選無效之訴，國親律師團特別提出「潛在有效票」的觀點，立論觀點有四點主張：

一、依前國防部長湯曜明九月七日於訊問時證詞表示，三二〇投票當日無法外出投票之戰備留守人員，至少為三七八五五人，此一人數尚不包含「金馬外島地區之戰備留守兵力，為海軍、空軍及其他特殊部隊依其本身規定而實施戰備留守之兵力，以及為總統大選實施『重點戒備』而必須全數留守之各級部隊主官主管』在內，此等人員之所以無法外出投票，係由於戰備留守之交班時點，本次大選首次更改為中午十二時（以往係早上八時），致使前述之至少三七八五五位戰備留守人員，無法在三二〇投票日之投票時間截止前，享有外出投票之可能。前述資訊，亦見於國防部向立法院就「國安機制」議題提出之書面報告，足堪信為真實。

二、依據原告先前提出之「潛在有效票」之理論，此等原本在「中午十二時交班」規定下得以外出投票之選民，因交班時刻之規定改變，致不可能前去投票，其投票權利及可能性事實上遭到剝奪。投票意志失去具體展現之機會，其法律上性質應屬「潛在有效票」無疑。潛在有效票亦與「當選票數是否實在」直接相關，倘在兩件選舉訴訟中均未能為法院所斟酌，顯然於理不合。

三、關於潛在有效票對票數之影響，原告主張「最大可能性說」；此等潛在有效票應以「若將所有潛在有效票算入最高票落選人時，所產生影響之最大可能性」定其效果，前述之三七八五五人數，已大於兩造於三二〇當日計算之票數差距，更大於鈞院驗票後之兩造票數實質差距，被告之當選票數，顯然有所不實，且有影響選舉結果之虞。

四、潛在有效票之成因，本不必與被告有關；三二〇當日戰備留守人員交班時間之改變，客觀上並無任何合理或有說服力之原因存在。主觀上，鑑於職業軍人之投票傾向絕大多數偏向二號候選人，其「不能投票」之結果顯對被告有利，湯曜明前部長之堅持改為十二時交班，已可合理推斷為被告之授意，亦即為被告個人意志之實現。不論原告是否能「證明」前述交班時間的改變為被告所授意「潛在有效票」之成因，本即不必與被告有關。任何事件之發生，即使為不可抗力（例如風災），只需此一事件確實影響部分人士之投票權，而且「被影響」之人數已超過兩造票數差距時，當選人之當選票數即有不實，且因數量超過雙方差距，而構成影響選舉結果之虞。

另外，國親律師團根據閱覽選舉人名冊及勘驗筆錄過程中所發現之各種違法發票及領票出現有幽靈票（開票數大於領票數）、遺失票（開票數小於領票數）等種缺失。我們律師團統計得出幽靈票有九千一百六十八張，遺失票有七千一百三十四張；這兩種票加計就有一萬六千三百零二票。另外出現的選務缺失包括：以指印領票的違法，代領選票、簽章與姓名不符、簽名筆跡相同、其他冒領態樣（出國、出海、服役、服刑……而未投票）。

利用國安操弄選情

國親的律師團主張被告自導自演三一九槍擊事件，係以詐術或其他非法方法競選，以妨害原告競選，且該詐術或非法方法事實上已達到被告等所希望之結果，即使原告原所領先之態勢，於三一九槍擊事件後改觀。顯見選民投票之自由意志已受到被告等競選陣營利用槍擊事件影響操弄，其為投票之相關資訊已受到扭曲誤導，並至最後投票結果不正確。被告已運用非法之方法，並有同時違反刑法第一百四十六條之行為，依總統副總統選舉罷免法第一百零四條第一項第二款、第三款之規定，被告等之當選應屬無效。

另外，國親律師團也主張，被告等渲染、扭曲三一九槍擊案之嚴重性，並製造、散布謠言指該事件與原告及中共有關。我們認為這些扭曲與謠言，均係事實上由被告等所為或在法律上應認係被告所為：除刻意不即時公開露面，導致選民誤會二人傷勢極為嚴重，及被告陳水扁刻意將槍擊事件，誤導為國家安全事件等行為，均係直接由被告等人所為外，至邱義仁之記者會，實際上僅係配合被告等人所為之演出，被告等透過邱義仁釋放出不正確之訊息，此部分自應仍屬被告所為之行為，且證人邱義仁身兼被告全國競選總部之執行總幹事，其所為之行為，以及被告等競選陣營之地下電台及宣傳車助長不實流言散布，影響選情甚巨。

我們律師團認為，陳水扁基於其身分及職責，於傷口縫合及治療後，即有義務採取下列之作為：

一、立即公開現身說明所受傷勢實際情況，以免民眾臆測，造成謠言紛傳。（其實以美國前總統雷根遭槍擊刺殺為例，他接受心臟開刀手術，一個半小時後就上電視說明情況，阻止了小道消息散播。反觀陳水扁的腹部傷口輕微，直到術後九個多小時才以錄影方式於電視露面）。

二、就地聯繫國防部、國安局、情治單位首長以明確了解有無影響國家安全之情況發生（例如對岸中共軍隊有無任何異動），以判斷是否有採取任何維護國家安全措施之必要，或是否有必要召開國家安全會議，並應注意避免過度反應，造成社會恐慌不安。

三、應立即指示奇美醫院、刑事警察局、國家安全局等相關單位隨時公開一切資訊，以免不實資訊影響選舉公正；並應要求其競選陣營不得為任何無根據之臆測性發言或指摘，以免競選雙方民眾對立，造成混亂或形成暴動。

四、立即指示相關部會首長採取各種安定人心的因應措施，以免此一事件造成對國家社會不利之影響。然而被告等對其依法應有義務採取之上述作為竟無一採取，反而由其競選總部執行總幹事邱義仁召開記者會，渲染、扭曲並隱匿被告等傷勢之實情，導致全國選民誤會二人傷勢極為嚴重，以利爭取同情票。被告陳水扁更不問是否確有影響國家安全情事，逕行授權行政院長游錫堃非法主持國家安全會議，宣稱啟動國安機制，將槍擊事件誤導為國家安全事件，以利地下電台及宣傳車之謠言攻勢，並妨害投票人內心之自由投票意志，以及妨害為數眾多之軍警人員行使投票權，使投票發生不正確之結果。被告二人以「不澄清、亦不制止」之不作為方式，以利其競選陣營利用槍擊事件及國家安全操弄選情，實昭然若揭。

以狹義見解認定不實票數

如果三一九事發後，國防部與國安局情報部門能掌握對岸並無異常軍事異動，國安機制就無啟動必要，十萬軍憲警的投票權就不會被剝奪，民進黨的地下電台與宣傳車的謠言散播影響力必將下降。但是陳水扁及民進黨的做法與想法，卻非如此。反而我們競選總部以社會安定為考量，主動要求停止當晚的四百萬人造勢活動，並呼籲對手跟進。我們這一以大局為重的主動作為，實非一般反對黨、在野黨會做的決策。

對於國親律師團所提出的當選無效及選舉無效兩案訴訟理由，很遺憾台灣高等法院並未接受。雖然李昌鈺博士的鑑識報告認為陳水扁所受是槍傷，但對於我們懷疑是自導自演，法官卻要原告負舉證責任。至於我們提出前國防管理學院院長帥化民率前聯勤總部二〇二廠火炮製造中心中心長陳笏、及原聯勤大福兵器試驗場主任鄭台安在美國洛杉磯進行的〈三一九槍擊案彈道性能測試報告〉，質疑陳水扁腹部十一公分的傷口有很大疑點，法院也不採信，我們要求法院傳訊帥化民及陳笏兩位證人證述報告內容，法院認為沒有必要。國親陣營提出五項直接證據及七項以上的其他佐證，證明陳水扁腹部傷口不可能是在三月十九日下午一時四十五分左右，在台南市金華街掃街拜票時，遭人以改造手槍、土製低速鉛彈射擊所造成之擦傷。但是國親陣營針對槍擊案的種種疑點，聲請高院調查證據及鑑定，高院都不願處理，反而指國親未盡到舉證責任，這與事實不符。我們認為公投綁大選、假造槍擊事件、槍擊後刻意渲染扭曲、製造謠言，啟動國安機制，合議庭卻認為選舉中的「非法方法」必須具有強暴脅迫情況。換言之，我們舉證的非法，合議庭卻不認為是非法之方法。法院採信被告主張，認為謠言是屬於政治言論市場，是兩造攻防，並未脅迫選民。

此外，國親律師團認為，台灣高等法院對於當選無效訴訟的判決，曲解法律原意，理由矛盾，更有許多應調查而未調查的證據，法院判決明顯違法。

例如高等法院對「當選票數不實」採用最狹義的見解，高院僅採納「選票數量計算錯誤」及「有效無效認定錯誤」。

然而根據司法院院解字第三九六九號及四〇四〇號等解釋，包括代替投票、雙重投票、無選舉權人之投票、幽靈票等「潛在無效票」，都屬於當選無效的訴訟審理範圍。

但高院對選舉人名冊竟然不願全面調查，以致於因選務違法產生的「潛在無效票」，完全沒有扣除。我們辯護的李宗德律師說，不讓看選舉人名冊，就等於是訴訟程序剝奪不讓看證據。

國親陣營也因此在二〇〇四年十一月二十九日，就總統選舉當選無效的一審判決，提起上訴。

上訴的理由是，針對高院沒有採用對原告有利的證據，包括國安機制啟動造成最保守估計，七萬名以上軍人不能投票、公投綁大選違法、槍擊案，甚至不同意國親律師調閱選舉人名冊等。

一審我們敗訴後，《聯合報》有篇社論提出了分析，以下為社論論點摘要：

一、關於國親主張陳呂假造槍擊案的部分：法院認為，依據李昌鈺的報告，陳呂是受到槍傷，但是不是為自導自演，則應由原告即國親舉證證明。而且認為，「槍擊事件」雖然使「選舉局勢」改變，但未使「選舉結果」發生不正確之情形，未達使選民喪失自由意志之程度。

二、關於公投綁大選部分，法院認為，陳水扁總統交付並指定總統選舉日舉行公投，雖然和公投法第十七條之規定不符，但尚未滿足當選無效之「以強暴脅迫或其他方法，使選民喪失自由意志」的構成要件。

三、關於陳呂陣營在槍擊事件後的不當渲染部分：法院認為並不符合以「強暴脅迫」使選民喪失「自由意志」的法律要件。儘管法院也承認，「邱義仁在記者會回答問題嘴角出現笑意，令人感覺不解」的質疑，「衡情故非無據」。卻認為邱義仁的表現「反而不足使聽聞者相信陳呂受傷嚴重」，故仍不足為原告主張的理由。

四、關於不當啟動國安機制的部分：法院認為僅具宣示性效果，相關軍警單位並未增加留守人員。

五、關於重新驗票部分：法院審理後認定陳呂所贏票數縮小為兩萬五千餘票，但不影響選舉結果；至於國親主張的潛在無效票、歸屬不明票等等，應為考量宣告「選舉無效」的問題，而非「當選無效」之要件。

六、我們閱讀判決理由，法院以選舉訴訟為「民事訴訟」做理由，要求原告負起舉證責任；於是導致選舉雖有諸多疑點，但原告仍然敗訴的判決結果。

國安局抗拒調查

我們質疑，法院固然有它的立場，但總統大選爭議的焦點，如三一九槍擊案的真相、國安機制等等，迄今檢警調機構毫無作為，國安局又抗拒調查，法院卻兀自主張原告應負舉證責任，這不是不用審，就可以判定原告必將敗訴？

法院又在說明不同意國親要求再開辯論，詳查三一九槍擊事件真相的理由時表示，那是刑事偵查機關的責任，而不是民事法庭的責任。至於不當啟動國安機制的政治和行政責任問題，也不是法院的權責。

綜上所述，影響選舉成敗的關鍵就是三一九槍擊案的真相以及國安機制啟動剝奪影響多少投票人的權利，事實上就根本不可能，正義最後還能夠出現嗎？

有偵查權責的偵查機關無作為，法院又說沒有偵查的權責而不偵查，立法院通過真調會條例，成立真調會來調查，執政當局卻想盡辦法杯葛到底，阻撓真相浮現。

試問這種情勢下，還能寄望總統大選爭議真相能大白嗎？

在這種不正常的法政體制下，片面要求原告舉證責任，是公平的作為嗎？

對於我們種種質疑的非法作為，足以影響結果，法院顯然只是比較「問題票數」和「當選人勝選票數」的落差。但事實上我們一再陳述「當選務誤失的嚴重性或普遍性，如果已經達到破壞選舉程序公正的程度，也可以是『足以影響選舉結果』的違法情況。」

而另一項選舉無效之訴，也在二〇〇四年十二月三十日作出一審判決，國親亦遭到敗訴。

針對選舉無效的一審判決，國親律師團也在二〇〇五年二月四日，正式向最高法院遞狀提出上訴，並列舉高院十大違法事項：

一、高院違法拒絕原告閱覽選舉人名冊。原告於高院審理時曾多次聲請勘驗並閱覽本次總統副總統選舉人名冊原本，用以調查並證實被告等人辦理選務之各項違法事實，但高院拒絕讓原告得以閱覽選舉人名冊，明顯侵害原告訴訟合法權益。

二、高院違法指揮訴訟，且違法拒絕讓原告於辯論終結前取得開庭錄音光碟。原告為釐清證人陳述情節，與筆錄所記載之內容是否符合，在訴訟進行中，多次以書面及口頭聲請法院提供開庭之錄音光碟，但高院在無任何理由下，拒絕提供。

三、高院委棄本身審判職責，未依職權認定防禦性公投是否合法。總統大選期間舉辦的公投是違法公投，高院在無任何憑據下，居然逕自認定「防禦性公投自難認為不合法」，顯然有委棄本身審判職務。

四、高院曲解法令，認定中選會防禦性公投，得與全國性之總統選舉同日舉行。

五、高院未附理由即認定中選會就突發狀況，沒有採取積極作為的義務。

六、高院以原告未曾向中選會申請暫停選舉，即認定中選會無採取積極作為的義務，高院擅自以法律所未規定的要件，做為中選會行使其職權之前提是違法的。

七、高院未採信「單U型」票匭的設計，已妨害選舉人投票祕密之科學性證據。

八、高院認為，只有「圈票處」是祕密投票保護之處所，而「領票處」則不包括在內，曲解憲法第一百二十九條及總統副總統選罷法第二條所稱的「無記名」投票原則。

九、高院認為，以指印領票，不必管監人員會章證明，甚至蓋用印章背面亦可合法領票，更是曲解法令。

十、高院認為選民持逾期的「臨時身分證明書」亦可領取選票。這種認定是在為違法發票大開後門，後患無窮。

由於高等法院這些裁判理由，令我們無法接受，因而決定向最高法院再上訴。但最後判決結果，最高法院仍然駁回國親陣營總統大選「當選無效」案的上訴，判決理由有三類：

一、「公投綁大選」固然違反公投法但陳總統雖曾指定於大選日舉辦公投，卻「非總統職權」，不能令其負責。至於地下電台、族群動員等不當操作，是民進黨人士所為，也與陳總統無關，亦缺乏證據係陳總統所為。

二、三一九槍擊事件，迄未查獲兇嫌、查獲兇槍，真相未明，但因有六個月的「審理時間」限制，乃不得不結案，判國親敗訴。

三、票數不實問題，半數係爭議選票因「保護投票祕密」而不能進行調查（使用非法證件、指印未合法會章、指印與簽名筆跡相同、指印無法辨識等疑點，只因國親未舉證，法院為保護祕密就不調查）；另外，可調查的票數經調查雖縮小了差距，但不足以影響選舉結果。

當司法失去人民的信任

對於最高法院對當選無效訴訟判決我們敗訴，我特別發表「司法畏縮，執政濫權」的聲明。我認為本案不僅是司法審判或司法正義的問題，而是影響歷史、政治、文化、教育和人性的長遠判決。但我也相信歷史會對所有過程做出「最後的判決」，還給我們「最後的公道」。最高法院雖然也承認三一九槍擊案疑點很多，卻仍然以「時間有限」為理由，輕率結案，即使未來證明槍擊案是自導自演，也永無救濟途徑，顯然有愧職守。合議庭認為公投綁大選如有違法是中選會違法，但總統提出「咨文」，中選會就「照辦」，雙方一唱一和，卻說違法的是中選會，總統只是「說說而已」。相較於尼克森不交出證物錄音帶就下台，司法顯然寬貸掌權者。日後執政者的濫權必然更為明目張膽。此外合議庭不經過調查，便認為槍擊案發生後，地下電台一致說槍擊案是「連宋聯合中共打壓阿扁」不是集體行為，無法讓人信服；合議庭從未調查原告提出的「潛在無效票」爭議，就認定潛在無效票有9454票，不知數字從何而來。聲明並強調法院認為所謂「國安機制」即使限制軍人投票，也是國防部的行為，和陳、呂沒有關係，但是國防部屬於行政院，行政院長是陳呂競選總部的主任委員，如果這種邏輯可以成立，對於當權者的所有濫權行為，法院都必然沒有制衡的機會。我也認為，在訴訟過程，律師團受到法院很多不當的限制，這樣的判決結果，將讓司法制度就此崩解。

而宋楚瑜也認為，連呂秀蓮都不認為三一九槍擊案已經水落石出，高院草率結案，顯然無法符合全民期待。他認為司法已全心為政治當權者服務，失掉人民信任。

最高法院於二〇〇五年九月十六日駁回我們的上訴。其中對一審國親提出的「幽靈票」、「遺失票」、「贓物票」，判決指出總計有疑問的票數為八千六百八十七票，顯未逾本次選舉當選人與落選人間得票之差數。

對於連續的兩個判決，李宗德律師私下感慨說，法官不敢做出改變

「選舉結果」的判決，可以知道他們的壓力。他們自我設限，欠缺使命感與勇氣，不敢推翻「選舉結果」。

時隔十五年後，陳水扁出版回憶錄，堅持自己並非對三一九槍擊案「自導自演」。但是至今，犯案兇槍未出現，被警方鎖定的唯一兇手陳義雄卻身亡，陳之家屬至今認為含冤莫白，是否有更大的冤情呢？呂秀蓮曾經出版「透視三一九」一書就質疑，陳義雄死亡前的行蹤已遭掌握，為何在這敏感期間死亡？且陳義雄雖有反扁情緒，但沒有射擊過的經驗，如何在〇・六三秒內打中她和阿扁？還成功逃過上千名維安人員的追捕呢？而且陳義雄被發現並非在槍擊熱區。這的確是疑點重重！因此當兇槍找不到，所謂的兇手又身亡無證據證明犯案，三一九槍擊案真相至今仍石沉大海。而陳水扁自清的口述自白，公信力又會有多少呢？

至於當事人之一的呂秀蓮曾說過「對檢警公布的三一九槍擊案的每一項證據都不能接受」，她一直懷疑槍擊案是針對她。我相信她的懷疑是有本，因為根據總統副總統選罷法規定，副總統候選人若於競選期間死亡，競選活動仍照常舉行。唯有總統候選人身亡，選舉才會終止。她遭槍擊是否設計要犧牲她，來換取選情翻轉。這可能是呂秀蓮心中的謎，也是很多人的懷疑，只是呂命大，只因臨時在吉普車站上礦泉水紙箱上及坐高腳椅，槍傷只及膝蓋，而非胸部或腹部。

每年三一九這一天，呂秀蓮都會要求政府重啟調查，事實上我與宋楚瑜才是此一事件的最大受害者，我期待真相大白的心情，絕不會低於她。

十幾年過去了，我所認識的一些法界人士私下難免會感慨說，當年審理兩起訴訟的法官們，他（她）們的內心世界是如何看待當年的證據，他們曲意迎合了當權者，但這位當權者留給國家及後人是何種風範？國家的司法受到傷害，不被人民信任，這是台灣民主政治蒙羞的一頁，他們所做的判決還心安嗎？

不過三一九槍擊案引起的兩起選舉訴訟進行期間，凝聚了國親支持者的向心力。雖然在一審時我們敗訴了，但是緊接著的立法委員選舉，被視為二〇〇四總統大選的延長賽，選民卻給了國親多數席次，再次在國會擁有多數。司法給不了正義，選民就用再一次的投票，給陳水扁及民進黨一次重擊。畢竟投票前二十小時前所發生不明不白的一場「槍擊」，不僅衝擊了選舉結果。二〇〇四年的總統大選，更可說是台灣民主史上最黑暗的一頁，這也注定載入歷史。

注釋

1 中央選舉委員會（2004）。《第11任總統副總統選舉實錄》（頁310-311）。台北：行政院中央選舉委員會。
2 施啟揚（2004）。台北：幼獅。
3 《自由時報》2006.8.23李明賢報導
4 李建榮等（2005）。台北：巴札赫出版。

社會人文BGB548

連戰回憶錄

我的永平之路

連戰 —— 著

總編輯 —— 吳佩穎
研發副總監 —— 郭昕詠
編輯指導 —— 李建榮
校對 —— 張彤華、魏秋綢、翁蓓玉
封面設計 —— 張議文
封面照片攝影 —— 王海齡
內頁照片攝影 —— 古金堂、李培徽、省政府新聞處、楊永山
內頁排版 —— 簡單瑛設

出版者 —— 遠見天下文化出版股份有限公司
創辦人 —— 高希均、王力行
遠見・天下文化・事業群　董事長 —— 高希均
事業群發行人／CEO —— 王力行
天下文化社長 —— 林天來
天下文化總經理 —— 林芳燕
國際事務開發部兼版權中心總監 —— 潘欣
法律顧問 —— 理律法律事務所陳長文律師
著作權顧問 —— 魏啟翔律師
社址 —— 台北市104松江路93巷1號2樓

讀者服務專線 —— 02-2662-0012 | 傳真 —— 02-2662-0007；02-2662-0009
電子郵件信箱 —— cwpc@cwgv.com.tw
直接郵撥帳號 —— 1326703-6號　遠見天下文化出版股份有限公司

製版廠 —— 中原造像股份有限公司
印刷廠 —— 中原造像股份有限公司
裝訂廠 —— 精益裝訂股份有限公司
登記證 —— 局版台業字第2517號
總經銷 —— 大和書報圖書股份有限公司 | 電話 —— 02-8990-2588
出版日期 —— 2023年1月17日第一版第1次印行

定價 —— NT900元
ISBN —— 9786263550629
電子書ISBN —— 9786263550827 (PDF)
9786263550834 (EPUB)
書號 —— BGB548
天下文化官網 —— bookzone.cwgv.com.tw

本書如有缺頁、破損、裝訂錯誤，請寄回本公司調換。
本書僅代表作者言論，不代表本社立場。

連戰回憶錄：我的永平之路／連戰著．-- 第一版．-- 臺北市：遠見天下文化出版股份有限公司，2023.01
面；　公分．--（社會人文；BGB548）

ISBN 978-626-355-062-9（精裝）

1.CST: 連戰　2.CST: 回憶錄　3.CST: 臺灣政治

783.3886　　111021834

天下文化

BELIEVE IN READING